# Евгений ЛЕОНОВ

## ЖИЗНЬ И РОЛИ

Ростов-на-Дону
«Феникс»
1998

ББК 85.334.3(2)7
Л47

Л47 **Евгений Леонов: Жизнь и роли** / Сост. В. Я. Дубровский/. Ростов н/Д: изд-во «Феникс», 1998. — 384 с.

Эта книга о жизни и творчестве замечательного русского актера Евгения Павловича Леонова, снискавшего поистине всенародную любовь россиян. Поэтому так велик интерес к этому человеку, не ослабевающий и спустя несколько лет после его безвременной кончины.

Авторы книги сумели воссоздать живой и обаятельный образ человека, оставившего своим талантом добрую и светлую память в наших сердцах.

ISBN 5-222-00229-2              ББК 85.334.3(2)7

И $\frac{4910000000}{4МО(03)-98}$ без объявл.

© Исмаилова Н., 1998
© Леонова В., 1998
© Дубровский В., составление, 1998
© Изд-во «Феникс», 1998

*Мне нравится, что придет другая жизнь, может быть, и хорошая. Но другая нравственность, духовность не придет, если не опираться на старую.*

# От составителя

Уже на второй день после кончины Евгения Леонова в сообщении о его смерти были сказаны слова: великий артист. И они не были ни преувеличением, вызванным горестной утратой, ни запоздалым признанием заслуг.

Слова эти были сказаны и написаны по душевной потребности, по безошибочному эмоциональному движению.

Евгений Леонов при жизни не был обделен ни славой, ни знаками общественного признания: ему было присвоено самое высокое почетное звание, ему присуждали самые престижные отечественные и международные премии, награждали самыми главными орденами. Бесконечно много разъезжая по стране, он знал о своей популярности, о доброжелательном и любовном отношении зрителей. По врожденной и естественной скромности он не мог допустить мысль о том, что его жизнь и работа артиста станут частичкой жизни народа, осуществленной потребностью людей в доброте и порядочности.

Зрительская любовь к Леонову порождает и без того немалый интерес к его жизни и творчеству. Попыткой хоть немного удовлетворить этот интерес является предлагаемое издание.

Эта книга состоит из двух книг. Одна из них — монография Н. Исмаиловой. Другая — письма сыну Андрею — школьнику, студенту, артисту и солдату.

Таким образом, рассказ о творческом пути, о художественном и этическом кредо артиста соединен и продолжен исповедью самого Евгения Павловича. Жизнь и роли соединились так, как они были неразделимы в нем самом. Ценность этого соединения в том, что читатель получил реальную возможность убедиться, что Леонов жил, как проповедовал, утверждая в жизни и в искусстве доброе отношение к людям.

«Последняя глава» рассказывает о жизни после смерти, о нескольких годах, дарованных артисту судьбой, о совместной работе с сыном, о спектакле, ставшем завещанием Леонова. В этой части помещены эссе режиссеров, определивших театральный путь Леонова, — Б. Львова-Анохина, А. Гончарова, М. Захарова и прощальный поклон писателя Григория Горина.

Своеобразной летописью жизни и творчества артиста являются подписи под фотографиями, представляющие автобиографические реплики Леонова, взятые из его многочисленных газетных, журнальных и телевизионных интервью. К этой летописи примыкает список ролей Леонова в театре, в кино и на телевидении.

Авторский коллектив благодарит за помощь в подготовке и выпуске книги Ванду Владимировну Леонову, руководство Московского театра Ленком, сотрудников издательства «Искусство», работников библиотеки Союза театральных деятелей РФ, библиотеки Киноцентра и многих добровольных помощников, любящих Евгения Павловича Леонова.

*Нинель* ИСМАИЛОВА

# Евгений Леонов

## От автора

Из всех известных формул таланта я выбрала формулу, выведенную профессором музыки, «страсть, интеллект, техника». Триада эта точна и современна, в ней учтены душа, мысль и труд — все составные художественного творчества. И то, что два крупнейших художника, Станиславский и Нейгауз, один — режиссер, другой — пианист, оба выдающиеся педагоги нашего времени, видели основу артистизма в «умном сердце» (Станиславский) или в «эмоциональном интеллекте» (Нейгауз), подтверждает интерес к личности художника в современном мире, признание за артистом — исполнителем, интерпретатором — прав на авторство.

Может быть, это покажется кому-то «слишком» по отношению к артисту, не призванному играть Гамлета, однако в данном случае речь идет о более общих закономерностях творчества, нежели рамки амплуа. Сегодня, как это ни странно на первый взгляд, знание жизни, интеллект художника определяют не только его задачи в искусстве, но и круг его эмоциональных связей с миром людей. Всечеловеческое добродушие Сарафанова, героя пьесы А. Вампилова «Старший сын», проявлено Леоновым с такой художественной силой, что является зрителю творением двух авторов — Вампилова и Леонова

Артистическая одаренность, умение образно мыслить, постоянство нравственной позиции и вера в то, что именно реализм — самая большая сила в искусстве, определяют человеческий и художественный феномен Евгения Леонова.

В этой книге речь пойдет о художественных созданиях Леонова — о ролях, сыгранных в театральных спектаклях и фильмах. В искусстве, как принято считать, выражена лучшая, существенная часть личности артиста, и опыт, и знания, и память, и доброта, и надежда питают образы, над которыми он работает: они частичка его самого, его ума, его сердца. И все же всегда зрителю любопытно знать, «из чего что», хочется подтверждения нравственным идеям, которые несет художник в своем творчестве, видеть в его жизни. Биография художника, его знание действительности, широта интересов определяют характер и глубину ассоциаций, которые он способен вызвать своим искусством

Когда Леонова просили рассказать биографию, он смущался: «Что же тут рассказывать. Родился в Москве, учился, работал, работаю много и тем счастлив». Здесь же будет уместно сказать о самом главном — о том, что артист любил в жизни и что он ненавидел. Актер — сложное существо и противоречивое, он и любит своего героя и критикует его, подчиняется ему и в то же время подчиняет его себе, в иные моменты он прокурор для своего героя, а в иные моменты ему кажется, что это он сам, и тогда он плачет своими слезами. Итак, что же любил Леонов и что ненавидел?

Леонов любил Подмосковье, любил природу среднерусской полосы, покой лесов и неприметную красоту скромных речушек, синее небо и тишину. В свободное время, когда случалась пауза между спектаклями и съемками, он отправлялся с женой и сыном в подмосковную деревню Давыдково. Это место с детства знакомое и родное. В Давыдкове жила многочисленная родня матери, и поэтому летние месяцы семья проводила в деревне, так что самые первые, ранние воспоминания связаны с этой деревней. И привычка к долгим прогулкам по лесу или в поле — это тоже из детства.

«Я не рыбачу и не охочусь, — говорил Леонов, — просто хожу, дышу, думаю и вспоминаю».

Здесь, в Давыдкове, Леонов не дачник, а свой человек, ему сообщали деревенские новости: кто женился, кто дом построил, чей сын окончил институт. И это приятно сознавать, что где-то рядом идет жизнь твоих товарищей детства, бывших босоногих футболистов, которых теперь солидно величают по имени-отчеству. Может быть, человеку помогает сознание своих корней, а может быть, эта привязанность к местам детства выдает некоторую сентиментальность. Во всяком случае, любовь к родному краю, к скромному и поэтичному подмосковному пейзажу, начинается с нежной памяти о детских годах, с любви к маленькой подмосковной деревушке Давыдково.

Другим существенным моментом биографии является отношение человека к дому, к семье, к людям, с которыми сводит его жизнь. Леонов рос в типичной московской семье среднего достатка. Жили в коммунальной квартире на Васильевской, занимали две небольшие комнаты. Дом вечно был полон, вкривь и вкось стояли раскладушки — наезжали родственники близкие и дальние, деревенские знакомые, друзья-товарищи сыновей. Мать Леонова, Анна Ильинична, была хозяйкой доброй и гостеприимной, поэтому все чувствовали себя в доме легко и свободно, жили дружно и весело.

Предвоенное детство Леонова прошло, естественно, в мечтах стать летчиком, ведь это было время, когда вся страна гордилась бесстрашными «соколами»: Чкалов, Байдуков, Беляков, затем — Громов, Юмашев, Данилин и даже девушки — Гризодубова, Осипенко, Раскова... К тому же были и свои семейные причины — отец Леонова, Павел Васильевич, работал инженером на авиазаводе и много рассказывал сыновьям, Жене и Коле, о самолетах, о знаменитых конструкторах, так что мальчишки готовились стать летчиками. Кстати сказать, Николай Павлович Леонов работает в авиации.

Когда началась война, Леонов окончил семь классов и поступил на авиационный завод учеником токаря. Во время войны вся семья Леоновых работала на этом заводе: отец — инженером, мать — табельщицей, брат — копировальщиком.

Что сказать: разве готовили к актерству такое детство, такая жизнь? Как показала вся дальнейшая судьба Леонова в искусстве, эти жизненные «накопления», эти эмоциональные впечатления и простые нравственные уроки нелегкой жизни, жизни, причастной к горестям и радостям всего народа и страны, определили характер леоновского героя, круг его художественных идей и его личную тему. Демократизм в искусстве не может быть эстетическим ухищрением артиста, это сущностная черта личности человека, определяющая нравственный потенциал художника. В сознании Леонова искусство никогда не было развлечением для людей, но было и всегда будет школой человечности.

Леонов сыграл в кино и в театре много ролей — и больших и малых, комедийных и драматических, совершенных и неудачных. Все эти роли, конечно же, могли остаться лишь отдельными ролями талантливого артиста, если бы они не были объединены общей темой, единой тенденцией. Каждый, кто знает творчество Леонова, не может не почувствовать, что в любом фильме, в любом спектакле, играет ли артист героя положительного или отрицательного, он всегда рассказывает об одном — о человеке.

Он стремился видеть в своих героях светлое, доброе, человеческое начало, раскрыть его. А если случалось играть злодея, тирана, бандита, он умел вызвать у нас щемящее чувство тоски оттого, что его персонаж как человеческая личность не состоялся.

Доброта, любовь к людям, трогательное и нежное отношение к человеку — эта большая личная тема в искусстве роднит творчество Леонова с искусством таких замечательных комедийных актеров, как Давыдов, Варламов, Яншин. Основная тема в творчестве Леонова является естественной, неотъемлемой частью гуманистической направленности всего его искусства.

Леонов пришел в искусство вовремя. Середина пятидесятых годов была отмечена сближением искусства с жизнью, поисками достоверности, стремлением к документализму. Чистое, правдивое, задушевное слово о жизни простого человека — вот что становилось особенно ценным.

Дебюты актерские, режиссерские, писательские, художественные открытия, эксперименты, дискуссии — такова атмосфера этих лет. Художник не только активно вмешивается в жизнь, он не только не чурается злобы дня, но настойчиво ищет ее, стремится к ней. Лидером становится очерк, деревенская проза В. Тендрякова, С. Антонова, Г. Троепольского определяет эстетические устремления литературы, а затем и кинематографа и театра. Незнакомые ранее стороны жизни, неведомые искусству проблемы, даже можно сказать странные по своей публицистической остроте и конкретности, ложатся в основу художественных произведений. Восстановить доверие к факту жизни не просто, но так важно. Шло освоение нового характера, не характера-знака, не характера-типа, а вполне конкретного характера, увиденного в деталях жизненной и психологической правды. Человек из толпы интересен искусству и достоин его внимания.

Демократизация героя, или, как писали тогда газеты, «очеловечивание героя», — вот главное направление этических и эстетических поисков. Такое искусство близко Леонову, именно такому искусству Леонов нужен.

Внимание к внутренней жизни человека, к психологии выдвинуло на первый план артистов, главная сила которых в простоте и естественности. О чем мечтал Станиславский? Что «система» входит в человека-артиста и перестает быть для него «системой», а становится его второй, органической натурой. Безыскусственность отличает только тех артистов, которые способны довериться собственной органической творческой природе.

Леонов принадлежит к таким художникам, которые слышат жизнь, время и действительно причастны к герою демократическому. Их часто называют именами героев, их призывают на помощь в житейском споре. С ними держат совет, их любят. Поступки персонажей приписывают их доблести, а личные свойства их человеческой натуры — достоинствам произведения.

Все, что создано Леоновым на сцене и на экране, — не просто факты его актерской биографии, это заметное явление в нашем искусстве. Мы постараемся рассмотреть его подробно, потому что это поможет нам уточнить свои взгляды на искусство, выяснить эстетические пристрастия, определить симпатии и антипатии, да и вообще подумать о многих сторонах нашей жизни. Ведь всегда разговор о современном актере, если, конечно, это хороший актер, погружает нас в проблемы жизни общества, обращает к тем нравственным, этическим вопросам, которые стоят перед нами. А мастерство артиста в том и заключается, что оно неприметно, и, когда мы смотрим фильм, спектакль, артист силою своего искусства ведет нас в глубины авторского замысла.

Но что такое современный актер? Не раз театральную общественность сотрясали дискуссии о том, художник ли актер? Можно ли считать актера автором роли? Еще в 1961 году на страницах журнала «Театр» в обсуждении этих волнующих вопросов приняли участие актеры, режиссеры и критики. И с тех пор, то затухая, то вспыхивая с новой силой, в театральных и киноизданиях продолжается спор. Раньше «ходили на актеров», ждали их новых работ. Затем общественный интерес переключается на драматургию, режиссуру. Хорошо это или худо? И как сказывается на художественном авторитете актера? Мы увидим, анализируя леоновские синороли и роли театральные, что самостоятельный актерский замысел всегда различим в его работах.

Но все-таки — что такое современный актер? Может быть, это просто модный термин, а мода вообще не признает аргументов. Я спросила, что такое современный актер, у одного незнакомого зрителя. Мы смотрели один из плохих фильмов, и, когда вышли из кинотеатра, он сказал: «Я пошел на этот фильм только из-за Леонова».

«Современный актер? — пожал он плечами, не видя, очевидно, в этом никакого вопроса. — Современный актер — это тот, кто сегодня много играет и кого понимает и любит зритель».

Очень просто, правда? Тогда я спросила об этом одного знакомого писателя. «Современный актер... — начал он серьезно, понимая неразрешимость моего вопроса, — это тот, кто способен воплотить современный характер».

Несомненно, и в искусстве и в жизни мы встречаем людей, наиболее полно воплотивших черты времени. О таких людях говорят — «дитя эпохи». Может быть, современный актер — дитя эпохи?.. Известный театральный режиссер сказал строго: «Личность, которую интересно наблюдать в обстоятельствах роли».

Одно время самыми современными актерами считали Алексея Баталова и Иннокентия Смоктуновского, приписывая современности прежде всего свойства интеллектуальные. Но все же это оказалось не совсем точно.

Приходилось слышать, что современный актер призван играть на экране самого себя. Известно, что все герои Жана Габена всегда были похожи на самого Жана Габена, и в этом зритель не усматривал ничего дурного. А герои Николая Черкасова никогда не были похожи один на другой, так же как и не были похожи на самого актера, — и в этом великое искусство Черкасова, искусство перевоплощения. Так что же произошло в современном искусстве? Действительно ли актер призван играть самого себя?

Современная режиссура ищет в актере духовную типажность. Духовная типажность не имеет ничего общего с «типажом» в буквальном смысле, с внешней похожестью, соответствием внешнего облика. Духовная типажность предполагает совпадение личности, личного темперамента, характера, способностей человека с тем образом, который задуман в произведении. Безусловно, чем ярче актерская индивидуальность, личность актера, тем больший соблазн представляет он для режиссуры, тем больше возможностей у него воплотить характеры разные, значительные, подчас противоположные.

Разговор, естественно, сводится к индивидуальности, к личности актера, которая всегда, во все времена определяла художественные потенции. В конечном счете человеческие потенции личности и есть тот клад, который способен приоткрыть для нас настоящий артист.

Один режиссер ищет в духовной типажности совпадение актерской личности с заданным художественным образом, а другой ищет парадокс, ищет именно несовпадение. И мы знаем немало примеров, когда такие несовпадения, такие парадоксы рождают чудо. Одно ясно: и тем и другим режиссерам надобна личность. Ибо при отсутствии этой личности — сильной, сформировавшейся, определенной — невозможно решение художественных задач. Но когда об актере говорят, что он пришел в искусство как большая человеческая личность, — это высшая похвала.

Работы Леонова в кино и в театре всегда приносят ощущение больших человеческих потенций. Это идет от наполнения образа свойствами личности актера. Сюжет пьесы, фильма чаще всего рисует личность героя, реализовавшуюся в определенных ситуациях жизни, но не всегда тут есть повод для полноты выявления героя. Возможен и такой случай, когда автор хочет указать на несостоявшуюся личность. То, что выявилось в поступках, словах, в действии, поможет передать сюжет, но то, что было заложено, так сказать, природой, что было дано человеку «от Бога» и не проявилось из-за условий, времени и прочих важных факторов, — как узнаем мы об этом? Об этом способен рассказать только актер, который несет в себе эти огромные человеческие потенции.

Личность актера, его способность к самостоятельному творчеству — главное, что ценим мы в артистах — наших современниках. Значительность и своеобразие художественных созданий всегда производное от артистической индивидуальности.

Леонов всегда искал свой замысел роли, он не перекладывал эту работу на плечи режиссера, хотя и неоднократно говорил, что без помощи умного, хорошего режиссера, без полного творческого согласия с ним актер на съемочной площадке — «голый король».

Раскрыть себя в роли — это значит для него прежде всего выразить свою гражданскую взволнованность замыслом фильма, внести свое собственное ви́дение и понимание жизни. А в таком случае отношения актера с персонажем, которого он исполняет, не могут быть бесстрастными. Леонов всегда проявлял человеческую заинтересованность в судьбе своего героя. Он любит своих героев, жалеет, понимает, защищает. Он мягок и милосерден даже к сатирическим своим созданиям, он буквально не допускает мысли о безнадежности какого бы то ни было человека. Ни жанр, ни стиль фильма не сковывают, не мешают артисту выразить со всей пронзительностью свое отношение к человеку, понимание его возможностей, его места в мире, каким бы скромным и смешным ни был его персонаж.

Творческая биография Евгения Леонова — это история трудных поисков, актерского долготерпения, потерь и находок, великого труда и непрекращающейся учебы и совершенствования — от мастерства к высшему мастерству.

Сколько жизней нелегких, сложных прожил на сцене и в кино Евгений Леонов, сколько незаурядных характеров сыграл он! Персонажи, ставшие живыми благодаря таланту артиста, помогают человеку познать мир. Поэтому встречи с героями Леонова незабываемы и необходимы.

## Евгений Леонов — актер комедийный

Если Евгения Павловича спрашивали, почему он стал комиком, он смеялся: «Потому что у меня лицо круглое». Или рассказывал, что, когда увидел в цирке Юрия Никулина, так заливался смехом, что зрители не знали, куда смотреть — то ли на него, то ли на манеж, вот и присоседился к славе комика. Но, конечно, не каждый артист даже и с круглым лицом может стать комиком. И не всякий, кто заразительно смеется, умеет рассмешить. Зато умение видеть комизм ситуации, чутко реагировать на шутку, чувство юмора — качества, необходимые комику.

Вообще-то психологи считают, что чувство юмора и остроумие есть первый признак талантливости человека. В основе многих великих открытий, в том числе, например, открытия Эйнштейна, лежала остроумная парадоксальная догадка. Во всяком случае, все мы знаем: сказать человеку, что у него нет чувства юмора, — значит оскорбить его. И все же не у всех благополучно с чувством юмора, а тем более далеко не всем нам присуще обостренное, утонченное чувство комического, которое нужно искусству. Может ли человек отнестись с чувством юмора к собственной персоне, посмотреть на себя со стороны, увидеть нелепость своего положения и улыбнуться?.. А еще комику нужны доброе сердце, способность сострадать человеку, жалеть другого. Комик — не только самый веселый человек.

В 1961 году на экраны вышел фильм «Полосатый рейс». Мальчишки смотрели его по десять раз, да и взрослые, поругивая фильм за примитивность человеческих характеров, не прочь были посмеяться еще разок-другой над нелепейшими приключениями несчастного «дрессировщика». Комедия в те годы была редким гостем на нашем экране, а смешная, забавная — тем более. Фильм режиссера В. Фетина по сценарию А. Каплера и В. Конецкого отличался выдумкой, смелостью эксцентрических трюков, но успех ему принесла, конечно, актерская работа Леонова.

Леоновский персонаж — тихий, скромный человек, буфетчик Шулейкин из советского торгпредства, не мог достать билет на пароход, и торговый агент предложил ему билет заболевшего укротителя с условием, что он повезет ценный груз — закупленных в Африке тигров и льва. Звери, естественно, в клетках, Шулейкин в каюте, никто ничего не узнает. Простительное легкомыслие втягивает бедного героя в водоворот таких событий, что он, себя не помня, носится по палубе, боясь суда людей и гнева тигров и не надеясь на спасение. Нельзя сказать, что характер Шулейкина был выписан глубже других персонажей, но все же леоновский герой в отличие от них вызывал доверие.

Шулейкин Леонова — потешный тип: и купание в мыльной пене, и борьба с тиграми, и выступление его перед пассажирами в роли известного дрессировщика — все это было уморительно. Но, попадая в нелепейшие ситуации, артист стремился сохранить правду психологического самоощущения. Надо сказать, что Леонову это удается всегда поразительно. Его Шулейкин бесконечно страдает от ложности своего положения, он стыдится своего вранья, и это вдвойне комично.

Леоновский персонаж и плох и хорош одновременно. Даже в дурных поступках открываются какие-то добрые человеческие черты и возможности. Леонову удается сохранить абсолютную серьезность. Он действует сосредоточенно. Именно это усиливает комизм положений, в которые попадает его герой.

Евгений Леонов правдив, но понимает, что актерская правда в водевиле иная — эксцентрика многое объясняет, дает свои правила, которые Леонов принимает и чувствует себя в них свободно. Потому он прост, естествен.

Способность Леонова с истинным простодушием отнестись к предложенным обстоятельствам в комедии «Полосатый рейс» дала ему возможность психологически достоверно и выразительно исполнить эту роль. Леонов стал популярен, любим, известен всей стране.

С. Михоэлс, выдающийся мастер сцены и тонкий теоретик актерского искусства, большое значение придавал поведению персонажа. Если поведение найдено, если оно органично, можно считать, что роль актеру удалась.

До «Полосатого рейса» Леонов сыграл немало комедийных ролей, и все его герои были заразительно смешны: и наивный ленивец милиционер Сердюков в фильме «Улица полна неожиданностей», и придурковатый Кристи в спектакле «Ученик дьявола», и нелепый в своем энтузиазме завхоз в фильме «Не имей сто рублей», и уморительный Федя в «Повести о молодоженах», и Саша Смирнов в фильме «Произведение искусства». Леоновские персонажи, сценические и экранные, вызывали смех в зрительном зале при первом своем появлении. И каждая из этих работ открывала какую-то грань комедийного дарования артиста. Но «Полосатый рейс» вобрал все разнообразие комедийных красок; здесь мы впервые увидели, что Леонов — буфф, эксцентрик, и при этом гротеск он умеет соединить с правдой характера. Его персонаж не терял жизненности в самых условных, необычных обстоятельствах.

Поразительное сочетание буффонады и психологической правды самоощущения героя мы увидели и в спектакле «Энциклопедисты» Театра имени К. С. Станиславского. Леонов исполнял роль Куманькова — самодеятельного композитора, который играет на гребенке. Его Куманьков был робок и застенчив, но за этим скрывались непомерные притязания бездарности.

Герои сатирической пьесы Леонида Зорина создают энциклопедию, они мыслят себя большими деятелями культуры, а на самом деле это компания тупых и бездарных людей, которые таранят искусство с тыла. Режиссер Б. Львов-Анохин хотел придать курьезной ситуации черты жизненности, сделать персонажи узнаваемыми, на первый взгляд смешными, а не опасными. Однако внутренний глубокий сарказм пьесы в отношении к персонажам проступал сквозь внешний рисунок дружеского шаржа. Как и в фильме Анджея Вайды «Охота за мухами», все было очень точно, узнаваемо, натурально, и именно эта «всамделишность», внешняя похожесть псевдотворчества псевдоинтеллигенции накаляет авторскую страсть, и, когда режиссер смеется над своими героями зло, жестоко, понимаешь, что сарказм — последнее средство в руках художника, чтобы защитить свой мир от воинствующего мещанства. В иные времена происходит инфляция понятий, подмена ценностей, вдруг исчезают критерии — и какое-нибудь изваяние из папье-маше занимает место на выставке. Иногда мы отмахиваемся — какое это имеет значение, а иногда вдруг обнаруживаем, что это совсем не безобидно.

Спектакль по пьесе Л. Зорина был и серьезный и веселый, он не мог пройти незамеченным. Документальный фарс — это не просто слова, это задача новая, эстетически сложная. Водевильность действия, гротескную заостренность актеры должны были сочетать с психологической правдой поведения. И тогда карикатурность образов и натуральных, живых человеческих страстей соединялась и получалась устрашающая гримаса мещанства.

Что вытворял в этом спектакле Леонов! Его Куманьков, робея, рассказывал «энциклопедистам» о своих «творческих» делах, но при этом Леонов не терял из виду зрителя; тут был определенный прием: артист — сообщник зрителя, а его персонаж живет по законам своего характера.

— Сделал я фантазию на темы, — говорил Куманьков и останавливался. Он прищуривался в зал, желая убедиться, понятно ли он, «художник», выражается, и зрители отвечали ему дружным смехом: этот невежественный тип не сомневается в своей исключительности.

— Сделал я фантазию на темы, переложение для гребенок, понес в филармонию — не берут... — Здесь Куманьков снова бросал испытующий взгляд на зрителей, точно ему известно было, что те, которые «не берут», сидят в зале.

Зал смеялся. Тогда Куманьков отворачивался и продолжал свой рассказ друзьям, которые сочувственно и серьезно кивали головами.

— Скрипачи — так те скоморошествуют: «Нынче, говорят, на гребенки перекладываете, а к завтрему на зубочистки гребнетесь».

Леонов сразу почувствовал, что в пьесе «Энциклопедисты», смешной и сатирически острой, злой, сквозь смех надо донести мысль, тут одними забавами не обойтись, — и вот эта его актерская ирония в адрес персонажа осветила роль.

Работая над спектаклем, режиссер Б. А. Львов-Анохин говорил, что «здесь проявилась леоновская манера — импровизационная, этюдная, благодаря которой он нарабатывает естественность своего сценического поведения. У Леонова безграничная, редкая, но характерная для настоящего сценического природного таланта изобретательность на всякого рода актерские приспособления». Кажется, Михаил Чехов говорил, что актер чем талантливее, тем больше у него приспособлений. И действительно, актерская талантливость заключается в том, чтобы изобрести массу способов действия. Леонов может изобретать бесконечно всякие варианты, оттенки и возможности сценического действия — не краски, а именно действия. Обилие, талантливость и неожиданность его приспособлений в комедийном плане поражали. Это был нескончаемый поток забав и выдумок, и в каждом действии явно чувствовался определенный тип — его композитор хитростью маскировался под наивность. Простачок, но с корыстным расчетом. Он точно и компаньонов своих слегка обманывал, играя перед ними невинность творческого создания. Стихия игры увлекала, затягивала его, и он жил в этой стихии свободно и легко. Комедия, мне кажется, доставляла Леонову как актеру творческую радость, и это вполне естественно, так как дает выход многим его свойствам и неуемной фантазии.

Леонов — Куманьков позволял над собой смеяться и даже специально вызывал смех издевательский.

Вот он, сияющий и смущенный вниманием, принимает поздравления:

— Ой, приняли, приняли! Прямиком в композиторы...

И тут же, усмехаясь, обращается к зрителям:

— Как они, злодеи, ни вертелись, а теперь я в их Союзе член...

Смех, естественно, заглушает дальнейший текст:

— И все-то в энциклопедию хотят. Проследи, мол, похлопочи — еле ноги от них унес. Давеча в филармонии был... — говорит артист и делает паузу, словно высчитал, сколько могут зрители пропустить текста и когда вернется их внимание, и только после этой паузы бросал в зал слова:

— ...суиту носил на темы...

И от этой «суиты на темы» поднимается новая волна смеха. А Куманьков спокойно продолжает:

— И они про то ж, проследи да вставь...

И понимая, что зритель, давясь от смеха, хочет услышать, что он там еще бормочет, Леонов — Куманьков разворачивается к рампе, делает несколько шагов вперед, чтобы его лучше слышно было, и победоносным тоном сообщает:

— Взяли суиту.

И звучит это так, что напрасно, мол, смеетесь, еще послушаете. Вся эта сцена смотрится как единый цирковой аттракцион, в котором каждый новый трюк, новая шутка рождается от предыдущей. Похоже, что артист «дразнит» зрителя, а сам при этом иронично снисходителен. Трудно передать каскад трюков, ужимок, ухмылок. А когда Куманьков, «смущаясь», залезал на стул, чтобы исполнить на гребенке свою новую «суиту», и обращал в зал незамутненный взор — зрители содрогались от хохота.

Здесь преувеличением все доводится до полного абсурда. Пародия всегда использует образ-перевертыш. Если окарикатуривание взято как принцип, абсурдные элементы обязательны, ибо через какой-то барьер реального необходимо переступить, чтобы возникло обобщение.

Это был злой памфлет, феерия, цирк, и при этом правда... психологическая достоверность жизни образа.

Для комедии вообще важно стилистически точное соотнесение персонажа и среды — сценической и предполагаемой жизненной. С этим спектаклем произошла такая поучительная история. Пьеса очень остроумна, и в застольный период репетиций стоял сплошной хохот. Но когда спектакль вышел, несмотря на то, что актеры играли хорошо, он несколько растерял свою веселость. И не сразу было понятно, в чем тут дело. Спустя какое-то время на творческом вечере Л. Зорина в Доме литераторов актеры играли сцену из «Энциклопедистов» без декораций, без костюмов. Персонажи этой комедии гротескны, и, когда актеры вышли на сцену в обычных вечерних костюмах и начали говорить весь этот чудовищно нелепый, смешной текст, например, как некий писатель купил козу, что вызывало огромный восторг и энтузиазм «энциклопедистов», точно у писателя вышел пятитомник избранных сочинений, — эффект комедии обнаружился во всей полноте.

Ошибка оказалась в том, что спектакль был «одет» неудачно. Художник сделал все в стиле журнала «Крокодил»: и яркие, с преобладанием красного цвета косоворотки в качестве народной одежды... само по себе смешно; и веселый, иронический пейзаж областного города, нарисованный на заднике; и портреты-шаржи персонажей в томе энциклопедии размером со сцену были исполнены по-крокодильски остро. Но внешних комедийных выражений оказалось больше, чем требовалось спектаклю, и пропал намек на реальную среду, в которую посылал свои стрелы сатирик. Когда актеры выходили на сцену в косоворотках и, стоя у покосившегося плетня, говорили про козу, эффект несоответствия, парадокс, на котором построена комедия, исчезал. А в концертном исполнении этот эффект вернулся. Правда, многие характеры приобрели прямолинейность, но то, что было найдено Леоновым для Куманькова, не потеряло своей выразительности.

Острая характерность и мягкий комизм поведения принесли прочный успех и леоновскому Кристи в пьесе Бернарда Шоу «Ученик дьявола», поставленной в Театре имени К. С. Станиславского режиссером Розой Иоффе. Эта пьеса о том, как контрабандист и священник, обменявшись случайно платьем, поменялись и ролями в жизни, «ученик дьявола» стал служителем божьим. Истинным содержанием спектакля были благородство, мужество, преданность, дружба, и скромный персонаж Кристи Даджен помогал зрителю понять это в полной мере. Кристи Леонова был плутоват и наивен, труслив и жизнерадостен, неразумен и мудр душой.

Леонов играл в театре Кристи, а на экранах шел новый фильм — «Крепостная актриса», где Леонов в роли графа Кутайсова снова покорял зрителя, и снова всем казалось, что он создан играть в веселой, смешной, искрящейся смехом комедии.

Фильм сделан по оперетте Н. Стрельникова «Холопка». Занимательность действия интересовала авторов прежде всего, а некоторая сентиментальность, наивность и прямолинейность характеров в такой ленте легко прощаются.

Под стремительную музыку проносятся перед нами персонажи, не задевая воображение своей сложностью или неожиданностью. Исключение составляет только леоновский граф.

Злую шутку затеял Кутайсов с красавицей актрисой: «Не хотела стать моей наложницей, так стала моею холопкой». Обвенчавшись с подставным князем, на самом деле с крепостным графа Кутайсова, она потеряла свободу.

Коварный, глупый, мстительный граф-самодур, упиваясь властью и безнаказанностью, отдает жестокие приказы. А минуту спустя он предстанет перед нами растерянный, жалкий, трусливый. Дарованный ему титул и власть над людьми самому леоновскому Кутайсову кажутся призрачными, непрочными, невечными.

В соответствии с законами жанра Леонов делает жестокость своего персонажа больше смешной, чем страшной. Как и в «Полосатом рейсе», артист принимает условную реальность фильма, сживается с ней и действует в согласии с естественным проявлением человеческого характера. Лаская медведицу, которую привели в его спальню вместо юной холопки, а затем в безумном страхе спасаясь от нее, Леонов остается непосредственным и органичным. Самые нелепые положения он оправдывает характером своего персонажа. Вот он влезает на шкаф и глядит оттуда, вымогая себе сочувствие. А добившись сочувствия законной своей супруги, льет слезы у нее на груди со всей искренностью спасенного от гибели.

Страсти, желания, фантазии графа — необузданные, сильные, но при этом какие-то бутафорские. Нелепая откровенность в выявлении собственного самодурства, глупости, ничтожности и делает леоновского Кутайсова предельно смешным. Здесь мы снова видим способность человека соединить трюк с природой характера так, чтобы трюк не оказался просто фокусом. Хотя нас всегда смешит несовпадение трюка и реальности, однако, если коллизия отдалится от действительности настолько, что нам не с чем будет ее сравннивать, мы не оценим ее забавности. Леонов так проводит роль, что перед нами все время как бы нормальные человеческие чувства, ощущения в чрезмерном выявлении, чрезмерной откровенности, и это как раз вызывает смех.

При всей щедрости комедийного таланта и природной артистичности в Леонове сильна способность к самоограничению. Если режиссер ставит ему точную задачу и требует, чтобы, несмотря на ситуацию, близкую к гротеску, он оставался стороной страдательной и вел зрителя к ощущению пародийности не прямым путем, — актер способен и на такое. Это показала работа Леонова в фильме Эльдара Рязанова «Зигзаг удачи».

Комедия многообразна: комедия положений и комедия характеров, бытовая, сатирическая, памфлет, пародия, водевиль, фарс и, наконец, трагикомедия. В разные десятилетия разные виды комедии выходят на первый план.

В фильме «Зигзаг удачи» едва ли не документальный портрет мещанства, и в этом смысле фильм чрезвычайно современен. Мне думается, особенно интересна для нас, в связи с работой в этом фильме Леонова, интонация фильма, очень близкая к интонации рассказов Зощенко, и даже сложности (не все удалось в этой комедии) в какой-то мере объясняются эстетическим родством с Зощенко. Ведь Зощенко почти не поддается сценическому выражению. Даже пьесы Зощенко, специально написанные для театра, почему-то теряли силу своего юмора. Наверное, потому, что в прозе Зощенко отношение автора к персонажу, по существу, четкое и определенное, не имеет никаких формальных структурных выходов, кроме интонации, и воплотить его литературный образ в сценическом и экранном образе крайне сложно. Но вернемся к фильму «Зигзаг удачи», в котором Леонов исполнил главную роль — фотографа Орешникова.

Незатейливая житейская история о том, как на профсоюзные деньги Орешников выиграл десять тысяч и какую зависть, энергию, активность проявили его коллеги в стремлении отнять у него эти деньги, — эта история рассказана автором и артистами очень просто, мягко, в манере дружеского шаржа. Ирония здесь, безусловно, несет в себе глубокий смысл, потому что история выигрыша приоткрыла истинное лицо персонажей — обывателей нового типа.

Милые, честные, добрые люди становятся из-за своей нравственной несамостоятельности жалкими и некрасивыми.

Мещанство потому и является злом социальным, что оно опасный враг нравственности, истинной нравственности, опирающейся на духовность человека, а не на какие-то догматы, допустим, даже выработанные человеческим общежитием.

Учетчица, которую играет В. Талызина, и ее жених, начальник автобазы, в исполнении Е. Евстигнеева — образы большой художественной силы. За персонажем Евстигнеева встает определенный тип, имеющий свой процент вредности, и именно это делает работу актера значительной. Талызина открывает в своей героине такие глубины психологии, что это само по себе уже кажется поразительным в комедии. Идея психологической бытовой конкретности проводится режиссером последовательно и твердо: лента снята в манере, близкой к документальной; замечательные артисты — Е. Евстигнеев, В. Талызина, Г. Бурков, А. Грибов, А. Веснин, — оставаясь психологически, бытово очень конкретными, создают образы отнюдь не фельетонного масштаба.

Леоновский персонаж — положительный и комедийный. Сочетание редкое, сложность актерской задачи в данном случае заключалась в том, что Орешников, будучи включенным в среду, нарисованную иронически, внутренне противостоит ей.

Наверное, Орешников мог быть иным, мог быть пересмотрен в сторону некоторого возвышения над собственным образом, и тогда Орешников, грубо говоря, дурачил бы всех остальных.

Но режиссер избрал путь более сложный, и Леонов оказался его достойным союзником. Они понимали, что бытовая ситуация в бытовом исполнении не очень эффектна, но им хотелось показать пробуждение душевных сил человека, его движение к самому себе.

Атмосфера фильма помогала Леонову тактично и мягко выразить человеческие потенции Орешникова. Сам сюжет ведет к тому, что Орешников начинает проявлять повышенную способность видеть вещи, события, людей в их истинном свете. Похоже, что раньше он обходился без этой нелегкой работы. И если Орешников был такой же простой, наивный, добрый, добродушный, расположенный к людям в конце фильма, как и в начале, то это еще не значит, что ничего не произошло, — произошло очень важное движение внутри характера, самопознание. Душевная работа

Орешникова скрытая, она почти не нашла выражения в словах, но Леонову удалось показать второй план жизни персонажа, удалось выразить, что интеллектуальный накал его существования, его функционирования в жизни нарастает.

Работа с таким опытным режиссером-комедиографом, как Эльдар Рязанов, принесла Леонову много. Может быть, она приблизила его к Зощенко?.. Во всяком случае, ясно, что комизм ситуации, неадекватность реакции персонажа на событие Леонов чувствует и умеет передать очень тонко, и чувством юмора артист наделен щедро.

Один психиатр сказал, что чувство юмора обеспечивает человеку душевный комфорт в любой тяжелой ситуации. По-моему, и Леонов, благодаря чувству юмора, во многих фильмах обеспечил своим героям этот самый душевный комфорт.

В другом фильме — «Джентльмены удачи» — Леонов играл фактически две и даже, пожалуй, три роли: бандита по кличке Доцент, заведующего детским садом Трошкина, который как две капли воды похож на этого бандита и по воле сюжета перевоплощался в бандита. Таким образом, заведующий детским садом в роли бандита — это была уже как бы актерская задача персонажу. Леонов должен быть достаточно достоверен как бандит, но вместе с тем — он не бандит, и во всем поведении, его самочувствии мы должны были ощутить верность другому характеру, характеру человека очень мирной профессии, любящего детей, человека трогательного, наивного, бесконечно доброго. И все это в ту же минуту, когда актер должен продемонстрировать нам нечеловеческую жестокость бандита, грубость, вульгарность, беспощадность. Леонов опирается в этой работе не только на мастерство и тонкое умение пользоваться всем арсеналом своих актерских данных, но больше — на истинность переживаний, на достоверность эмоций.

Фильм начинается, как настоящий детектив: трое в восточных халатах и тюбетейках пробрались в древнюю усыпальницу и похитили золотой шлем Александра Македонского, затем двое из них — жулик средней руки по прозвищу Хмырь и карманник Косой — были пойманы, но главного преступника взять не удалось. И вдруг профессор Мальцев, руководитель археологической экспедиции, встречает ускользнувшего бандита в московском троллейбусе... Тихому Евгению Ивановичу Трошкину ничего не остается, как сесть в тюремную камеру под видом рецидивиста Доцента, устроить своим «сообщникам» побег, чтобы помочь милиции узнать, где спрятан бесценный шлем.

Леонов всегда отлично чувствует среду. Именно эта его способность очень помогает ему в фильме «Джентльмены удачи». Когда Леонов — Трошкин в образе бандита появляется в тюрьме, он очень быстро улавливает правила общежития, которые тут установлены, пусть это общество подонков, отбросов, но это некое замкнутое в себе общежитие. Здесь есть свои законы, и, подчиняясь этим законам, принимая эти законы, артист находит чувство меры и правду поведения, которые необходимы.

Анализ образа бандита в исполнении заведующего детским садом особенно интересен. Мы как бы ощущаем старательность передачи бандитских приемов, бандитских выражений, артист следует бандитской линии поведения неукоснительно, точно, но при этом его физическое самочувствие все время выдает другой характер.

Вот Трошкин — Доцент заставляет своих подопечных воров утром делать зарядку, и как только кто-нибудь пытается возразить, он сурово отвечает на бандитском жаргоне: «Пасть порву!» Но при этом само стремление заставить бандитов мыть руки, делать гимнастику, выражаться нормальными словами выдает его истинное человеческое лицо, его жизненные правила. Воспитатель, ответственный за поведение человека, он даже в этих крайне неподходящих условиях сохраняет свои обязанности и права. Если бы этот второй план не был заметен зрителю, то заботливость Трошкина о судьбах преступников в финале фильма выглядела бы только банальностью, сюжетным ходом. Но мы видим, как сама логика поведения персонажа Леонова вела к тому, что он должен был привязаться к этим людям, должен ощутить потребность позаботиться о них. Воспитатель, вкладывая что-то в своих подопечных, не может не полюбить их, как любят люди вообще плоды своего труда. Более того, поставив себя в положение человека, ответственного за их поведение, за их судьбу, жизнь, Леонов — Трошкин в роли подставного бандита обнаруживает в них некоторые черты, опираясь на которые можно было бы выстроить совершенно иные судьбы.

И вот это ощущение каких-то добрых человеческих возможностей ненавязчиво и тонко передано Леоновым. Думается, что именно в этом был замысел авторов сценария Г. Данелия и В. Токаревой и режиссера А. Серого. И хотя в целом фильм неровен, стилистически не выдержан, главную свою задачу он выполнил.

Леонов всегда чуток к литературному материалу, к литературному произведению, но то, что предлагает сценарий или пьеса, проходит обязательную и глубокую проверку его собственным жизненным опытом, его собственной человеческой индивидуальностью. Вспоминая лучшие роли Леонова, убеждаешься, что артист выступает в фильме, в спектакле автором своей роли.

Проблема актерского авторства иногда упрощенно понимается как стремление актера в каждую роль внести свою излюбленную лирическую ноту. Пример Леонова позволяет нам говорить об актерском авторстве как о проблеме сохранения человеческой личности, индивидуальности в предлагаемых искусством образах.

Может быть, стремление артиста остаться верным своей человеческой натуре должно толкать его на стезю создания только героев, близких по мироощущению, мировоззрению и темпераменту?

Но, как правило, в искусстве подобное не происходит. Очень часто актер, играя своего человеческого антагониста по жизни, добивается необыкновенной убедительности. Сочетание подчас прямо противоположных характеров — характера актера-человека и характера литературного персонажа — дает истинный объем его сценическим и экранным созданиям.

Леонов в роли действует, выполняя свои внутренние приказы. Это делает перевоплощение убедительным.

Станиславский больше доверял не ремеслу, а природе, которая безошибочно движет артистом, если он ее в себе слышит и ценит. В самом деле, в актерском искусстве правда то, во что артист искренне верит, как внутри себя, своего персонажа, так и в душах партнеров. «Надо переживать роль, то есть испытывать аналогичные с ней чувства», — говорил Станиславский. И если артист действительно чувствует то, что изображает, то его мимика, голос, речь, движения, пластика, физическое действие и общение с партнером как бы сами собой координируются, приобретают взаимную зависимость и выглядят гармоничным проявлением человеческого характера. Иначе как в самом деле представить себе перевоплощение актера в «злодея», в персонаж духовно ограниченный, ничтожный. Высокая одухотворенность актера и в данном случае помогает выявить нравственное уродство, осудить его.

«В процессе перевоплощения актера в образ, — писал А. Д. Попов, — актер будет находить себя в роли и роль в себе». Очевидно, психофизический аппарат актера должен быть необыкновенно развит, необыкновенно чувствителен, податлив настроению. Тогда процесс включения подсознательного творчества, — как определил Станиславский: «Через сознательную психику артиста — подсознательное творчество органической природы!» — становится реальностью, ведет к художественному результату. Тот, кто выработал в себе психотехнику, тот научился создавать почву для вдохновения. Такому актеру не нужны грим с наклейками, толщинки и масса других приспособлений и хитростей — на сцене или перед камерой, уже во время репетиций можно заметить, как у такого актера начинают меняться взгляд, фигура, ритм дыхания и движения, а это как раз означает, что происходит перевоплощение.

Формула Станиславского — «театр перевоплощения на основе переживания» — стала художественной религией Леонова. «Творчество, не освещенное, не оправданное изнутри чувством и переживанием, не имеет никакой цены и не нужно искусству», — писал Станиславский. И Леонов не только мог бы подписаться под этими словами учителя в искусстве, но имел все основания утверждать, что в своей актерской жизни не отступал от этого правила. Поэтому «тропа перевоплощения», искусство перевоплощения, которое прямо противоположно понятию ремесла актерского, стало сутью артиста.

В комедии, где всех тянет на представление, Леонов остается верен себе — в предлагаемых обстоятельствах он действует на свой страх и совесть, от собственного имени. Поведение же его персонажа смешно потому, что несет все черты реального бытия в обстоятельствах, далеких от жизненных. Всякий трюк в исполнении Леонова сознание фиксирует не только как эстетическую шалость, остроумие, но и как способ выявить суть, нелепую, смешную, жалкую суть характера персонажа. Окарикатуривание никогда не выступает у него в откровенном, открытом виде. Смешной у Леонова не значит придурковатый, в его комедийных персонажах есть плутоватость, хитринка, сдобренные добродушием по существу.

В фильме «Джентльмены удачи», когда Трошкин перевоплощается в бандита, Леонов дает нам почувствовать в одном образе одновременно одного и другого своего персонажа.

Действуя от собственного имени в предложенных обстоятельствах, перевоплощаясь в бандита, как бы сливаясь с ним, Трошкин — Леонов сохраняет едва уловимый оттенок иронии в отношении к Доценту, — и мы понимаем, что иначе не может быть, ибо так проявляется сущность жизнеощущения заведующего детским садом. Эта двойная проекция образа, с одной стороны, подчеркивает комизм характеров, с другой — придает черты жизненной достоверности. Так всегда: актер, перевоплощаясь, не может забыть себя, свою авторскую «сверхзадачу».

В «Полосатом рейсе» и в «Джентльменах удачи», принимая условность ситуации, Леонов находит ту меру естественного выявления человеческого характера, которая определяет его свободное, легкое самочувствие в роли. Он как бы снимает пафос разоблачения, считая, что несоответствие жизненности поведения героев и гротескной ситуации само по себе рождает комический эффект. Смешной, неутомимый Шулейкин и трогательный в своей наивной деловитости Трошкин поставлены артистом на прочный фундамент доверия к зрителю, его чувству юмора. Леонов как бы призывает зрителя в союзники, призывает отнестись снисходительно к сюжету, но не к героям. Потому что его герои всегда суть живые человеческие характеры. Они несут в себе правду обстоятельств и быта.

Способность артиста сразу и всегда безоговорочно вызвать доверие к себе, расположить сердца зрителей, заразить их своей эмоцией привлекла к Леонову внимание режиссуры. Он играл мнюго и увлеченно, и его индивидуальность освещала каким-то внутренним светом все его создания.

Одна из первых ролей в театре — Джон, сын тюремщика в «Крошке Доррит». Беззащитный, кроткий, чистый человек, поэтическая душа... Ни малейшей картинности, никакой аффектации, чтобы передать истинно возвышенную натуру, не понадобилось Леонову. Каждая секунда его сценической жизни достоверна, он искренен, непосредствен, свободен внутренне. Первые же работы в театре и в кино, преимущественно комедийно-лирические, утвердили за Леоновым славу артиста органичного, мастера тонкого психологического рисунка.

Следовать собственным сложившимся установлениям на естественность и простоту поведения Леонов стремился и в комедии откровенно эксцентрической, водевильной, фарсовой. Узнаваемость его комедийных, сатирических фигур, их жизненность, насыщенность подробностями, деталями, метко схваченными в самой жизни, говорят о том, что Леонов был человек наблюдательный. Про него можно сказать, что он хорошо знал жизнь и в нем жил подлинный темперамент сатирика.

Живой интерес к людям, к разным сторонам жизни общества, многочисленные поездки по стране обеспечивали артисту необходимый багаж впечатлений. Да и сама жизнь Евгения Леонова не похожа на жизнь какого-нибудь Актера Актерыча, он знал и трудности, и горе, и сомнения.

Когда началась война, Женя Леонов был московским школьником, в пятнадцать лет пошел на завод учеником токаря; затем учился в авиационном техникуме. И уже повидавшим кое-что в жизни, не совсем зеленым юношей решил попробовать свои силы на вступительных экзаменах в Московскую драматическую студию. Его приняли, и с того дня учителя — Екатерина Михайловна Шереметьева, а позже Андрей Александрович Гончаров — относились к нему с особенным интересом и внушали веру в будущее.

Зрители часто отмечают какое-то особое качество леоновских героев, которое делает их близкими. По-моему, это демократичность, свойственная и самому артисту.

Иногда Леонов в шутку говорил, что он любимый артист шоферов и кондитеров. Правда, в Дубне на его концерт собиралось много народу и в Академгородке тоже; и я знаю писателей, которые, узнав, что будет играть Леонов, готовы были отдать в театр пьесу, не спрашивая о сроках ее постановки. Но в каждой шутке есть доля правды: Леонов играл простых людей, играл такими, какие они есть, и этим близок и дорог всем.

Впрочем, демократичность — существенная черта и комедийного жанра вообще. Еще у древних римлян комедию считали «зеркалом повседневной жизни»; в отличие от трагедий, которые происходили во дворцах, комедии свершались в более обыденной обстановке. Известно, что римляне почитали «босоногую комедию».

Во всяком случае, выходя к публике, комик во все времена хотел, чтобы люди узнавали в нем себя. И чтобы комик не уронил авторитета высокого искусства комедии, он должен знать жизнь своего народа глубоко, по-настоящему, должен жить его радостями и горестями, его заботами. Он должен воспитать в себе смелость всякую мысль додумать до конца, как сказал поэт — «дойти до самой сути». Потому что в комедии чаще, чем в других жанрах, мы видим, как социальные причины явления подменяются мелкобытовыми объяснениями, а это всегда разочаровывает зрителя.

Но иногда наступают моменты, когда комедия катастрофически глупеет, — тогда комики грустят. Деятельный характер Леонова с трудом переносил такое время. Друзья Евгения Павловича знают, что он был в настроении, когда падал с ног от усталости. Он снимался в «Полосатом рейсе» (это работа «Ленфильма»), а в Театре имени К. С. Станиславского не имел дублеров и месяц жил в поезде: отыграв спектакль, мчался на Ленинградский вокзал, и снова — утром съемки, ночь — в пути. И если ему говорили: «Женя, но ведь так нельзя!» — он решительно соглашался: «Все, последний раз. Бросаю эту ненормальную жизнь». Никто не сомневался, что он говорит несерьезно, да и сам он, пожалуй, больше пяти минут в это не верил.

Евгений Павлович Леонов был человек, открытый всем радостям и невзгодам жизни, не равнодушный, не защищенный самомнением от неприятностей и поэтому очень живо и трепетно реагирующий на все, что происходило в жизни и в искусстве. Он признавал искусство активное, наступательное, непримиримое к пошлости, мещанству, малодушию, и поэтому работа в комедии была для него очень важным моментом творческой жизни. И даже его работа в малых формах комедии всегда серьезна и значительна.

Кто не видел леоновских персонажей в сатирических выпусках «Фитиля»! Если артист далек от жизни и ему чужды наши «мелкие» житейские заботы и неприятности, ему нечего делать в сатирическом журнале. Артисту тут дают места мало, времени в обрез — нужны снайперская точность и, между прочим, чутье и темперамент журналиста.

Леоновский маляр («Фитиль», № 63, режиссер Г. Данелия) — образ точный, объемный. Это не просто какой-нибудь отвратительный нахал, который не щадит нервов и времени хозяйки, пригласившей его покрасить коридор. Леоновский персонаж даже совсем не отвратительный: артист дает почувствовать, что дело не в отдельных стяжателях и лентяях, а в том, что сложилась такая практика «коммунальных услуг», что можно и даже принято покуражиться над человеком. Леонов подчеркивает будничность, обычность «художеств» маляра. Здесь под обстрел взято явление, которое следует немедля исправить.

Совсем другое — пьяница, философствующий о пользе пьянства («Фитиль», № 87). Этот образ гротескный, злой. Леонов взрывается монологом на несколько минут и создает законченный тип человека, потерявшего честь и достоинство. Он обращается в зал, персонаж саморазоблачается; и когда мы видим, что этот горе-герой разглагольствовал, сидя в коляске милицейского мотоцикла, мы испытываем удовлетворение: нашлась на него управа.

Леонова многие считают актером по преимуществу бытовым, его краски всегда конкретны, точны. Читая сценарий, пьесу, он умел отличить подделку под жизнь от правды. Он знал, что мог и хотел бы играть. Правда, желание актера и практика его кинематографической жизни, как и очень многих артистов нашего кино, часто расходились. Это обидно, потому что правилом должна быть для всех актеров избирательность.

Когда видишь Леонова в неудачном, посредственном фильме, возникает ощущение какой-то неразумности, неэкономности в подходе к таланту.

Работа Леонова в фильме «Меж высоких хлебов» — такой именно случай нерачительного отношения к таланту. И не только со стороны авторов, но, конечно же, и со стороны самого артиста.

Возможности Леонова в рамках этого сюжета, этого материала, далекого от жизни, ограничены. Его герой, Павел Игнатович Стручок — колхозный конюх, доброжелательный, наивный человек, который мог быть интересен зрителю. Но сюжет предлагает такие глупые ситуации, что даже мягкое комедийное дарование Леонова не спасает положения. Как ни старается артист дать нам представление о цельном человеческом характере, ему это не удается. Иногда возникает характер, но он не укладывается в коллизию и немедленно разрушается ею.

Например, Стручок приезжает в город к сыну, и мы видим в нем человека, прочно привязанного к земле, человека цельного. Поведение героя в городе выстроено артистом на достоверных штрихах, точных наблюдениях; поступки, слова, реакция его в согласии с характером, и потому в этих эпизодах Леонов вызывает доверие и улыбку. Вот заметил очередь в километр за квасом — Стручок удивляется: «Неужто можно?» Люди спешат, несутся куда-то, не видя друг друга, — невозможно понять смысл их стремительного встречного передвижения. В реве машин слышится ему мычание стада, с тоской вспоминает он тихие деревенские вечера. И главное, хорошо ли это, когда никто тебя не знает, никому до тебя дела нет? Сын не видит в этом ничего дурного: ведь не деревня... «Плохо это», — подытожил Стручок.

Когда мы наблюдаем Стручка в его отношении к Одарке, женщине, которую он многие годы преданно любит и к которой очень трогательно относится, мы снова видим человека устойчивых душевных качеств. Но вдруг наш герой оказывается в компании забулдыг, бездельников, с экрана несутся на нас потоки пьяного остроумия, происходящее теряет малейшие приметы логичности человеческого поведения. Нелепые, рассчитанные на смех в зале положения, в которые попадает Стручок, выглядят как нагромождение случайностей, с которыми он лениво смирился. Пьяный Стручок, чтобы достать шляпу, выпускает воду из запруды; ищет в реке подшипники — вытаскивает чужую сеть, и его обвиняют в браконьерстве, а потом и судят. Бутафорские страсти, психологически неинтересные задания, надуманные, бессодержательные ситуации. Леонов пытается отстраниться, обособиться, вести свой диалог со зрителем вне зависимости от окружения. Но сюжет буквально сопротивляется всякому человеческому проявлению, не впускает правдивый характер.

«Неправда в искусстве — это не только ложь, — писал замечательный критик Владимир Саппак, — это не только приукрашивание жизненных фактов, то есть не только прямое искажение действительности. Неправда — это и искусственное ограничение «поля зрения» художника, заведомое сужение круга трактуемых проблем и характеров и как следствие этого их однообразие, их схематизм». Фильм «Меж высоких хлебов» — печальное свидетельство справедливости этих слов.

Есть актеры, которые умеют мастерски создать литературный портрет своего героя, не пересказывать образ героя по сценарию или пьесе, а именно создать этот образ, внося в него свою аналитическую мысль.

Леонов стремился совсем к другому: любой, самый сложный литературный образ в его пересказе будет сведен к нескольким единицам душевности, человечности, при этом артист поразительно обнажит истину, истинный смысл события и характера.

И если литературная основа фильма бессодержательна, лишена смысла, мастерство артиста тратится впустую. Иной режиссер считает, что комик всегда комик, и, уж коли ему удалось заполучить в фильм хорошего комедийного актера, успех фильму обеспечен. Что ж, фильм «Меж высоких хлебов» в прокате не провалился, он сделал сборы, но тем, кто любит талант Леонова, он причинил боль.

Обычно экранные и сценические герои Леонова не забываются, даже если фильм был не очень хорош и «художественные» его достоинства скоро выветриваются из памяти зрителя, облик героя остается.

Собственно, узнаваемым делают Леонова некоторые сущностные свойства его актерской натуры: типично леоновские жесты, движения — всегда уморительная его торопливость; например, ведь забавно видеть, как спешит человек, врожденно медлительный. Подобным несоответствием окрашена и его манера говорить: человек, не умеющий говорить быстро, стремится выпалить свою реплику как можно скорее.

Мне думается, секрет не только в жизненности персонажей, что, конечно, остается решающим, но еще и в том, что комедийные персонажи Леонова несут людям радость, пробуждают артистичность в зрителе, буквально втягивают его в мир игры, представления. Это свойство актера с блеском проявилось в одной из любимых им театральных работ.

В спектакле Театра имени Вл. Маяковского «Человек из Ламанчи» (мюзикл американских авторов Д. Вассермана и Д. Дэриона обошел многие сцены мира и наконец впервые был поставлен у нас) Леонов сыграл роль Санчо Пансы.

Не только жанровые особенности мюзикла, но и режиссерское решение спектакля (постановка А. Гончарова): открытая театральная условность, подчеркнуто нарочитое ощущение игры, представления и при этом требование жить в образе — таковы были трудности. Леонов справился с ними блестяще. Его сценическое существование в роли Санчо Пансы, его движения, жесты, действия несли на себе отпечаток игры, и вместе с тем каждое его слово, мысли, душевные волнения — все это было всерьез. Игра-представление и психологическая правда переживания поразительно сочетаются в исполнении Леонова. Кажется, вообще актеру не стоит эта роль никаких усилий, настолько она ему понятна, открыта во всех своих глубинах, во всех своих проявлениях, что дает одну радость. Он играл легко, весело, на одном дыхании.

Санчо Панса в исполнении Леонова умный и самостоятельный. Его отношение к Дон Кихоту строится не только на душевной привязанности, которая, безусловно, главенствует, — это отношение осознанно, пережито и принято как верное.

Санчо — Леонов смешной и забавный: как он скачет на палке-лошади, старательно изображая движения всадника, буквально заманивая нас в сети веселой игры! Но игра, условность поведения никоим образом не мешает Леонову жить жизнью своего персонажа. Открытая условность театрального представления — и глубокое погружение в характер...

Слуга Дон Кихота, осторожный, философски настроенный толстяк, позволяет себе пререкаться с хозяином, как бы утверждая тем самым свое право видеть жизнь как она есть. Еще в начале пути Дон Кихот и Санчо «выезжают» к рампе, и между ними происходит такой разговор:

— Ну что, Санчо, тебе нравится наша высокая стезя?

— Даже очень, ваша милость, — в тон ему отвечает Санчо. — Странно только, что наша высокая стезя выглядит точь-в-точь как дорога на Тобоссо, где так дешево продают цыплят...

И так на протяжении всего спектакля в Санчо — Леонове перемешиваются поэзия и бытовая конкретность, заземленность. С вдохновением поет он, вторя Дон Кихоту: «Слава у нас, как звезда, будет высокой всегда!» — и с удовольствием вспоминает дешевых цыплят, но от этого доверие к нему только возрастает.

И уж если Дон Кихоту привиделся медный тазик золотым шлемом, предусмотрительный Санчо деловито рассматривает тазик цирюльника и пытается вразумить своего хозяина, чтобы избежать назревающий скандал:

— Должен признаться, ваша милость, эта штука выглядит точь-в-точь как тазик для бритья.

Дон Кихот замахивается мечом. Цирюльник бросает тазик и с визгом отскакивает, и тогда Санчо не теряется, подхватывает тазик, удовлетворенно оценивает: «А он-таки стоит полдублона» — и тут же включается в пение...

Звучит музыка. Санчо поет: «Он увидел шлем, а значит штука эта будет шлем!», — и на робкие возражения цирюльника: «Тазик этого не стоит, у него облезлый вид!» — уверенно отвечает: «На таких, как он, героях все, как золото, блестит!»

Эти переключения так артистичны, изящны, что все кажется тут органичным: и пение, и бурчание, и переход от страха к радости, и мудрые изречения, и мелкие хитрости. И особенно поражает сцена с Дульсинеей — Дорониной. Санчо появляется на кухне постоялого двора. Альдонса ужинает. Санчо оценивает обстановку, понимает, сколь нелепо прозвучат здесь его слова, и тем не менее начинает:

— О, доброты несравненной дама!

Сказал и тут же смотрит, какая реакция. Он-то говорит это, исполняя поручение хозяина, своим словам не веря, но важно ведь, какое впечатление слова эти производят на Альдонсу. Он еще раз обращается к ней:

— О, доброты несравненной дама!

— Хо!

— Просит о милости тебя твой верный рыцарь...

— Ха!

— О чудо красоты, я молю тебя, чистейшая Дульсинея...

При этом Санчо то вглядывается в Альдонсу, желая обнаружить хоть какой-то повод для подобного восхваления, то отворачивается, чтобы реальная картина не мешала ему выполнить волю его господина.

Пафос послания Дон Кихота выглядит несколько иронично, но вместе с тем Санчо Панса как бы защищает автора послания; он смотрит испытующе на Альдонсу, желая увидеть, понимает ли она за всей этой полугероической чепухой истинное чувство человека, способна ли она довериться этому чувству, ответить на это чувство? Вот эта двойная линия поведения Леонова дает нам возможность осознать одновременно и сюжетную сторону и внутреннюю, скрытую суть отношения человека к человеку.

— И будь добра, — читает Санчо, — пришли подарок мне, чтоб я благоговейно нес его, как знамя в битве.

— Какой еще подарок? — недовольно спрашивает Альдонса. Санчо наклоняется к ней и доверительно сообщает:

— Он говорит, что обычно это бывает шелковый шарф.

— Твой сеньор спятил, — категорически отрезала Альдонса.

— А вот и нет, — кидается на нее Санчо, точно готов кулаками доказать, какой хороший и необыкновенный этот сеньор.

Леонов как бы придает серьезность комедийной ситуации, сквозь собственный комизм он заставляет зрителя видеть способность персонажа к глубокому чувству. Он как бы говорит Дульсинее: «Ну да, все видят, что ты судомойка, что это просто тряпка, которую ты посылаешь Дон Кихоту в подарок, но, в конце концов, это мелочи, это неважно. А что понимаешь ты в душе этого человека?»

Леонов — Санчо заставляет Альдонсу ответить чувством на чувство, в какие-то секунды проявить страстное желание верить Дон Кихоту.

Умение Леонова навести зрителя на серьезные мысли среди веселья, вызвать улыбку сквозь слезы проявилось в «Человеке из Ламанчи» с огромной силой. У артиста была органичная способность вызвать грусть, печаль, глубокие переживания в комической ситуации, в атмосфере веселья и смеха.

Дело в том, что Леонов сосредоточен, его персонаж погружен в себя, и каждое его действие, поступки являются как бы продолжением, выявлением его внутренней жизни.

Забавный и нелепый, очень земной и одновременно мечтательный, философски настроенный герой — это герой Леонова. Санчо или Ламме из фильма «Легенда о Тиле» — роли Леонова. Но хорошо ли это для артиста, когда все заранее знают, что он и только он должен играть эту роль? Остается ли у актера право и возможность внести что-то новое, изменить, расширить наше представление об образе?

Казалось бы, чего проще: сыграть то, для чего ты создан, и тут возникают сложные проблемы авторского вторжения актера в роль. Артист опасается открытого пафоса и назидательности в своих работах, а хрестоматийный герой, как правило, увеличивает эту опасность. «Приступая к такой роли, — говорил Леонов, — я прежде всего думаю о правде и естестве характера, душевных движений и состояний героя. Напротив, простой персонаж, что называется герой без претензий, вызывает желание утвердить зрителя в том, что этот герой не так прост, как кажется, выявить в нем чувство достоинства, которое подчас спрятано за причудливым обликом и смешными манерами».

В комедии «Афоня», например, Леонов играл штукатура Колю, приятеля главного героя. На первый взгляд, ничем не примечательная личность, только во внешнем облике что-то неуловимо нелепое, смешное. Напился с Афоней в кафе «Ассоль», даже фамилию забыл. А когда жена выставила его из дома за такие художества, явился к Афоне с раскладушкой.

Никакой особенной роли в судьбе Афони ему как будто не предназначено сыграть, а при ближайшем рассмотрении этот персонаж оказывается чрезвычайно важен для понимания Афони. Невозможно было бы принять историю «перерождения», вернее, возможность перерождения Афони без леоновского Коли. Под оболочкой ординарности в этом скромном персонаже есть некие человеческие представления о морали и долге. Наивный, но чистый душой Коля помогает обнаружить доброе и в Афоне. Режиссер Георгий Данелия не хочет показывать Афоню безнадежным, он видит задачу в том, чтобы разбудить его. Данелия вообще не признает одностороннего взгляда на человека: персонажи его фильмов никогда не бывают плоскими, они все объемные. Слесарь-сантехник Афанасий Борщов (Л. Куравлев) — ловкач и пройдоха, но про него можно также сказать, что он находчив и за словом в карман не полезет, что он добр, приютил Колю и, главное, принял это появление с раскладушкой как должное.

Дуэт Леонова с Куравлевым проявляет авторскую позицию, а именно — досаду на Афоню. Нравственная самостоятельность Коли оттеняет безответственность Афони, а то, что Коля не герой в латах, а человек из круга Афони, говорит о том, что и для Афони настанет пора перемен. Возможность таких перемен и утверждается образом Коли. Собственно, ничего особенного не произошло, просто поселился немолодой семейный человек в холостяцкой квартире Афанасия Борщова, и неуловимо изменилась культура существования, он внес какие-то элементы уюта, заботы, а может, и человеческого тепла. А чего стоят ночные философствования о том, что «нет у нас еще всеобщей коммуникабельности», и о том, как хотелось бы Коле, чтобы «люди не обижали друг друга по пустякам». Без каких-либо специальных усилий Коля удерживает Афоню от «дружков», заставляет вспомнить о тете Фросе. И как-то само собой это получается, от незлобивости и дружелюбия человека и, главное, оттого, что он не посягает на самостоятельность и волю другого.

Нет, Коля не наставник никоим образом, даже когда Афоня спрашивает его, а что же, мол, ему делать, Коля отвечает: «Человек должен сам решать свою судьбу» — и уходит: у него семья, дети, ему пора... И мы видим, что Афоня огорчен и растерян, быть может, его душа отогрелась около этого наивного и немного нелепого человека. Одиночество ощутил Афоня — вот какой урок преподал ему смешной Коля. Ничего не изменилось в жизни Афони, но возможность перемен зрители признали.

Со времен Гиппократа известно, что смех полезен. Но смех бывает разный, смешное и комическое — не одно и то же. Смешное может не иметь социальной окраски, комическое всегда социально. Жанровые проявления комического в искусстве многообразны, и Леонов очень чуток к жанру. Но одно, пожалуй, относится ко всем его актерским созданиям — они окрашены, согреты юмором. Чувство юмора обычно проявляется в умении отыскать смешную черточку в ситуациях, где, казалось бы, нет ничего смешного, комическое обнаружить в серьезном. А разве в жизни смешное и трагическое не соседствуют? «И смех, и слезы» — говорит об этом народная мудрость.

В грустной комедии Г. Данелия «Осенний марафон» Леонов играл небольшую роль — Соседа. Появлялся в самый неподходящий момент, простодушно и нагло наводил свои порядки: если «рюмашку», то до дна: «тостуемый пьет до дна». Ученого друга своего называл «Палыч», похлопывал по плечу, вообще чувствовал себя хозяином и уводил иностранного профессора в лес за грибами, не предполагая, что могут быть еще какие-то иные взгляды и желания. Самое страшное — это его уверенность, что он ко всем с добром, ничего плохого никому не сделал и не думал делать. Узнаваемый самой своей жизненной повадкой тип простолюдина, возведенного в чин хозяина жизни. Органичность его — в словах и в пластике, никаких кричащих деталей, но тип в полной красе. Невежественность всегда все высокое низводит до своего уровня. Он как все, и все как он.

В кинематографическом шедевре, где все артисты великолепны, Леонов остается камертоном правдивости и артистизма.

Леоновский Жевакин, гоголевский персонаж, и смешит нас, и вызывает сочувствие, жалость. В фильме режиссера В. Мельникова «Женитьба» (по одноименной пьесе Н. В. Гоголя) странным образом сочетаются гоголевский сарказм и чеховская доброта к герою. Не только Агафья Тихоновна, невеста, и избранник ее, Подколесин, но и все прочие женихи: и Жевакин, и Яичница, и Анучкин, — это и чудища, и несчастные люди одновременно. Такой подход дает возможность Леонову сделать своего Жевакина и устрашающе невежественным, и трогательно человечным.

Появляясь на пороге дома невесты, Жевакин начинает говорить и говорит не умолкая, точно его бестолковая и ласковая речь неведомым образом помогает ему преодолеть неловкость ситуации. Раздеваясь в прихожей, он толкует Дуняшке об «аглицком сукне», а под взглядами Яичницы и Анучкина заводит целую историю «жития» мундира:

— В девяносто пятом году, когда была эскадра наша в Сицилии, купил я его еще мичманом и сшил с него мундир; в восемьсот первом, при Павле Петровиче, я был сделан лейтенантом, — сукно было совсем новешенькое; в восемьсот четырнадцатом сделал экспедицию вокруг света, и вот только по швам немного поистерлось; в восемьсот пятнадцатом вышел в отставку, только перелицевал: уже десять лет ношу — до сих пор почти новый...

Страны, императоры, судьбы исторические и карьера — все через «аглицкое сукно», все перемешано, лишено какого-нибудь смысла и значения, и при этом после каждой сказанной фразы возникает секундная пауза и за ней пропасть, которая пугает Жевакина, и он спешит продолжить: «вот... вот...»

И едва наступает тягостная тишина, на помощь Жевакину поспевает вопрос Анучкина: «Хорошая эта земля, Сицилия?» Какая удача этот вопрос! С энтузиазмом заправского враля и болтуна, с воодушевлением человека, ощутившего вдруг внимание к собственной персоне, Жевакин — Леонов начинает рассказывать, захлебываясь восторгами по поводу своих воспоминаний, не замечая ни своего косноязычия, ни отсутствия логики: «...вид, я вам доложу, восхитительный! Эдакие горы, эдак деревцо какое-нибудь гранатное... итальяночки, такие розанчики, красоточки черномазенькие, у них ведь возле каждого дома балкончики и крыши, вот как этот пол, совершенно плоски».

И так все это смешно и нелепо, с таким вдохновением, что Жевакин, кажется, уже абсолютно ясен зрителю. Но у Леонова еще остается дыхание взять ноту более высокую, и ведет он к ней, накаляя беспощадность гоголевского сарказма:

— ...Возьмите нарочно простого тамошнего мужика, который перетаскивает на шее всякую дрянь, — разошелся Жевакин, — попробуйте скажите ему: «Дай, братец, хлеба», — не поймет, ей-богу, не поймет, а скажи по-французски: «Дай, братец, хлеба», — поймет...

Такое ощущение, что несчастного Жевакина закрутило окончательно. Так и есть у Гоголя, в сатирическом вихре писатель ведет его к гротеску.

— А что мужик, как он? так ли совершенно, как и русский мужик, широк в плечах и землю пашет? — уточняет Яичница.

И тут, казалось бы, нужен особый актерский акцент, тут кульминация идиотизма, но Леонов, действуя в логике персонажа, отвечает, даже не повысив голоса: ведь его Жевакин не предполагает какого-то смысла в этом вопросе:

— Не могу вам сказать: не заметил, пашут или нет, а вот насчет нюханья табаку, так я вам доложу, что все не только нюхают, а даже за губу-с кладут.

Достигнув комического гротеска, артист тем не менее находит еще нечто новое в своем герое, он не допускает окончательности зрительского суждения. И, действительно, еще будет возможность увидеть Жевакина, такого смешного и глупого, бесконечно грустным. Когда он просит Кочкарева: «Жените меня на здешней хозяйке!» — артист вдруг заставляет зрителя как бы забыть о комическом гротеске и пожалеть человека, который не только корысти ради ищет невесту, но способен плакать и на колени стать, потому что с «этакою прелюбезною девицею, с ее обхождениями можно прожить и без приданого». И тут возникают те самые «и смех и слезы».

— Нет уж, я бы просил, чтобы на другой меня не женили. Уж будьте эдак благодетельны, чтобы на этой!

Смешной, конечно, Жевакин, но и бесконечно грустный. Так умеет артист избегать однолинейности красок, расширяя художественный смысл роли, проявляя самую суть авторской мысли.

Леоновские персонажи, как правило, излучают удивительное дружелюбие, доброжелательность к людям, и даже когда это проявляется в каких-то незначительных ситуациях, все равно ощущаешь в полной мере истину любви человека к человеку — главное, на чем стоит мир. Когда же происходит встреча актера с литературным образом, наиболее полно воплотившим веру в человечность, добро и красоту, мы становимся свидетелями, как этот образ обретает плоть и кровь живого, трепетного человеческого существа. Так именно было с Санчо Пансой в спектакле «Человек из Ламанчи», так случилось и с Ламме Гудзаком в кинокартине «Легенда о Тиле» режиссеров А. Алова и В. Наумова. Хотя фильм по своим стилистическим особенностям более располагал к символической, поэтической трактовке образа, леоновский Ламме прежде всего живой человеческий характер, в искренность его нельзя не поверить, а это ли не самое лучшее свидетельство силы и обаяния идеи, которую художник выражает.

Ламме Леонова не героической породы, и его доблестные дела — не из стремления к подвигу, просто добродушный толстяк и обжора Ламме всегда считал, что быть добрым и честным — самое важное в жизни. Он искал свою жену, ну а если в пути случалось ему проявить и силу и доблесть, то это как-то само собой получалось, не стоять же в стороне, когда на твоих глазах вершат несправедливость, и потом этот Тиль...

«Тиль, Тиль! Куда же ты, я устал, я хочу есть, я больше не могу, Тиль!» — плачет Ламме, но встает и вновь покорно идет за Тилем, навстречу новым приключениям, далеко не всегда забавным и почти всегда рискованным. И когда они удаляются, две фигуры — твердой, уверенной походкой Тиль и следом то ли идет, то ли бежит, то ли катится Ламме, — вся легендарная история Уленшпигеля и его верного друга Гудзака кажется нам многокрасочнее и жизненнее благодаря «земному притяжению», которое мы ощущаем в персонаже Леонова. Он точно не из легенды, а из были. Зритель не сомневается, что такие простаки, такие чудаки были во все эпохи и, наверное, будут всегда.

Как это обычно случается с леоновскими персонажами, Ламме обрастает бытовой конкретностью, любая вещь в его руках становится нужной и полезной; артист с такой полнотой погружается в характер, что и гротесковая ситуация — тяжба его героя с владельцем постоялого двора или спор с монахом, кто из них более толст и неповоротлив, — приобретает черты достоверности, подлинности действия. И как бы ни был смешон Ламме (в ночной рубахе бегает по городу, вопит и требует, чтобы ему показали, где его жена), когда наступает минута грусти, артист смотрит в камеру, как в глаза собеседника, и взгляд его открывает нам всю мудрость этого наивного и доброго человека. Беспокойная жизнь Ламме Гудзака не властна изменить его мечту о тихой, мирной жизни со своей любимой женой. Но этот вечный странник, тоскующий о доме, мгновенно обживает любое место, куда ступит его нога, и под деревом он устроится так, что нельзя не поверить, что он крепко заснул. Не нарушая поэзии кадра, Леонов вносит в него узнаваемые признаки жизни, быта человеческого.

Ламме очень под стать пластика артиста; в леоновском персонаже, круглом, как шар, толстяке, подкупает легкость и подвижность; это парадоксально, но убедительно, потому что Ламме — Леонов толстый, но не грузный и очень быстрый. Секрет его обаяния в том, что этот человек как бы и не ведает в полной мере ни красоты души своей, ни силы, потому что его богатство — это доброта к людям.

Внутренняя жизнь персонажа необыкновенно отчетливо проявляется во всех ролях Леонова. Способность передать глубокие внутренние процессы, происходящие в человеке, умение очень тактично выразить их — эти качества, мне думается, вывели Леонова за рамки комедийного амплуа.

## Евгений Леонов — актер не только комедийный

В искусстве известно немало случаев, когда актер, признанный комиком, завоевавший огромный успех и любовь зрителя в комедийных своих работах, долго и трудно доказывал свое право на драматическую роль.

Знаменитый русский актер К. Варламов всегда стремился к драматическим ролям, и его глубоко ранило мнение зрителей, мнение коллег, что он создан только для комедийных ролей. Варламов вспоминал случай: когда он хоронил свою няню, он услышал, как несколько интеллигентных молодых людей говорили, что он и плачет комично.

Евгений Павлович Леонов тоже рассказывал, что получал письма от зрителей, в которых они категорически требуют, чтобы он впредь не играл драматических ролей, потому что он создан для комедии. Но ведь смешное в человеке, комическое само по себе никогда не являлось целью Леонова-актера даже в комедии. Его главная творческая задача — правда человеческого характера. За текстом каждой своей роли он пытался увидеть реальные конфликты, борьбу живых людей, историю их отношений, правдивую историю жизни.

Когда впервые на экранах появился круглолицый молодой человек, а появился он в образах мало привлекательных прохвостов, уже тогда можно было заметить некую странноватость его созданий. Эта странноватость заключалась в том, что чаще всего зритель выражал таким определением: «прохвост с обаятельным лицом».

В чем же, собственно, дело? В фильме А. Столпера «Дорога» Леонов сыграл Пашку Еськова — роль жанровую, характерную. Безусловно, Пашка — тип отрицательный. В трудную минуту он бросал товарища, спасая свою шкуру. Но непосредственность, с которой выявлял себя леоновский персонаж в неблаговидности, непосредственность поверх слов и сюжета рассказывала зрителям о человеке, еще не успевшем серьезно подумать о жизни, не уразумевшем, что есть что.

Ощущение неустоявшейся личности, ощущение несерьезности дурных поступков оставляло надежду, что Пашка Еськов еще станет человеком. Эту возможность, схематично определенную сюжетом, Леонов реализовал в меру собственной индивидуальности и собственного понимания создаваемого им типа. Актер как бы намекал зрителю, что его Пашка не ведает о необходимости серьезной работы ума, не пройдя через которую человек не может сформироваться ни дурным, ни хорошим

Через год в фильме «Дело Румянцева» И. Хейфица Леонов сыграл Снегирева, тоже человека, способного оставить в беде друга, но который в обычной жизни не столь бесхитростно проявляет свою суть. Снегирев Леонова обаятелен, добр, он готов побелить товарищу комнату, если нужно, готов оказать ему услугу, но только не ценой неудобств для собственной жизни, не ценой опасности для собственного благополучия. И как только обстоятельства ставят его перед этим выбором, он проявляет свою истинную суть.

Что-то общее, несомненно, есть между Пашкой Еськовым и Снегиревым. Один критик даже посчитал, правда, перепутав хронологию, что Леонов повторился: он сказал, что Пашка Еськов есть повторение Снегирева.

Это неверно по существу. Отрицательный Пашка Еськов и отрицательный Снегирев — совершенно разные характеры. Если Пашка подл по неразумению, то Снегирев подл по своей жизненной философии.

Обаятельная внешность, простота жизненного поведения, готовность участвовать в товарищеских начинаниях никоим образом не выдают его. Этот человек прошел определенный путь, создал для себя определенные «нравственные» постулаты, вроде «моя хата с краю», которые по существу, конечно, безнравственны.

«Ты меня в свое дело не путай», — говорит он Румянцеву. Вот его кредо, его снегиревская мудрость.

У этих героев разный жизненный багаж, разные жизненные позиции, и степень их вредности абсолютно не идентична. Думается, Пашка Еськов был проще для актера, нежели Снегирев, в отношении к которому он должен был проявить некоторую резкость собственного суждения, определенность, суровость.

Можно сказать, что Леонов снимался в кино еще до того, как определилась его актерская биография. В фильмах «Счастливый рейс», «Спортивная честь», «Морской охотник» Леонов играл эпизодические роли, которые опирались преимущественно на комедийно-лирическое дарование артиста.

По-настоящему актерская биография Леонова началась в театре. В пьесе М. Булгакова «Дни Турбиных», поставленной М. М. Яншиным в Театре имени К. С. Станиславского, Леонов сыграл Лариосика.

Эта знаменитая роль в знаменитой пьесе счастливо раскрыла возможности Леонова, его актерские и человеческие потенции. То, что Леонов мог играть Лариосика, сейчас понимает каждый. Когда же приступали к репетициям и эта сложнейшая роль, уже вошедшая в историю театра, роль, блестяще исполненная Михаилом Яншиным на сцене МХАТ, была поручена совсем молодому актеру, удивляло — тогда не многим было ясно, что актер может с ней справиться; но вера Яншина в талант, в возможности Леонова имела решающее значение.

Михаил Михайлович Яншин передал Леонову то, что было накоплено им как артистом, художником, гражданином в многолетней работе над этим образом, — свое познание этого образа.

Большой артист, неповторимая личность допускает возможность другой личности, а актер маленький требует лишь повторения им найденного. Яншин отдавал Леонову все, что успел понять и сделать в искусстве, но при этом оставлял молодому актеру свободу собственного выявления. Потому-то Лариосик и стал подлинным рождением артиста. О Лариосике много писали, это было заметное явление в театре.

В исполнении Леонова Лариосик был существо душевное, чистое, непосредственное в проявлении чувств, хотя смелость открыто говорить о своей любви ни в коей мере не была ему присуща. Просто в сиянии его глаз, неотступно следующих за Еленой и всегда в смущении опускавшихся, как только взор ее обращался к нему, было все-все сказано. Не любить, не жалеть леоновского Лариосика было невозможно. Но главным был тот особый мир, который нес в себе его герой. Едва появлялся Леонов, как все — на сцене и в зале — до осязаемости реально ощущали этот дивный, особенный мир — мир душевной щедрости и чистоты.

В работе над этой ролью с Яншиным молодой актер познавал главные тайны, он понял, что искусство простоты — самое трудное искусство. Тридцать раз на репетиции выходил он на сцену, чтобы сказать: «Вот я приехал», — но Яншин качал головой. Надо было осознать, кто ты и как приехал, что творится в твоей душе и какой у тебя голос и манера говорить, ведь манера говорить идет от самоощущения человека. Надо было осознать, куда ты пришел, кто эти люди, ощутить беспокойство: как тебя примут те, к кому ты пришел. Столько тонкостей, едва уловимых, не знающих словесного выражения, нюансов поведения отражают психологический климат каждой сценической минуты.

«Я тогда понял, — говорил спустя много лет Леонов, — что Яншин все пропускал через правду». И этот урок Леонов усвоил на всю жизнь. Когда он говорил кому-нибудь из партнеров: «Какой бы жанр ни был, но правда-то должна быть, потом доведем до гротеска», — это не афоризм, это его правило. Пока правда роли не найдена, не выверена, не прожита актером, он не хотел рассуждать о концепциях, прочтениях, ви́дениях и тому подобном.

Вообще Леонов не терпел терминологии, всегда начинал издеваться; меня, например, он преследовал за пристрастие к эстетическим терминам такой фразой: «Пауперизм масс не иллюзорный, а реальный, базируясь не столько на апатии, сколько на синтетическом единстве трансцендентальной аперцепции...» — преследовал, пока я не обещала впредь выражаться только просто. Кажется, даже режиссерское красноречие пугало Леонова: «Очень много слов, смысл теряется». Некоторые, очевидно, считают это капризами мастера. Но ничего похожего! Станиславский, например, всегда предупреждал своих ассистентов о том, что не нужно говорить актерам ни о каком способе, методе, приеме, что им он будет излагать свои мысли совсем другими словами. Он понимал, что актеры не любят всякой излишней терминологии, потому и говорил с ними «другими словами».

Лариосик являл гениальный пример проникновенного сотворчества. После премьеры театральная Москва считала, что «Леонов — второй Яншин». А спустя десятилетия критики находили, что Леонов не повторил Яншина, а, как и полагается хорошему ученику, он его продолжил.

После премьеры «Дней Турбиных» творческие возможности Леонова всем представлялись огромными. Но, как мы часто наблюдаем в жизни, кинематограф не спешил использовать эти возможности. Еще многие годы Леонова снимают в кино, не принимая во внимание его сценические успехи.

Первая большая драматическая роль в кино — Яков Шибалок в фильме «Донская повесть». Народный характер, выписанный Шолоховым в рассказе «Шибалково семя», схвачен круто, правдиво, со всей откровенной прямотой. Донской казак, приземистый, медлительный, душевный, не герой, не титан. Но жизнь ведь не выбирает героев, создавая необычные ситуации.

Шибалок должен свершить над человеком суд суровый, жестокий и праведный. Свое горе, свою трагедию он должен избыть сам, ему неоткуда ждать помощи и совета. Красный отряд, в котором сражается Яков Шибалок за новую жизнь, понес огромные жертвы, убит командир, и виною тому предательство... Дарья, прибившаяся к обозу и ставшая женой Шибалка, Дарья, родившая ему дитя, призналась, что она выдала отряд. Над могилой командира открыл Шибалок товарищам страшную правду: «Подосланная она». И люди готовы вершить самосуд, страшны они в гневе, но Шибалок не укоряет их, он только торопливо уходит: «Наше это с Дарьей дело».

Медленно поднимая с земли винтовку, берет Шибалок ребенка из рук матери и так же тихо и медленно говорит: «За товарищей, за командира нашего...» — «А дите как же? Дозволь вскормить, а тогда и убей...» — «За дите не сумневайся, — отвечает Шибалок, — смерти не допущу». Глухо падают его слова, и так же глухо разносится по округе выстрел.

Трагедийную по существу сцену Леонов провел без единого громкого слова, без единого жеста отчаяния, можно сказать, на полутонах. Его герой не упивается своей правотой, не испытывает удовлетворение от своей силы, он даже не в порыве ненависти убивает Дарью. Он совершает это, потому что нет выхода, нет выхода из этого страшного круга зависимости человеческих судеб, нет места в его душе для новых страданий, сознание его не в силах охватить весь трагизм и жестокость ситуации. Он не может простить преступление, он, Шибалок, должен искупить его кровью, он убивает мать своего ребенка, убивает женщину в любви, не в ненависти, потому что знает цену человеческой жизни.

За эту работу Леонов получил «Гран-при» на III Международном фестивале в Дели.

Казалось, Леонов раскрылся по-новому, неожиданно. Но готовило его к этой роли уже сделанное, то, что было найдено в театральных работах, пришло здесь на помощь.

В спектакле «Домик у моря» С. Цвейга Леонов играл молодого счастливого моряка, купившего дом и землю, которого затем обманом завербовали в солдаты. Страшная судьба моряка как бы вторила трагедии семьи Томаса, главного героя. В целом спектакль был мелодраматический, «с надрывным пафосом», как писали критики, но один момент всегда вызывал подлинное волнение в зале — момент, когда Леонов — моряк произносил монолог о семье, доме, земле, мечте о простом человеческом счастье, которое недостижимо. Напряжение вызывала способность актера к трагическому переживанию.

В другом спектакле — «Неизвестный» М. Соболя, — темпераментном, романтическом, Леонов умело выводил своего героя из круга однообразных символических образов. Его Кутин — один из трех друзей, приговоренных к расстрелу. Изображая несгибаемых героев, артисты стояли в гордой позе, не зная страха, не ведая никаких человеческих эмоций, кроме жажды подвига. И только один из них — Леонов — понял невозможность, театральность такого стояния, он пытался передать, что чувствует человек перед смертью, и это его непроизнесенное «не хочу умирать», боль и страдание перед лицом смерти создали по-настоящему правдивый и волнующий образ. Артист сумел показать стойкость духа своего героя, его геройский отказ выдать командира и страдание приговоренного к смерти человека.

В пьесе Ю. Принцева «На улице Счастливой», поставленной М. Яншиным, Леонов сыграл крестьянского паренька Федора. Настороженный, недоверчивый «мужичок», он не сразу приходит к революции, пытается понять, что к чему, но уж когда разглядит правду, поверит, то это навсегда. В этой работе мы вновь увидели способность Леонова передать одновременность разных ощущений, разных чувств. Встреча Федора с дядькой, к которому он приехал, была поразительна по своей эмоциональной красочности. Голос Федора звучал радостно: наконец к нему пришел дядька, и недружелюбие городских парней сразу растаяло, а на глазах блестели слезы: «Один я остался, нет у меня никого...»

В пьесе Эдуардо Де Филиппо «Де Преторе Винченцо», поставленной М. Яншиным и Ю. Мальковским, Леонов играл главного героя. Бедный итальянский парнишка, который никак не мог в жизни пробиться, никак не мог заработать денег, чтобы жениться на своей возлюбленной Нинучче. Он то и дело воздевал руки к небу, умоляя святого Иосифа оказать ему поддержку. Но этот святой Иосиф, видно, не спешил помочь бедняку, да Винченцо и не очень-то на него надеялся, больше он надеялся на собственную хитрость и изворотливость, так уж, для порядка, на всякий случай воздевал он руки к небу, моля о помощи. Только на том свете Винченцо получил наконец от святого Иосифа поддержку...

Леонов играл эту роль с увлечением: национальный характер, речь стокатто, порывистый жест, горячий темперамент. Но главное, Винченцо — Леонов был человеком чистого сердца. Творил ли он молитву об успешной сделке со святым Иосифом, требовал ли себе каких-то привилегий в раю, подбирал ли оброненные знакомыми деньги или крал их у прохожих из карманов и сумочек — он был абсолютно уверен в своей правоте, ибо как же иначе прожить бедняге.

Пьесы Де Филиппо всегда бытово конкретны, события в них взяты самые обыденные, но они поражают масштабностью социального звучания. Социальный диапазон раскрывается в них как бы сам собой, вывод не подсказан автором, он складывается в результате узнавания внутреннего мира героя. Забавный, смешной Винченцо Леонова оказывался трогательным и несчастным, зритель проникался к нему глубочайшим сочувствием, хорошо понимал его.

В конце пятидесятых годов драматургия Эдуардо Де Филиппо только завоевывала советскую сцену, и успех первых спектаклей, первых исполнителей был важен, потому что обеспечивал пьесам замечательного итальянского художника долгую жизнь на нашей сцене.

В спектакле по пьесе Ю. Принцева «Первый встречный», поставленном М. Яншиным, Леонов играл Константина Тимофеевича Шохина (первая возрастная роль актера). Мастер Шохин — ничем особенно не примечательный человек, но в душе его живет неприязнь, неприятие мещанского мира, с вечными подсчетами, поисками выгоды, принижением человеческого достоинства.

Поразительно, как удаются Леонову контрасты внешнего рисунка и внутренней сути человека, выявляющие существо характера. Внешняя непритязательность, неприметность и способность глубоко и сильно чувствовать, какая-то особая внутренняя зоркость подкупают в его героях. Леоновский персонаж не только тип, но всегда человек. Единственность, неповторимость человеческой личности — главное, что открывает артист в своих героях, на чем он настаивает, чего ищет в каждой пьесе. в каждом сценарии. Нарочитость, прямолинейность, заданность характеров претят актеру.

Образы Леонова, которые мы сейчас вспоминали, интересны прежде всего своей неоднозначностью. Каждая из этих работ, выдвигая перед актером новые задачи, оттачивала его мастерство, готовила к такой сложной работе, которая выпала на его долю в фильме В. Фетина «Донская повесть».

Режиссеру, кстати, пришлось приложить немало усилий, чтобы убедить художественный совет «Ленфильма» в том, что Леонов может играть эту роль. Кажется странным, режиссер, который снимал Леонова в комедийной роли Шулейкина, открыл многообразие его комедийных возможностей, весело, задорно, легко работал с артистом в жанре, для которого тот создан, именно этот режиссер настойчиво добивается сначала согласия самого артиста взяться за драматическую роль, а затем и художественного совета студии. Такая творческая настойчивость сама по себе многого стоит в искусстве. Есть люди, мы иногда встречаем их в жизни, присутствие которых, участие в каком-то деле помогает раскрыться возможностям других людей. Это, очевидно, особая душевная щедрость, способность верить в талант. Какое важное качество для режиссера! Сам Леонов тоже обладал такой способностью. Люди улыбались артисту, как старому знакомому, он каждого располагал к дружбе. Надо сказать, судьба позаботилась, чтобы среди друзей таланта Леонова были режиссеры смелые, глубокие, беспокойные.

В 1966 году Москва увидела Евгения Леонова в роли Креона в пьесе французского драматурга Жана Ануя «Антигона». Спектакль был поставлен Борисом Александровичем Львовым-Анохиным в Театре Станиславского, где он был тогда главным режиссером. Это была первая попытка осуществить на нашей сцене интеллектуальную драму. «Антигона» была написана и поставлена в оккупированном фашистами Париже. Античный миф об Антигоне, которая перед лицом смерти не отказалась от своего долга похоронить брата, был отчасти прикрытием от цензуры. Но не только эти соображения объясняют обращение драматурга к мифу. Он хотел поставить проблему порабощения человеческой личности в философском смысле, а миф давал ему такую возможность.

Назначение Леонова на роль царя Фив — тирана Креона — в интеллектуальной драме многим казалось безумным экспериментом.

Сегодня можно сказать, что этот эксперимент вошел в историю советского театра и многое открыл не только в даровании замечательного артиста, но и в возможностях русской реалистической актерской школы.

Леонов отнесся к предстоящей работе без паники и без ложной скромности. Он не задумывался над тем, сможет ли он сыграть роль, будет ли ему трудно. Во всяком случае, он не говорил об этом ни с кем из своих коллег-актеров и с друзьями тоже не говорил.

Как всегда, когда Евгений Павлович получал роль, он ощущал только одно желание, охватывающее все его существо, — желание работать.

Для театра «Антигона» была серьезным испытанием. Испытанием актерской культуры, профессиональной подготовленности, вообще возможностей труппы. Молодые актеры изучали эстетику французских экзистенциалистов, старались понять особенный эстетизм пьесы, проникнуть в стилистику, весьма своеобразную, более поэтическую, нежели реалистическую. Но они, безусловно, испытывали сильное беспокойство, и в первую очередь это относилось к молодой исполнительнице роли Антигоны Елизавете Никищихиной.

Что же касается Леонова, то он как бы пренебрегал трудностями и работал как всегда. Он погружался в стихию этого произведения, но воспринимал его мир как реальную жизнь. Ему была интересна психологическая ситуация, ему был интересен поединок двух индивидуумов, ему был интересен самый спор. Он не возражал, чтобы Антигона победила его в этом споре, но он не мог дать ей легкой победы.

Спектакль двигался очень трудно. Психологическая глубина, точность, конкретность каждого переживания, осязаемость мышления героя, его способность передать логику этого мышления, логику человеческого характера создавали все большие и большие трудности.

На репетиции Евгений Павлович сказал режиссеру, что пока не станет ясным все в их отношениях с Антигоной, пока они не посмотрят друг другу в глаза, не выяснят, что каждый хочет от другого, что ищет в жизни и чем готов платить за это, — они не могут выстроить никакой концепции, они не могут вести спектакль к какому-то финалу, к какому-то художественному итогу. Евгений Павлович предложил забыть имена Креона и Антигоны, оставить в покое стилистику Ануя и обратиться к той психологической ситуации, которая заложена в произведении. «Я буду дядя Федя, — говорил он, — а она Лиза. Вот когда мы разберемся, что происходит, мы скажем: «Креон», «Антигона», — все будет в порядке». А пока он смотрел испытующе на молодую девчонку и говорил ей: «Живи, люби, рожай детей, почему ты хочешь умереть?»

Он предлагал ей компромисс не как подлость, не как благо, он предлагал компромисс как разумное понимание жизни.

Разумность, считал Леонов, состоит в том, чтобы видеть жизнь такой, какая она есть, чтобы видеть истинные ее проблемы, чтобы выбирать, когда есть выбор. Он не презирал, не игнорировал стремление юной Антигоны к идеалу. Он предлагал ей осмыслить свой идеал. Он склонялся перед силой воли, перед силой духа юного существа. Иногда, правда, он терял самообладание, становился жестоким, но тут же внутренне останавливал себя и вновь принимался за работу. А работа его заключалась в том, чтобы сохранить жизнь этой девчонке, которую любил его сын, Гемон, сохранить ей жизнь для нее самой.

Он возвращался к деловому тону и, помешивая ложечкой в стакане, открывал Антигоне все карты, пусть узнает она правду о своих братцах. Они оба были такие прохвосты, они так разодрались из-за власти, что невозможно было разобрать, кто Этеокл, кто Полиник. Они лежали в луже крови, и это было сплошное месиво из человеческих тел. Какие-то останки с почестями похоронили, остальное бросили на съедение воронам. И вот теперь Антигона во имя своей идеи захоронения брата, идеи, давно оторвавшейся от жизни, от почвы, от истинного положения дел, хочет уйти из жизни.

Нет, он заставит ее принять жизнь такой, какая она есть, он заставит ее увидеть грязь, низость, подлость своих братьев, он заставит ее понять, что они недостойны ее любви, ее подвига. Они не ждали от нее подвига, они вообще не принимали ее в расчет, так же, впрочем, как и народ Фив. Антигона сгибается под тяжестью этих сведений, Креон торжествует победу. Нет, Креон не изверг, не тиран, он такой же человек, как и все, у него доброе сердце, он не хочет смерти. Просто у него такая работа, кто-то же должен выполнить эту работу, кто-то должен стоять у руля. И вот эта историческая миссия царя Фив, тяжелая миссия, придавливает его человеческие порывы.

А порывы у Креона — Леонова искренни, и любовь к Антигоне — в нее можно поверить — это не только хитрость, это и озабоченность ее судьбой и злость на нее, но злость от бессилия, а не злость упоенного властью тирана.

Леонов идет не прямым путем. В интеллектуальной драме это было бы позволено: образ тирана, образ Антигоны — обобщенные символические образы, воплотившие в себе определенные идеи. Исход трагедии известен, известно заранее все, что произойдет на сцене, — в самом начале спектакля это сообщает Вестник. Но все эти условия игры, все эти заданные правила отступают, когда зритель видит перед собой поединок Леонова и Никищихиной.

Креон не требует повиновения власти, не этого добивается он от Антигоны. Ему важно разрушить веру Антигоны в облагораживающее влияние идеи на душу человека. Ему важно увидеть, что она отказалась от этой идеи, поэтому не просто и не скоро добивается Креон результата. Но вот этот результат уже близок. Теперь, когда Антигона знает правду о своих братцах, она не способна будет задуманное совершить.

Антигона, опустив голову, медленно уходит. «Смирилась!» — едва не кричит ей вслед Леонов, но только молча провожает ее взглядом и потом тяжело вздыхает. Какие-то минуты он остается один: ему тоже надо осознать урок, который он получил.

Человек, подобный Антигоне, способен на подвиг — это Креон осознал. Но и такой человек хочет, чтобы этот подвиг был людям нужен, чтобы его усилия были замечены, чтобы они не прошли бесследно. А вот это он очень мастерски, очень делово, очень хитро отнял у Антигоны, и поэтому он торжествует свою победу.

Но эта победа ложная. Согнувшись, Антигона не может жить. Нет-нет, не нужно жизни, не нужно любви, не нужно будущего, если это будущее, если эта жизнь и любовь есть только большой компромисс. Антигона осознала в полной мере замысел своего противника. Она смотрит на Креона не с ненавистью, а с жалостью. Он не хотел демонстрировать ей свою силу и власть, но Антигона хочет показать Креону ту силу, которая не подвластна тиранам.

Когда спектакль впервые показали художественному совету, было трудное обсуждение. Очевидно, многим нелегко было отойти от предвзятости в отношении к актерам: не только назначение Леонова на роль Креона, но и назначение на роль Антигоны молодой актрисы было многими взято под сомнение. Но, думается, все же не с этим было связано решение задержать выпуск спектакля.

Режиссер понимал в чем дело. Он сказал: «Леонов переиграл Антигону. Нам придется с Лизой еще и еще работать».

То, что сделал Леонов, было великолепно, текст Креона становился вдвойне убедителен, потому что не тиран вещал, а человек, по существу способный к доброте, свершал жестокость и опускал голову перед необходимостью этой жестокости, перед ее неизбежностью.

Прошло еще две недели, две недели серьезной работы режиссера с молодой исполнительницей. Актриса должна была сделать Антигону столь же убедительной по логике поведения, как Леонов сделал Креона. И не только это, она должна была открыть в самой себе ту безусловную силу духовности, которая сделала бы очевидным ее превосходство. Актриса сделала свою роль. Спектакль звучал сильно, точно и необычайно выразительно.

Подчеркнутая философская глубина, интеллектуальная насыщенность — в атмосфере огромных духовных напряжений шел этот поединок Креона и Антигоны. Но он не был очищен от человеческих страстей, он не был отдален от земли на высоты искусства романтического. Это был для зрителя своего рода экзамен на человечность, нравственность, духовность. Каждый вынужден был понять, что служение идее, как бы прекрасна она ни была, состоит не только в умении преодолеть сопротивление окружающей среды. Подчас сильнее — препятствия внутри самого человека. Пройти через это борение внутри самого себя, познать свои силы, открыть их в себе — таков был призыв к зрителю.

Интеллектуальную драму Театр Станиславского сыграл в традициях русского реалистического искусства. Это сложилось естественно. Не было заданных схем, не было эстетизма во имя эстетизма, не было, попросту говоря, «интеллектуального пижонства». Просто говорить о сложном, о трудном, о главном — эта задача искусства сегодня, как всегда, была понята артистами глубоко и принесла им заслуженный успех.

«Антигона» по праву стала в ряд самых популярных спектаклей сезона. Надо думать, эксперимент режиссера Львова-Анохина — опыт русской «Антигоны» — освоен нашим театром, хотя, когда спектакль только появился, вокруг него было немало жарких споров.

На страницах журнала «Театр» высказывалось сожаление, что спектакль мало похож на известные французские образцы. Такова инерция восприятия. (Инерция восприятия у зрителя мало приятна, но инерция восприятия у критика, пожалуй, даже опасна.) Иному критику кажется, что, если он видел интеллектуальную драму Ануя в исполнении французов, если знает, как решался этот спектакль в Париже, там, где он обрел свою сценическую жизнь, его задача внушить каждому, кто возьмется ставить и играть «Антигону», что необходимо следовать сложившейся традиции. Правда, эталон в искусстве едва ли полезен. Но такое мнение не случайно; оно бытует и касается не только спектакля «Антигона» и вообще не только театральных работ.

Автор журнальной статьи полагал, что русская «Антигона» получилась слишком заземленной, проще, менее философичной и поэтому незначительной.

Как играть «Антигону» на русской сцене — вопрос не такой простой. Манера четкой, умной декламации напоминает о традициях театра Расина и Корнеля. У нас такой традиции нет, русские актеры так не играют, и, кроме того, как говорил режиссер Б. А. Львов-Анохин, «при таком ключе теряется что-то самое важное, острое, что есть в пьесе. Холод риторики убивает ее живую и жестокую современность». Драматургия Ануя позволяет перевести все из области философской риторики в сферу напряженной действенной борьбы; при отсутствии внешней сюжетности — все события известны с самого начала — существует психологическая сюжетность. И режиссер добивается того, что зритель с напряженным вниманием следит, как переживает Антигона обрушившееся на нее открытие, как отражает аргументы Креона, видит, что истощается ее энергия и вспыхивает вновь. Накал страстей и подлинность переживаний, оказалось, не чужды интеллектуальной драме Ануя.

Существуют особенности стиля и разные способы изображения человека. Горький очень точно заметил, что русское искусство — «сердечное искусство». Там, где французы, допустим, видят интеллектуальный диспут, русские актеры могут обнаружить борение страстей и столкновение характеров.

Как показал опыт «Антигоны», истинные глубины произведения открываются тем, кто ищет в нем ответ на свои собственные вопросы, а не довольствуется уже известным, найденным другим.

Сейчас не стоит вдаваться в подробности, был ли этот эксперимент в полной мере осознан создателями спектакля, было ли их преднамеренной задачей соединить принципы реалистической актерской школы с эстетикой интеллектуального театра. Во всяком случае, они понимали, что их ждет немало трудностей и, может быть, даже поражение.

Очень часто интеллектуальная пьеса, спектакль страдают излишним рационализмом, слишком скудны эмоции, слишком однообразен чувственный климат актерской игры. А если попробовать играть эту пьесу не так, как ее надлежит играть, а подойти к ней так, как это сделал Леонов, осваивая роль трагедийную, драматическую, неожиданную для себя, — возможно, то, что кажется нам несоединимым, соединится, сольется и даст некий художественный результат.

Добиваясь правдивости психологического состояния на сцене, Леонов в какой-то мере потянул за собой весь спектакль. Здесь важно сказать, что режиссер с самого начала делал на это ставку и не обманулся. Спектакль не могли играть иначе. Именно в соединении психологизма и глубокого, тонкого интеллектуального напряжения, вызванного сутью тех проблем, которые решает пьеса, проблем нравственных, этических, и был истинный объем этого произведения.

Мне думается, что возможности интеллектуальной драмы открылись для нас совершенно по-новому. Нет, это не профессорское искусство, это искусство, которое живет в ту минуту, когда актер выходит на сцену и, обращаясь к своим современникам, хорошо понимает, что же именно заставляет его говорить и что же именно заставляет нас его слушать, следить с неослабным вниманием за ходом мысли, за движением чувства, рождением эмоций, созиданием мировоззрения.

Вот этот итог — созидание в процессе спектакля мировоззрения, определенной этической, нравственной истины — дал жизнь спектаклю по пьесе французского драматурга.

Конечно, сегодня кажется странным, что кто-то мог думать иначе, что «Антигона», еще не став опытом искусства, а будучи только его экспериментом, могла вызывать сомнения.

Многие, увидев Евгения Леонова в роли Креона, говорили, что он открылся для них как артист огромного диапазона. Все предлагали Леонову новый репертуар, кто-то сказал, что Леонов может сыграть Льва Толстого, и Сократа, и, конечно же, короля Лира. Об этом, впрочем, думал уже режиссер, для которого не было сомнений, что Леонов возможный новый Лир.

Хотелось бы понять, что дала эта роль самому Леонову. Кажется, она подтвердила справедливость его собственного ощущения, что он может играть все, в чем откроет для себя правду человеческих отношений, правду жизни человеческого духа. Ведь актер пользуется не только тем материалом, который предлагает сценарий или пьеса. Когда он принимается за роль, он в равной мере опирается на собственные жизненные наблюдения, переживания, мысли. Во всяком случае, рубеж «Антигоны» был важен в творческой биографии Леонова.

Актер не всегда волен влиять на свою экранную и сценическую судьбу. Актер, как девица на выданье, ждет своего часа, своего режиссера, своего принца. Однако отчетливое стремление к ролям драматическим, серьезным и глубоким в Леонове крепло.

Креон в «Антигоне» и Шибалок в «Донской повести» — такие высоты в искусстве даются нелегко, но и бесследно они не проходят.

Режиссер Львов-Анохин рассказывает:

«Когда я встретился с Леоновым в «Антигоне», у меня была абсолютная уверенность, что он может и должен играть Креона. Потому что зерном образа Креона, его жизненной сферы, а не риторическим тезисом было ощущение, что это говорит житейская мудрость с категоричностью и с пылкостью юности, которая, как всегда, эту житейскую мудрость категорически и яростно отвергает. Поэтому не риторика, не злодейство, не царственность Креона нужны были мне, а именно его житейская неопровержимость и оснащенность. Именно то, что называется житейской мудростью, и сыграл Леонов — с горьким и убедительным юмором, и даже добротой, и теплотой, и с тем, что этот человек манит к какому-то житейскому уюту, и больше — к счастью, к радостям человеческим».

Леонов — большой актер, это, кажется, было осознано окончательно. Все чаще стали писать, что ему необходимо играть роли значительные, думать специально об этом, не растрачивать свой талант, свое мастерство на проходные, незначительные работы. Талант — драгоценная энергия, ее надо уметь правильно использовать. Конечно, это было обращено и к театрам, и к студиям, и к режиссерам, и к коллегам, но и к самому артисту. Если сравнить Леонова, его путь и шаги в искусстве с Яншиным, Щукиным, с крупными художниками сцены, то ведь они играли роли значительные, конечно, с какими-то поправками.

Я думаю, что у Леонова плохих ролей в фильмах и спектаклях куда больше, чем у Щукина или у Яншина. А поверять его надо этими именами.

Несомненно, что в жизни каждого актера есть роли, которые определяют иногда целый этап его творческой жизни, и счастье актера, если эти роли становятся для него не мимолетными спутниками.

Мне очень жаль, что Леонов не играл такие свои роли, как Креон в «Антигоне» или Ванюшин в «Детях Ванюшина» до конца своих дней. Виной тому сложности театральной жизни — актер уходил в другие театры и, стало быть, бросал свои великие создания. Но только теперь, кажется, появилась возможность устранять такие препятствия, чтобы большой, интересный актер продолжал играть свои роли на любых организационных началах, — от этого выиграет и зритель и сам актер, который получит возможность не расставаться с лучшими своими созданиями, их совершенствовать. Они не должны исчезать. Какие-то актерские работы, к счастью, сняты на телевидении, и они могут стать достоянием широких зрительских масс.

Шли годы. Леонов в театре и в кино играл роли драматического репертуара, но не сразу пришла возможность выстроить из героев, созданных Леоновым на сцене и на экране, единый эстетический ряд.

На творческом пути актера возникает немало испытаний, в том числе испытание успехом, популярностью. Сохранить трезвость в оценке своих работ, требовательность к себе, избирательность, не опускаться до уровня «малых задач», когда тебе открылись вершины, — это не так-то просто, как может показаться на первый взгляд. Леонову всегда помогала верность своим художественным пристрастиям, определенной актерской школе, принципам искусства сценического реализма.

Евгений Леонов — актер Станиславского. Эстетические и нравственные нормы актерского искусства усвоены им еще на первых порах работы в театре под руководством Михаила Михайловича Яншина, человека, верного школе Станиславского, глубоко и точно понимавшего эту школу, и человека при этом чуждого каких-либо догм и фанатизма в искусстве.

Но, думается, не только школа, не только сознательное стремление воспринять и усвоить систему Станиславского привели к тому, что сегодня мы можем считать Евгения Леонова актером, полно воплотившим принципы русского реалистического сценического искусства. Сама специфика его дарования вела артиста к школе Станиславского.

Во второй половине пятидесятых годов, когда советское искусство было на подъеме и каждый год приносил нам новые имена актеров, режиссеров, писателей, обострился интерес и к проблемам общеэстетическим. В «Литературной газете», а затем в журналах «Искусство кино» и «Театр» разгорелись дискуссии о современном стиле, о лице театра, о разнообразии творческих направлений.

В это время появлялись на свет новые театры, новые художественные организмы, которым предстояло утвердить свои гражданские и эстетические позиции. А это не так просто, это не обходится без борьбы, без крайностей в суждениях. Кристаллизация творческих направлений вызвала вполне естественный интерес к художественным принципам Вахтангова, Мейерхольда, Таирова, Михоэлса, Марджанова. Наше искусство должно быть многообразно — с этим соглашались все.

В атмосфере художественных споров дискуссия о лице театра, которую проводил журнал «Театр», несколько сместилась, и в центре ее оказалось наследие Станиславского. «Универсальна ли система Станиславского? И что она дает современному актеру?..» В пылу полемики нашлись охотники валить все беды нашего театра на систему. Но можно ли делать Станиславского ответственным за вульгаризацию его творческих идей, его метода, его системы?

Для молодых актеров, к которым принадлежал Леонов, возможность попробовать свои силы в разных театрах была заманчива, но и чревата опасностью легковесного отношения к принципам актерской школы. Определить свои пристрастия, найти и укрепить свою веру — так важно и вместе с тем как непросто. Чтобы бороться за лицо театра, надо это лицо определенным образом представлять. И как бы ни был велик вклад режиссуры — актерское слово не последнее. Искусство психологической правды утверждал Яншин, и Евгений Леонов, уверовав в это, никогда с этой позиции не сошел. Считалось ли модным и прогрессивным быть «верным станиславцем», или можно было с этим титулом угодить в ретрограды — Леонов своей актерской вере не изменял.

Несомненно, дискуссии вокруг системы Станиславского принесли пользу нашему искусству, хотя бы уже тем, что помогли избавиться от догматизма в творчестве.

Один из участников дискуссии, режиссер Анатолий Эфрос, сказал: «Все советские актеры ученики Станиславского. Требуется только одна поправка: хорошие актеры те, что стремятся к правде в искусстве». И он был абсолютно прав.

Разговоры о двух актерских школах — школе перевоплощения и школе представления, которые современное искусство противопоставило, не случайны. Очевидно, в этом есть рациональное зерно, потому что практика искусства всегда заостряет какие-то проблемы, заостряет внимание художника на определенных вопросах мастерства, которые кажутся особенно важными именно в данный момент развития искусства. Если же вдуматься в суть определения, данного Станиславским, станет ясно, что учение Станиславского настолько всеобъемлюще, что исключает антагонизм этих двух актерских школ.

Дело в том, что художественным материалом для актера является он сам, его духовная и физическая сущность, его психофизика. Поэтому естественно, что перевоплощение актера основывается на слиянии персонажа, задуманного автором, с психофизическим материалом актера. Иными словами, актер должен найти в себе роль.

Немирович-Данченко делил роли на сыгранные и созданные. Таких индивидуальных созданий на советской сцене мы знаем немало. Когда Леонидов, Тарханов, Хмелев играли на сцене, то «рождались новые существа в сфере эстетического понимания, существа из крови и плоти, жившие от 7.30 до 12 ночи и потом испарявшиеся до нового спектакля».

Часто, говоря о перевоплощении, мы забываем вторую часть фразы Станиславского: «на основе переживания». Творчество Леонова напоминает нам о ней.

Все работы Леонова в кино и в театре отмечены необыкновенно щедрой отдачей актера роли. Его переживание в образе всегда подлинно. Злость, надежда, отчаяние Креона, страдающая душа Якова Шибалка, которую страдание и возвышает, трепетное чувство любви, охватившее все существо Лариосика, — во всем видели мы щедрое сердце актера, энергию его мысли.

Когда Леонов репетировал и играл на сцене Театра имени Маяковского старика Ванюшина (о спектакле «Дети Ванюшина» речь пойдет в следующей главе), врач, который наблюдал за его здоровьем, настаивал, чтобы он этот спектакль оставил: «После этого спектакля никто не может гарантировать вам здоровье». Это не просто осторожность: спектакль действительно забирал много сил у артиста, он щедро тратился на него.

Но, в самом деле, можно ли оторвать от актера-человека его создание? В момент, когда идет спектакль или кинорежиссер командует: «Мотор!», — мне думается, невозможно, нельзя отделить Леонова-человека от его создания. Но когда эти минуты творчества пройдены, когда вспоминаешь роль, пытаешься ее анализировать, то сделать это можно.

Мастерство Леонова отмечают все режиссеры, которые работали с ним, но никогда у артиста не было желания блеснуть своим мастерством. Он точно даже и не сознавал своего мастерства в роли. Решающим для Леонова являлось его импровизационное самочувствие. На сцене и в кино минуты творчества — это минуты актерского вдохновения и яркой импровизации. На репетициях Леонов был всегда разным. Сегодня он репетирует так, завтра — какие-то новые черты, и режиссеры, которые работали с ним многие годы, не мешали актеру попробовать разное, не спешили с отбором.

Театральные люди знают, что спектакль недолго сохраняется в его премьерном виде. Режиссеры, авторы спешат пригласить критиков и друзей на первые представления, потому что очень скоро спектакль «разболтается». Актеры позволяют себе отойти от найденного рисунка роли, многое в спектакле становится приблизительным, неточным. Никогда такого упрека не делали Леонову. Напротив, если Леонов входил в спектакль, заменяя кого-то, то сам этот факт заставлял всех подтянуться.

Подлинные переживания, горячие, глубокие эмоции не так часто встречаешь сегодня в театре. Существует даже мнение, что современные люди более рационалистичны, а, стало быть, их эмоциональная сфера не похожа на эмоциональную сферу зрителей времен Шекспира. Современный человек так же эмоционален и активен, возможны разные формы выявления эмоций, но никоим образом не отсутствие эмоции и не пренебрежение ею.

В лучших работах Леонова на основе переживания происходит переход психофизического материала актера в другое качество, в сценический образ, когда «я» актера превращается в «он» образа. В этом, собственно, секрет органики актера, достоверности его жизни на сцене и на экране.

Подполковник Критский в фильме «Первый курьер» (советско-болгарский фильм) — характер примечательный именно своей двойственностью. Леонов как бы нарочно проявляет в своем герое мешающие образу черты. Умный враг — не такая уж новость на экране: в конце концов, среди жандармских начальников не все были остолопы, встречались и такие, как Критский, которые умели поговорить с интеллигентным человеком. Но артист идет дальше. Он обнаруживает в своем герое неприятие жестокости. Подполковник царской охранки вовсе не уверен, что жестокость всегда свидетельство силы, даже гораздо чаще она говорит о беспомощности. Он надеется на свой тонкий ум и умелый подход к преступнику. Но беда в том, что его сознание не в состоянии охватить истинные причины смуты, ее масштаб, ее способность формировать новый человеческий тип.

Кто-то везет в Россию газету «Искра», кто-то получает ее, распространяет, кто-то читает. Проницательный жандарм распознал, что газета поступает в Россию через Болгарию, остается совсем немного — схватить курьера. И вот уже молодой болгарин у них в руках — в тюрьме, избит, истерзан и все же никак не дается... Вот этого подполковник Критский осознать не может, он отдает своего несгибаемого противника в руки палача, он приказывает, уезжая из тюрьмы, жесточайше погасить волнение заключенных. Он отдает жестокий приказ, отводя от объектива глаза, он весь в крови, но не хочет выглядеть жестоким.

Так, заявив своего героя умным, актер показывал тем не менее его интеллектуальную немощь, обрисовав мягким, мирным человеком, выставил бесчувственным «мундиром». Тупик. Человеческие качества обесценены, личность несостоятельна, если добрый врастает в жестокость, как в жизнь.

Стоит Леонову взять на себя роль, как он тут же вносит свое дополнение: никакой отсебятины, никаких новых слов, а персонаж раскрывается по-новому и чувства внушает зрителю разноречивые. Точно живописец смешивает краски, чтобы потом наиболее сильные тона сами вышли...

Когда он играл в «Трехгрошовой опере» Б. Брехта короля нищих Пичема (спектакль очень ярко и темпераментно был поставлен С. Тумановым), ему удавалось сделать своего героя жестоким, коварным и одновременно жалким и несчастным стариком.

Леоновский Пичем был погружен в «работу»: растление людей, обман — такова была его работа, его способ жить. Он был безжалостен к своим жертвам, но и сам был жертвой. И когда попадал в беду, был обманут другими — не возмущался, не роптал, жестокая вражда между людьми была для него нормой, законом, и он принимал ее. И тут король нищих становился жалким.

Леонов достоверен каждую минуту своего сценического действия, но при этом фантазия актера позволяет ему видеть своего героя как бы в нескольких ракурсах. Обладая огромным даром естественности, Леонов никогда не считает правдивость сценического поведения своей целью, это средство, которое, как говорится, всегда при нем; задача актера — уйти от лобового изображения, продвинуть зрителя к пониманию образного авторского замысла. Сложная жанровая особенность, смелый режиссерский план, балаганность «Трехгрошовой оперы» взбудоражили его фантазию, сделали его актерский рисунок ярким, контрастным, очень выразительным.

Всегда трудность задания привлекала Леонова, и, напротив, бедность литературного материала, одноплановость образа делали работу скучной, неинтересной. Евгений Павлович начинал волноваться, ко всем приставал с расспросами, а находя подтверждение своим ощущениям, беспокоился еще больше: «Может, они от меня чего-то ждут?» То, что Леонов приносил с собой в фильм, спектакль правдивость жизни персонажа, иного режиссера удовлетворяло, но сам артист в таких случаях оставался недоволен собой: «Ничего там нет». Следовало понимать, что нет ничего нового в характере, предложенном для воплощения.

Так было, например, с телевизионным фильмом «Большая перемена», где Леонов сыграл немолодого рабочего Леднева, который посещает школу рабочей молодежи вместе со своей дочерью. Леонов проявлял душевную деликатность, чуткость, мягкость в отношении к своему герою, его исполнение носило даже некую лирическую окраску, но общая бессодержательность фильма, надуманность проблем, каких-то специфически школьно-юношеских, делали его участие в фильме необязательным.

Если в самом начале актерского пути эксплуатация очаровательной индивидуальности молоденького, добродушного, просветленного и наивного паренька была еще объяснима, теперь это было непростительно. Трогательный, добродушный Игорь в «Раскрытом окне», трогательный, простодушный Колька во «Встречах на дорогах», наивный Федор («На улице Счастливой»), добродушный Барыкин в «Трусе» — эти не лучшие роли первого десятилетия сценической жизни актера надо целиком и полностью отнести на счет театра, который брал к постановке такие пьесы, где конфликты были мелкие, несущественные, построенные на недоразумении, нелепой случайности, не давали возможности актеру создать интересный образ.

Обретя с годами мастерство, Леонов сохранил непосредственность. Но требовательность актера к материалу роли умножилась.

Надо сказать, что Леонов сыграл немало эпизодических ролей, и всегда эпизод в исполнении Леонова приобретал необыкновенную ценность для всего художественного целого спектакля или фильма.

В спектакле «Шестое июля» по пьесе М. Шатрова Леонов играл эпизодическую роль часового с красным бантом на груди и лишь на несколько минут появлялся на сцене. Часовой Леонова произносил едва ли не одну фразу. Крикливые призывы Марии Спиридоновой, лидера левых эсеров, начать войну с Германией часовой внимательно слушает, внимательно смотрит на Спиридонову и потом говорит: «Ежели парочку твоих эсеров хлопнуть — беда невелика, а войну начнешь — миллионы лягут». Естественно, Леонов произносит это без какой-либо интонационной значительности. Он произносит это от себя, от своего персонажа, но в этих словах такая емкость, такая точность и именно мудрость народного взгляда на события, что эпизодический персонаж оказывается необходимым спектаклю, он как бы становится выразителем его идейного накала. Неспроста почти во всех рецензиях на этот спектакль была отмечена работа Леонова.

В фильме «Гори, гори, моя звезда...» Леонов сыграл хозяина иллюзиона, киношника, который воплотил в себе некий тип «художника», живущего за счет своей феноменальной способности приспособляться. С каким упоением герой Леонова отдается своей деятельности: когда в городе белые, он крутит незамысловатую ленту и комментирует ее таким образом, чтобы это отвечало настроениям зала, а когда в городе красные — он комментирует иначе, соответственно данному моменту. И ему кажется это естественным, в этом он видит свое призвание. Ведь он не механизм, а человек, приставленный к делу для того, чтобы осмыслить и вписать «свое искусство» в контекст жизни.

Небольшая по экранному времени, которое ей отпущено, роль эта довольно значительна в общем контексте фильма. Эффект ее идет от актерского исполнения — поведение персонажа, его жесты, движения, мимика, неторопливая поспешность полны комедийных красок.

Природная комедийность Леонова служит, конечно, не только в комедии, она не исчезает, когда Леонов играет роли по существу драматические, некомедийные. Так произошло в картине «Чайковский», где Леонов играл слугу Чайковского — Алешу.

Но не мешает ли фильму драматическому комедийность актера? Не разрушает ли она атмосферу, не кажется ли нарочитой? Суть в том, что комедийность Леонова никогда не помеха жизни его образов, не связывает актера в его поведении перед камерой. Просто Алеша в исполнении Леонова немного потешный, но, главное, добрый, любящий. Доброе отношение к людям и большую духовность, которая концентрируется, как всякая энергия, внутри и в какие-то минуты жизни выплескивается, — это Леонов показал психологически очень тонко и тактично.

Драматическое дарование Леонова не казалось в эти годы чем-то необычным, сомнительным. Это было принято и зрителями и режиссурой. Появилась даже опасность эксплуатации его индивидуальности в этом новом драматическом качестве.

Вот вышел на экраны фильм «Гонщики», в котором Леонов играет главную роль — гонщика Кукушкина. Фильм эстетически вялый, скучный, но работа Леонова интересна. Как это часто бывает с артистом, он живет в этом фильме своей жизнью. Его герой, Кукушкин, характер сильный, но без каких-либо внешних проявлений силы. Это очень мягкий человек.

Рядом в фильме руководитель гонщиков (А. Джигарханян), очевидно, бывший гонщик, с первого взгляда не оставляющий сомнения, что перед тобой сильная личность, — он волевой, темпераментный, бескомпромиссный в своем стремлении к победе. Эти качества как раз ценятся в спортсменах, помогают им стать победителями, делают личность такого человека заметной, привлекательной. Но ничего подобного нет в персонаже Леонова.

Кукушкин человек скромной внешности, скромной должности, поведением своим не выделяется, и указать на него, как на будущего победителя, едва ли кто может. Но по ходу фильма мы убеждаемся в незаурядности этой натуры. Потому что человеческая личность определяется не столько внешним темпераментом, а внутренней силой, которая подчас не видна.

Нет, Кукушкин не создан для рекордов. Он участвует в гонках. На самодельной машине за ним ездят его жена и сын. (Кстати, сына играет Андрей Леонов. Это его кинематографический дебют, и состоялся он, когда Андрей еще был школьником. А потом стал студентом Театрального училища имени Щукина.) Кукушкин все время обременен какими-то дополнительными, бытовыми, семейными переживаниями. Вся атмосфера вокруг него как бы в контрасте с темпераментом, поведением спортсмена — ни внешне, ни по существу он не может быть ярким представителем этой среды. Но в этом-то и привлекательность такого героя. Он завоевывает симпатии зрителя не легко, не сразу, как бы постепенно располагая к доверию и убеждая в незаурядности своей натуры.

Обычно в жизни, когда вопрос стоит о том, кто будет первый, когда страсти накаляются, люди думают, что обстоятельства сами по себе многое извиняют. Например, грубость, резкость, невнимательность мы должны простить герою спортсмену, так как главное для него сейчас — победа. И его способность сконцентрировать все свои душевные силы на этой единственной цели дает ему внутреннюю энергию, ведет к победе. Подобного спортивного кумира мы неоднократно встречали в фильмах, и в общем-то с этой трактовкой никто не спорил.

Тем более важно, что в фильме «Гонщики» авторам и Леонову удалось создать совершенно новый характер, который и сделал фильм интересным с точки зрения нравственно-этической.

Кукушкин Леонова утверждает нравственные нормы как обязательные для всех людей, и его героические усилия на пути к победе не выглядят как удел особых, выдающихся личностей, а тоже трактуются как умение человека следовать собственным правилам и не отступать от них, потому что именно это согласие с самим собой дает человеку силу и выводит его к победе.

В «Гонщиках» комедийные данные актера в буквальном смысле проигнорированы. Отчасти это следует поставить и актеру и режиссеру в заслугу. Потому что к этому времени окончательно выясняется, что драматическое дарование артиста вполне органично, существует вне зависимости от комедийных красок.

В этом плане работа Леонова в фильме «Белорусский вокзал» представляется очень значительной. Фильм сделан тогда еще молодым режиссером А. Смирновым по сценарию В. Трунина. Авторы рассказывают о поколении участников Отечественной войны, чтобы еще раз отдать им должное, как героям, отстоявшим Родину, отстоявшим будущее для нас. Но больше всего их интересуют те нравственные силы, которые накопили в себе эти люди. Этические нормы этого поколения, проверенные суровыми испытаниями, истинны, глубоко ими осознаны.

Образ Ивана Приходько — слесаря, одного из четверки боевых друзей, которых мы узнали в фильме «Белорусский вокзал», — имеет огромное значение. Самый непритязательный, самый простой, не достигший в жизни никакого особого положения, герой Леонова в буквальном смысле сосредоточил в себе все те духовные накопления, которыми наградило этих людей время. Он не только не переоценивал открытые на войне истины, напротив, всей своей последующей жизнью он упрочил эти истины, он сжился с ними в иной, мирной жизни, наполненной совершенно иными заботами и конфликтами.

Как часто человек, погружаясь в жизненную суету, теряет то нравственное мерило, которое в нем есть, которое им усвоено, но вдруг оказывается не ко двору в сегодняшнем дне. И тогда человек, чтобы облегчить свое существование, грешит против истины: это было свято там, в тех условиях, в то время, считает он, а сегодня иные заботы возложила жизнь на наши плечи, и мы тоже стали другими. Подобных слов никто из персонажей не произносит, тем не менее, когда мы наблюдаем героев фильма — Харламова в исполнении Алексея Глазырина, Дубинского в исполнении Анатолия Папанова, Кирюшина в исполнении Всеволода Сафонова, — мы убеждаемся в том, что каждый из них в своей повседневной жизни что-то забыл, растратил, и для всех для них эта встреча фронтовых друзей — хорошая душевная встряска.

Невозможно не придать значения этой встрече, невозможно не заметить, что не клеится вдруг разговор, невозможно не заметить, что разные взгляды у этих людей, разная жизнь. И, пожалуй, именно леоновский Приходько становится тем внутренним стержнем, который объединяет людей ощущением дружбы, товарищества.

Быть может, Иван Приходько имел счастье жить очень просто, и ему не пришлось, недосуг было передумать или даже не стоило особого труда отстоять какие-то нравственные истины, которые укрепила в этих людях война? Нет, это слишком упрощенно. Леонов сыграл человека, к которому не прилипает шелуха жизни, быта, мелких конфликтов, который, сам того не подозревая, в каждом своем поступке всегда остается человечески мудрым со своей добротой, доброжелательностью к людям.

Вообще это соотнесение себя с окружающим, со средой очень важно в человеческом характере. Приходько — Леонов отводит себе место скромное, и это дает ему возможность найти правоту в поведении другого человека, понять его, простить оплошности и потому оказаться бесконечно нужным всем остальным.

Объемность художественного образа, созданного Евгением Леоновым в этом фильме, просто поразительна. Достаточно вспомнить одну только сцену.

Друзья приходят в дом, в котором произошло несчастье — умер их боевой товарищ. Ивана Приходько домашние принимают за шофера Харламова. Его приглашают на кухню и просят открыть бутылки, банки, что Леонов — Приходько с готовностью делает. Потом женщины предлагают ему поесть и кормят его на кухне. Но почему же так просто принимает он ошибку, не пытаясь объясниться? Это может показаться мелочью, но, по существу, здесь открываются очень глубокие человеческие качества героя.

Сейчас, когда в доме несчастье, конечно же, Иван Приходько не может думать о собственных обидах и неудобствах. Ну, женщины ошиблись, приняли его за шофера, очевидно, у него такая внешность. Им не до него, и Иван Приходько очень глубоко и по-доброму это понимает, и он охотно делает все, о чем его просят. Он ест на кухне, разговаривает с женщинами на малозначительные, житейские темы, а потом уходит и дожидается своих товарищей уже на лестнице.

Безусловно, зрители ощущают неловкость такой ситуации, это вызывает определенное отношение к дому. Но часто за конкретной сюжетикой мы забываем подумать, а что же сам персонаж? Какая степень доброжелательности, доброты к людям, умения простить, даже не заметить нанесенную ему обиду!

Маленькая сцена выявила мудрость доброго сердца Ивана Приходько. И на таких нюансах, на таких проявлениях душевности построена вся роль Леонова.

Способность Леонова передать внутренний духовный процесс, происходящий в его герое, здесь, в фильме «Белорусский вокзал», получила наиболее полное воплощение. Приходько, несомненно, близок Леонову. Евгений Павлович с большой радостью работал в этом фильме. Ему бесконечно нравился сценарий и его герой. И то, что удалось сделать артисту, обогатило фильм.

«Белорусский вокзал» — мирный фильм о войне. Каким-то глубоким своим внутренним движением он связан с темой войны.

4. Леонов

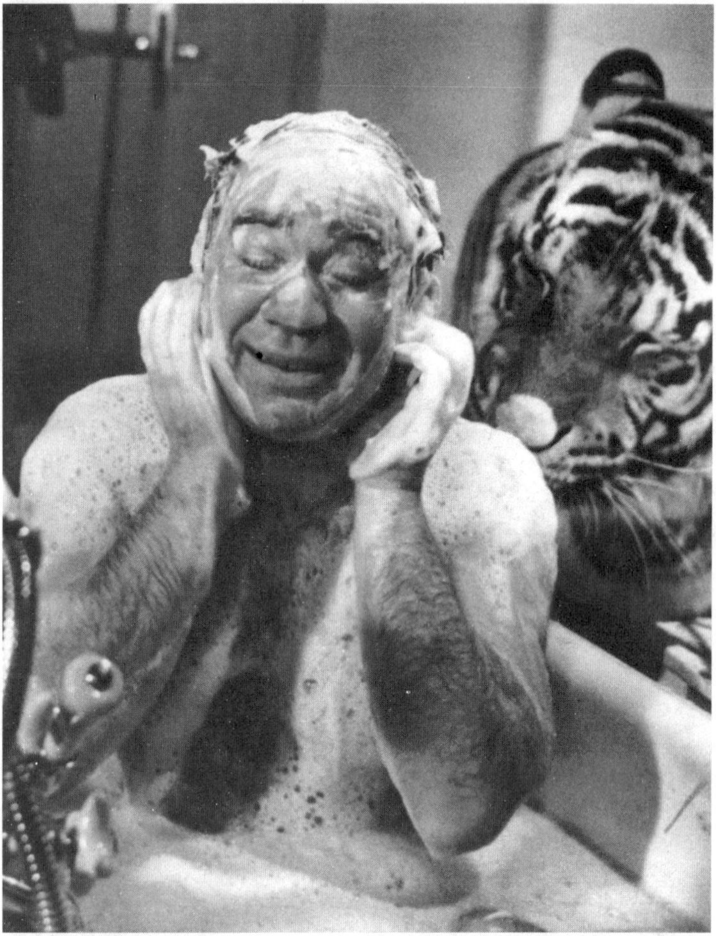

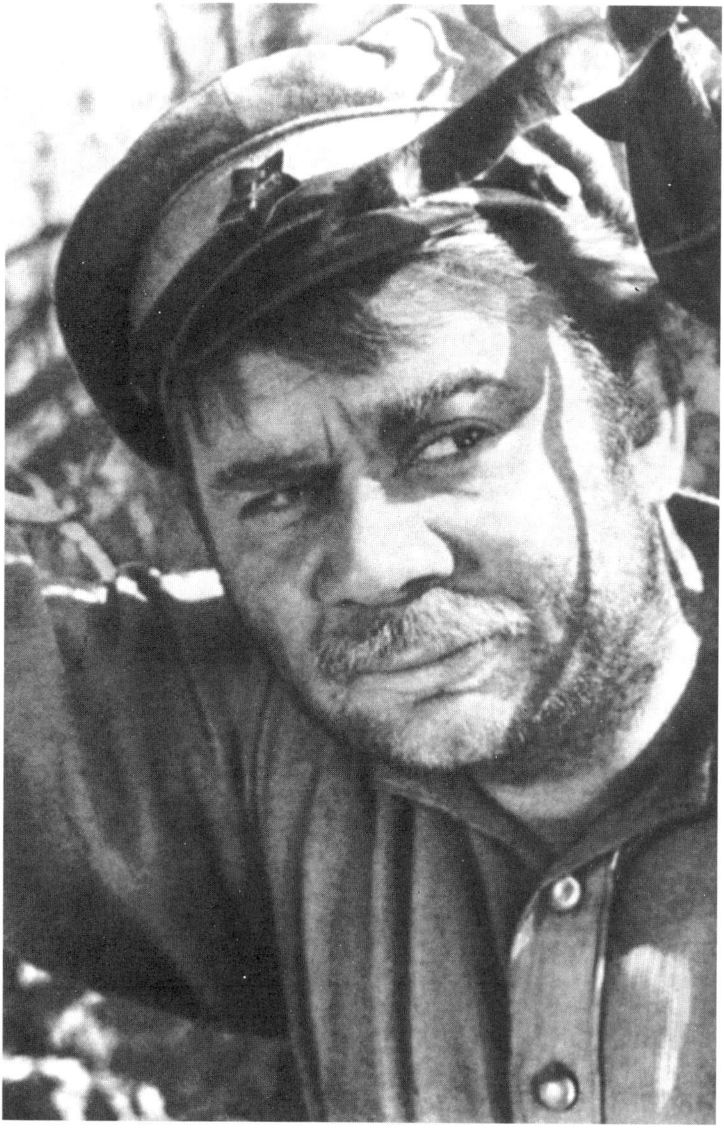

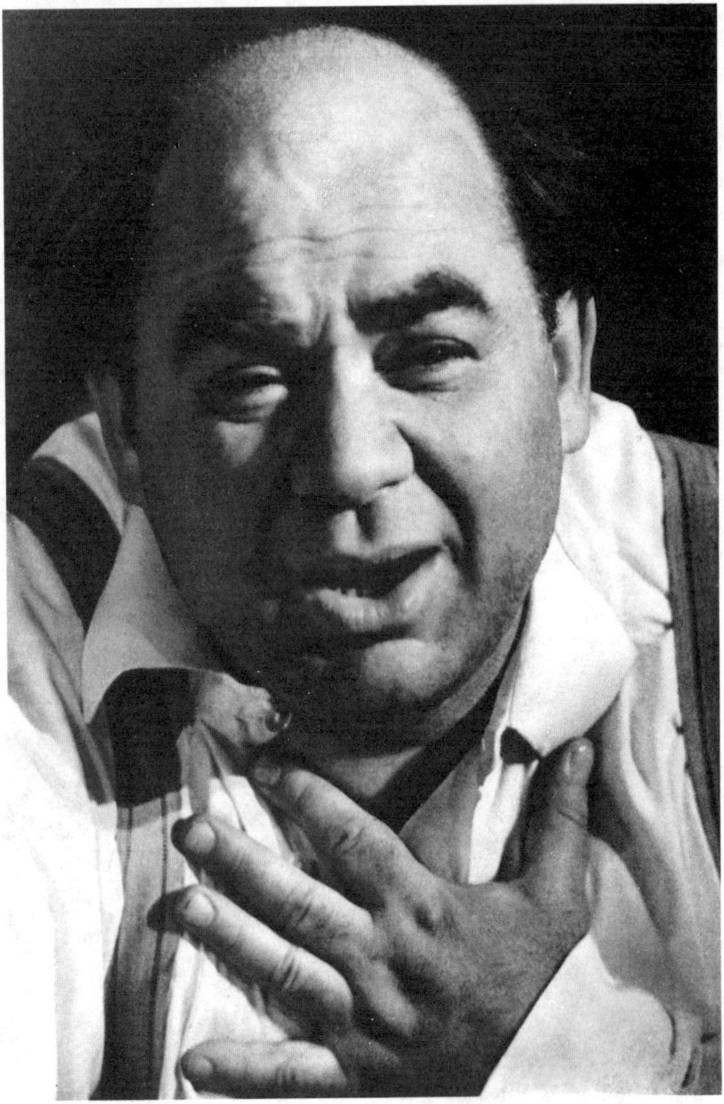

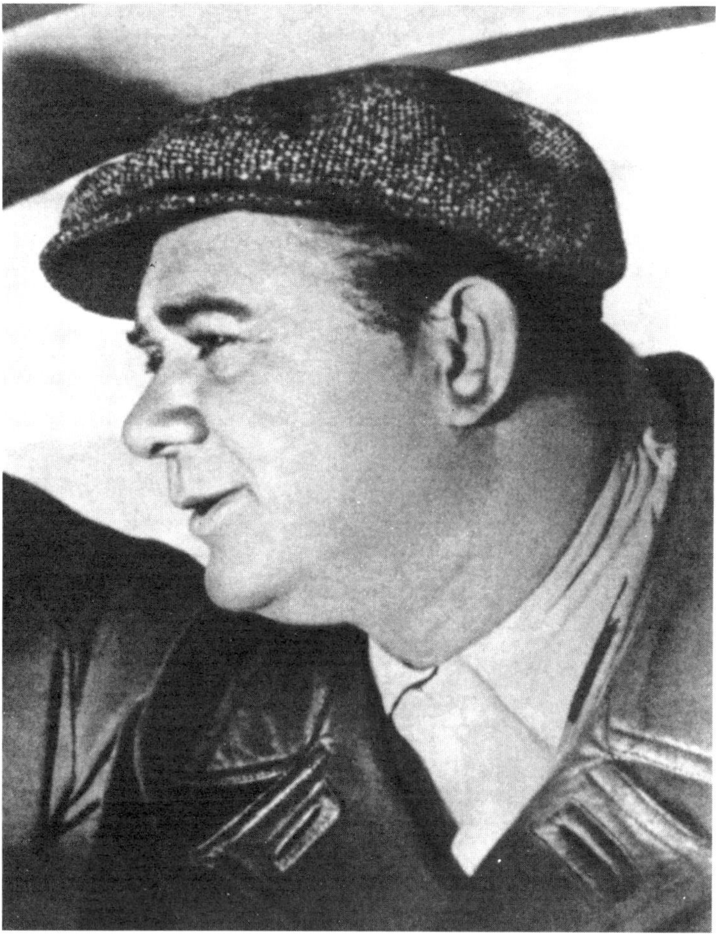

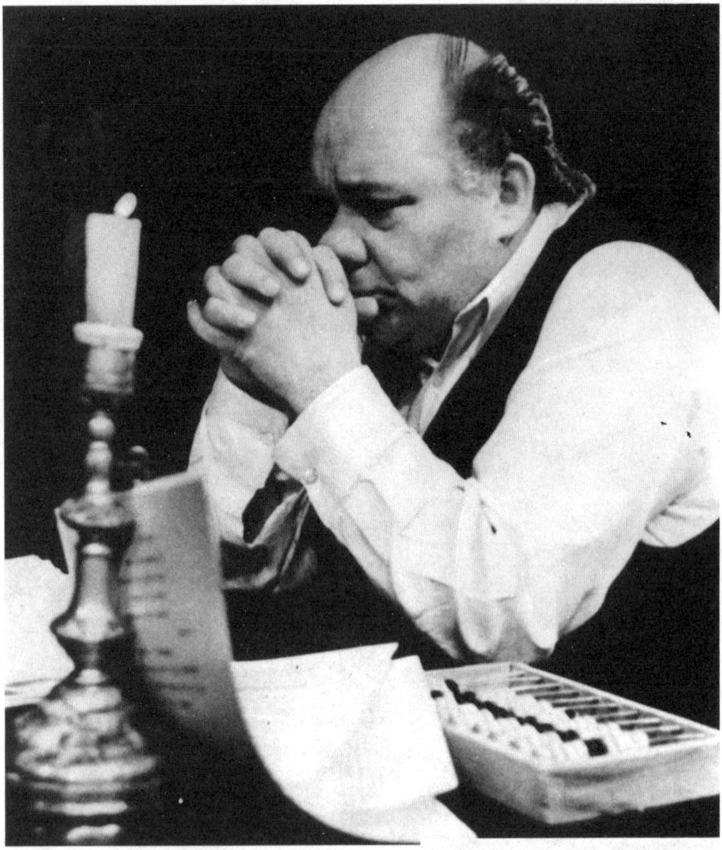

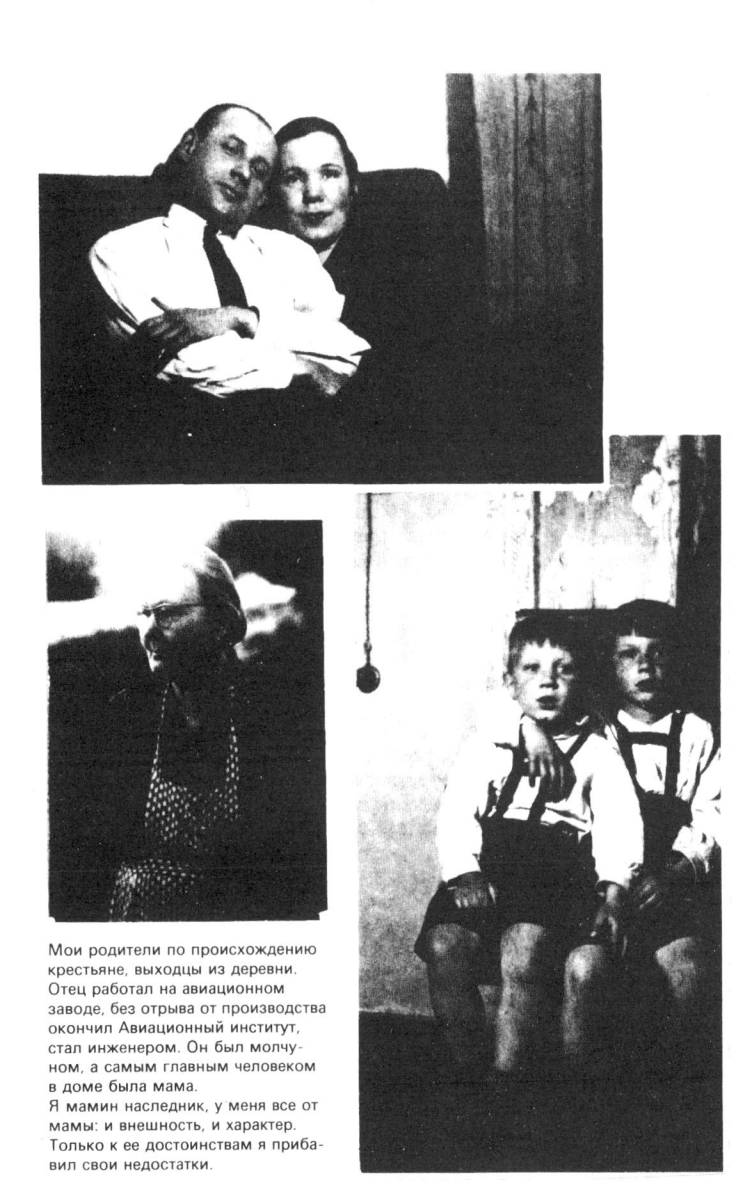

Мои родители по происхождению крестьяне, выходцы из деревни. Отец работал на авиационном заводе, без отрыва от производства окончил Авиационный институт, стал инженером. Он был молчуном, а самым главным человеком в доме была мама.
Я мамин наследник, у меня все от мамы: и внешность, и характер. Только к ее достоинствам я прибавил свои недостатки.

В шутку я мог бы рассказать, как к нам в школу пришел кинорежиссер, который искал смешного мальчишку. Я учился в пятом классе, он почему-то выбрал меня. Сняться мне все-таки не пришлось, но в школе за мной утвердилась слава актера.
Время тяжелое, военное.
Мне четырнадцать лет.

Я — ученик токаря на авиационном заводе. Запомнил я какую-то сценку Ивана Горбунова, был такой актер и писатель в прошлом веке, и мне страстно захотелось ее кому-то пересказать. Слушатели нашлись в цехе, где я работал. Смеялись от души. Может быть, там, на заводе, родилась у меня мечта стать актером.

А с сорок восьмого — в Театре
имени К. С. Станиславского.
Я играл в основном массовки
и маленькие эпизодики
(«Три сестры» — денщик,
«Отцы и дети» — слуга,
«Грибоедов» — слуга,
«Опасный путь» — мальчишка).

Репетиции и школа Яншина подготовили меня к Лариосику в «Днях Турбиных».

После «Дней Турбиных» мне стали в театре давать роли «а-ля Лариосик», наивных мальчиков. И критика стала меня упрекать за однообразие, за то, что я пользуюсь тем, что уже найдено. Это была правда, но правда однобокая — ведь актер зависит от литературы, а мне приходилось исполнять роли, которые я пытался «обогатить» Лариосиком, как, например, в спектакле «Раскрытое окно».

Я очень подружился с пришедшим к нам в театр Женей Урбанским. Я его в «Ученике дьявола» на роль Ричарда вводил — за неимением режиссуры. А сам играл Кристи.

Есть роли, вернее характеры, которые что-то решают для актера на всю жизнь. Таким для меня был и остается этот смешной кузен из Житомира.
Вы себе не можете представить, как дорого он мне дался, хотя я сыграл его едва ли не тысячу раз, но каждый раз словно дебют. Может быть, так и надо — ставить под сомнение себя, свои возможности, каждый раз начинать с нуля и плакать по ночам от горя, что бездарен, идти на спектакль, волноваться и никогда ни в чем не быть уверенным.

Как знать, если бы я в свое время не пришел к такому прекрасному педагогу, актеру и режиссеру, каким был Михаил Михайлович Яншин, судьба моя, возможно, сложилась бы совсем по-другому. Тем более, что моя внешность и некоторые данные «обязывали» к ролям определенного плана.

В пятьдесят пятом я снялся в фильме «Дорога». По-разному о нем писали, но там снимались замечательные актеры — Николай Гриценко и Андрей Попов. А постановщиком картины был Александр Борисович Столпер — человек доброго сердца и доброго таланта.

А вскоре — «Дело Румянцева». И опять настоящий режиссер — Иосиф Ефимович Хейфиц, хороший, добрый человек и очень талантливый. Я в этом фильме оказался на месте — обаятельный подлец.

После «Де Преторе Винченцо» в журнале «Театр» была статья, которая меня обидела и запомнилась на всю жизнь. В ней говорилось, что, мол, мы надеялись, что Леонов получится вторым Яншиным... Сколько я мысленно спорил: почему я должен быть вторым Яншиным, а не каким-нибудь, хоть последним, но Леоновым.

Закономерно, что военная тема в искусстве привлекает внимание художников и сегодня. Вначале о войне снимали те, кто прошел войну с киноаппаратом в руках, — замечательные советские операторы создавали кинолетопись Великой Отечественной войны. Потом к военной теме обратились художники, которые прошли войну солдатами, а после Победы сели на студенческую скамью ВГИКа и в первых же своих фильмах рассказали о войне, о своем понимании того, что она открыла в человеке, какие огромные человеческие потенции проявила.

Но прошло какое-то время, и к военной теме обратились уже художники, которые во время войны были еще слишком молоды, чтобы снимать или воевать. Для них война была воспоминанием детства, война — кошмар, война — вздыбленная жизнь, жестокая, отнимающая у детей детство. И вот уже следующее поколение не знавших войны художников обращается к этой теме как бесценному человеческому опыту, который необходимо сохранить для будущего.

Может быть, именно это привлекло Леонова в сценарии, может быть, и режиссер А. Смирнов, который, по рассказам Евгения Павловича, работал чрезвычайно серьезно, интересно, требовал конкретности поведения актеров в каждой ситуации. Во всяком случае, все характеры в этом фильме подлинные, интересные, значительные, незабываемые.

По свидетельству Константина Симонова, «Белорусский вокзал» передал главное, что присуще поколению тех, кто вынес на себе всю тяжесть этой войны. Все, что мы узнаём о поколении этих людей, об их жизни в те годы, реализовано не словами, а дано отраженным светом, светом воспоминаний, проникшим в души этих людей. И, пожалуй, только песня, которую написал для фильма Булат Окуджава и которую замечательно исполняет актриса Нина Ургант, песня о том, что нам нужна на всех одна победа, «мы за ценой не постоим», — открыто и прямо передает дух общности, единения людей, который так возвысил каждого и дал каждому огромные силы.

Роль Леонова в «Белорусском вокзале» — та самая драматическая роль, которую артист ждал. Роль серьезная, глубокая, близкая его человеческой натуре, его актерской индивидуальности.

Сыграть своего современника — для актера задача трудная, но благодарная. Артист как бы получает возможность открытого и прямого разговора о жизни, о трудных вопросах времени, о себе. Хороший актер играет разных людей, он не знает рамок амплуа, или, как теперь чаще говорят, типажности. Но в каждом искреннем художнике живет потребность сблизиться с ролью, найти, получить роль, которая отвечает его внутренней теме, его человеческому и актерскому «я». Такая встреча актера с ролью на современном материале может привести к большим художественным результатам. О ней речь впереди.

Но и не претендующий на вечность опыт современного социального фильма представляет интерес как отчаянная попытка авторов разорвать порочный круг общественных связей и зависимостей, в котором задыхается человек. Роль Потапова в «Премии» Гельмана — Микаэляна Леонов относил к таким попыткам. Быть может, подобно тому, как штурм Зимнего, поставленный Эйзенштейном, вошел в сознание поколений документом эпохи, эта лента останется свидетельством времени «победившего социализма», нравственных уродств, ставших нормой, и того, как человек защищал свое достоинство. Можно сказать, фильму в целом повезло с исполнителем главной роли, потому что этой роли не менее, чем актерское мастерство, нужны были духовная подготовленность и человеческая, гражданская зрелость. Глубокое понимание актером человеческой сущности Потапова — вот что решило успех работы.

Вскоре после выхода фильма одна московская газета писала: «Потапов Леонова не проситель. Он даже не правдоискатель. Он — правдостроитель». Здесь точно определена суть характера не героического, но покоряющего внутренней силой своих нравственных устоев. Особенности характера подчеркнуты актерской методологией выявления существа героя. То, как это делает Леонов, дает дополнительную этическую силу образу.

Духовная непоколебимость, твердость, спокойная уверенность в своей правоте выражены актером не средствами внешней выразительности. Внушительного облика, повадок и манер сильного человека, заразительного темперамента и убедительности лидера — ничего подобного в леоновском Потапове нет. Напротив, при абсолютной внешней непритязательности, негероичности, обыденности, при полном отсутствии каких-либо примет исключительности Потапов располагает всех к доверию какой-то удивительной надежностью, обстоятельностью и серьезностью отношения к жизни, к людям, к делам.

Весь фильм — заседание парткома, на котором выясняется, почему бригада строителей отказалась от премии. Рабочие считают премию липовой, считают, что трест добился премии манипуляцией с цифрами, а не работой.

...Все молчали. В комнате было душно, кто-то открыл окно, кто-то прокашлялся. Повисла тишина, напряженная, нервная. Председательствующий спросил: «У кого есть вопросы?» Все молчали. Трудно было вот так сразу начать говорить, называя все своими именами, не ища прикрытия, не соблюдая интересов треста, как это делал Потапов; смотреть в глаза друг другу открыто, с обезоруживающей искренностью, бесхитростностью, как смотрел Потапов. Каким образом в одну минуту отбросить все условности, неписаные правила службистского этикета, из-за которого подчас «ненормальное считаешь нормальным, недопустимое допустимым, неположенное положенным»? Все молчали... Наконец один из членов парткома, Любаев, проявил инициативу:

— Товарищ Потапов, вы давно на строительстве?
— С семнадцати лет.
— Значит, это не первая ваша стройка?
— Конечно. Это — пятая.
— На тех стройках получали премию?
— Получал.
— Не отказывались?
— Не отказывался.

И, довольный собой, своей ловкостью и рассудительностью, Любаев, не забыв посмотреть на начальство, склонился к Потапову примиряюще:

— Так неужели наша стройка хуже тех, где вы раньше работали?

И Потапов просто и убежденно, с горечью в голосе ответил:

— Хуже! Пожалуйста, я могу для наглядности нарисовать одну неделю нашей работы. Нарисовать? — Он буквально заглядывал в глаза Любаеву, но тот молчал и отворачивался. — Нарисовать? — вновь обращался Потапов к начальству, к другим членам парткома, стараясь поймать хоть чей-то взгляд, и, несмотря на упорное молчание в ответ, решил все-таки нарисовать свою печально поучительную картину:

— Возьмем хотя бы прошлую неделю. В понедельник бригада простояла полсмены без бетона. Во вторник бригада простояла полсмены без бетона...

Рассказывая эту историю про бетон: «...Заявки принимают. Говорят — жди, будет бетон. Цемент на стройке есть, щебенки навалом, песка навалом, бетонный завод на ходу, а бетона нет», — леоновский Потапов отчетливо понимает, что ничего нового не сообщает присутствующим, всем известны беспорядки на стройке, но одни делают вид, что не знают об этом, другие утверждают, что на то есть объективные причины — мощность бетонного завода не соответствует потребностям. Но Потапов убежден, надо сказать об этом вслух, надо сказать и отнять у всех возможность «не знать» истинного положения дел. В какой-то момент понимаешь, не так прост Потапов, насквозь видит каждого, любые уловки разгадает и заставит признать правду.

Есть в леоновском герое и простоватость, и мудрость, и скромность, и сознание своей правоты, и даже хитринка, которая помогает ему раскрыть своих противников, подвести их к невольному саморазоблачению. Бригадир Кочнов заявляет Потапову, что тот плохой бригадир и что ему следует оставить бригадирство, а доказывая это, раскрывает свой метод работы — «хватать за горло», добиваться особых условий криком, демагогией. Умение Потапова в производственном конфликте видеть государственный интерес и нравственный аспект ставит его над ситуацией, приносит ему безусловный авторитет.

История, как Потапов двери искал, — это прямо-таки маленькая драма, и смешная, и пугающая. Леонов — Потапов с каким-то даже азартом проводит эту сцену. Он один говорит — все слушают, и вместе с тем это не монолог героя, а со своими кульминациями и сменой настроения действие, он изображает все в лицах, что придает особый динамизм его рассказу.

— Надо мне поставить три двери. Заявку подал, написал по форме, какие двери, сколько дверей, куда привезти. А дверей нет. Звоню. А мы, говорят, и не собираемся вам двери возить. Как так? Я же заявку подал! Ну и что — заявка, мы двери вообще не возим. Надо — поезжай сам, ищи свои двери.

Увлекаясь рассказом, Потапов не забывает следить за реакцией слушателей, быстрый взгляд его призывает всех послушать, что же дальше.

— Еду. А что делать? Есть у меня два пэтэушника — одного взял, и поехали. Приехали... Порядок — как после Куликовской битвы. Полдня искали три двери. И они там были, я их нашел!

Потапова слушали молча, и он продолжал:

— Берем пятницу. Вообще обхохочешься. Сделали мы один фундамент в компрессорной, постарались, отлично сделали. Две недели трудились. Приходит представитель заказчика. Братцы, говорит, вы же не тот фундамент сделали! Как — не тот? Я чертеж волоку: вот, гляди, тютелька в тютельку! А он: ну что вы, братцы, мы вашему тресту давным-давно выдали другой чертеж!

Нотки сарказма и ярости пробиваются сквозь усмешку Потапова, он будто и смеется, так мол все это запросто у нас бывает, но при этом нервность сцены достигает предела.

— ...Звоним в техотдел: был новый чертеж на фундамент такой-то? Подождите, говорят, поглядим, — Леонов старательно сохраняет интонацию сказочника. — Поглядели. Да, говорят, такой чертеж у нас имеется, завтра пришлем... А убыток какой?.. Вы из своего кармана не положите, верно? Не скажете бухгалтеру — я плохо руковожу, денег мне не давайте! — обращается Потапов к директору треста Батарцеву.

Любаев тут же одергивает его:

— Товарищ бригадир, вы все-таки думайте, прежде чем сказать. Павел Емельянович за ваш счет не наживается. Он не капиталист.

— Ну и что — не капиталист! Может, нам за то, что мы не капиталисты, надо медали выдавать? Ордена? Премии? — Это все Леонов произносит как бы в роли «наивного мужичка», за которого его принимают, но в ту же минуту сбрасывает это прикрытие и чистым, с отцовским трепетом голосом говорит: — А ведь у меня, товарищи члены парткома, половина бригады — пацаны. Их же надо как-то воспитывать, прививать уважение к ремеслу. А на чем прививать? На этих вот примерах?..

Понадобилось полтора часа экранного времени, чтобы история с премией прояснилась. Сюжет построен по всем законам драматургии конфликта, на протяжении заседания открываются новые повороты событий, напряжение серьезного разговора определяется внутренним действием, выявляющим характеры, разные взгляды на жизнь, честь и долг.

Не бездельники и не прохвосты обсуждают поступок бригадира Потапова, а люди, по-своему преданные делу, заинтересованные и неравнодушные.

Но, оказывается, достаточно дважды признать право за демагогией, как начинают меняться самые важные свойства личности. Вот Батарцев, руководитель треста — деловой, талантливый и сильный человек, как и когда это случилось, что «ненормальное стало казаться ему нормальным»?.. Вот Шатунов, главный экономист, неистово преданный службе, — отчего так сместились его понятия пользы дела?.. Вот бригадир Кочнов, боевой и самостоятельный, умеющий отстоять интересы своей бригады, — каким образом докатился он до позиции стяжателя?..

От столкновения с человеком высокой нравственности рушатся их авторитеты, теряют убедительность и сила характера Батарцева, и страсть к работе Шатунова, и деятельный темперамент Кочнова. Все очень просто — не надо подменять понятия. Есть патриотизм и любовь к Родине — и это не одно и то же, что патриотизм треста и любовь к конторе. Есть энтузиазм строителя, верящего в завтрашний день, и это не одно и то же, что энтузиазм ради рапорта. И вот для того, чтобы эти простые истины обнаружились, прояснились, бригадир Потапов должен быть именно таким и только таким, каким мы увидели его в фильме в исполнении Леонова. Истинно народный характер. Человеческое достоинство — его органическое свойство, чувство хозяина идет не от желания руководить жизнью, а от ответственности быть человеком. Поверить Потапову до конца должен был зритель, чтобы идейный замысел авторов стал художественно убедительным.

Фильм «Премия» снят как бы под хронику. Все внимание сосредоточено на актерах, камера высвечивает свойства каждого действующего лица. При жестких условиях актеры должны были достичь огромной концентрации внутренней энергии, и, к чести коллектива, надо сказать, что это в фильме удалось. И прежде всего это следует отнести к Леонову.

Процесс мышления его героя ежесекундно достоверен. Леонов вообще не умеет бездействовать. То, как он слушает, следит за происходящим, осмысливает все, что он видит, есть действие, и действие активное. Леоновский Потапов хочет понять позицию каждого, хочет видеть противников в их наиболее сильных и слабых проявлениях — и в этом его уважительность к людям, он далек от желания поставить себя над остальными.

Известный театральный режиссер Алексей Дмитриевич Попов большое значение придавал «зонам молчания»: от того, насколько актер активен в «зонах молчания», зависит непрерывность, целостность его сценической жизни. Быть может, в силу особых сюжетных обстоятельств именно в этом фильме проявилось огромное умение Леонова жить, действовать в «зонах молчания». В самом деле, актер большую часть времени молчит, а не говорит, все сосредоточено на внутренней жизни персонажа. Умение Леонова следить за движением мысли партнера, его способность к сопереживанию выявляют его истинный человеческий темперамент. Леонов так наблюдает, оценивает происходящее, что нам кажется, мы буквально ощущаем процесс накопления мысли. Мы видим, как приходит герой к своему решению, как созревает его оценка событий.

Убедительность Потапова явилась прямым выражением и следствием демократичности самого артиста. «Потапов сидит в каждом из нас, — говорил Леонов, — и во мне тоже». Артист, таким образом, как бы делает героя представителем собственной жизненной позиции, своего гражданского кредо.

«Работая над Потаповым, — рассказывал Леонов, — я думал, как он придет с парткома домой, что будет делать... И я решил, что победа Потапову достанется тяжело. Он победил, но придет домой и заболеет...» Эта болезнь остается за рамками экрана, но обнажает для нас механизм взаимодействия артиста со своим героем, их духовную близость. Утверждать непосредственно своим героем позитивное нравственное начало в жизни — задача благородная для артиста. Но, конечно, сразу появляется желание повторить этот эффект.

Вслед за «Премией» на «Ленфильме» режиссеры Г. Аронов и В. Шредель предлагают Леонову главную роль в фильме «Длинное, длинное дело». Герой картины, скромный следователь Лужин, — человек, который живет по совести, и никакие обстоятельства не могут столкнуть его с этого пути. Всякое следственное дело, какое только попадает к нему, обязательно превращается в его руках в «длинное, длинное дело».

«Ты научился так сомневаться, что перестал понимать суть дела», — скажет Лужину прокурор...

«У него привычка все сорок раз взвешивать и перевешивать», — говорят о нем товарищи по работе, а за глаза называют его «наш тюфяк».

И в самом деле, стоит только посмотреть на Лужина — Леонова, на эту почти круглую фигуру, незлобивый, открытый взгляд, неторопливые манеры, необъяснимо выраженную во всем облике — в движениях, в жестах, в привычке говорить тихо — скромность, чтобы понять: да, это человек с особым зрением на правду. Самое запутанное дело, самый детективный сюжет не скроет от него истины, к которой он обязательно пробьется благодаря своей способности верить людям. Но, как это нередко случается в жизни, тщательность иной раз может предстать нерасторопностью, а боязнь следственной ошибки — непрофессиональностью. И уже Лужина в наказание за нерадивость посылают дежурить в оперативную группу, и ничего тут не поделаешь — невезучий человек, да и только.

Но судьба посылает Лужину последний шанс: он едет с группой на вызов, и дело, которое ему предстоит разобрать, оказывается на редкость легким.

— Понимаешь, ерундовое дело, — рассказывает он коллеге по телефону. — Правда, это убийство, но, понимаешь, я приехал ночью, вижу бутылку со штампом «Домодедово». Ага, думаю, прилетел. А на руке татуировка специфическая. Ага, сидел, значит, — говорит леоновский герой, предвидя «легкое дело». — В квартире все на месте, ничего не взяли, следов на бутылке нет, стерты. Значит, опытный, понимает. А на часах, наручных, что ты думаешь — палец!..

Как же не похож был в эту минуту Лужин на флегматика с одышкой, как быстро и разумно он действовал, сколько уверенности и сноровки проявлял! Так и хочется об этом кому-нибудь рассказать, не то чтобы похвалиться, но радость все-таки...

— Ну, я оперативно узнаю, что проходил с убитым по делу некий Строганов. Узнаю, что именно этот Сроганов прилетел вечером в Домодедово. Запросил, и тут же ответ. Ну, теперь ты видишь, что и я могу оперативно...

Вот вам и «тюфяк» — настоящий «техасский шериф». И так-то все гладко и ловко получается, пока дело касается бумаг, звонков, версий, схем и т. п. Но вот наступает момент, когда Лужину приходится посмотреть в глаза человеку. В глаза обвиняемому юноше и его матери — и в эту минуту все простое и ясное становится необъяснимо сложным и сомнительным. Вот испытание для героя — надо уметь отказаться от своего успеха, перечеркнуть все сделанное и начать сначала. Лужин еще не сказал этого, еще ничего не обещал матери, но по тому, как долго стоит он у окна, провожая женщину, можно догадаться о его мыслях, и уж одного его взгляда достаточно, чтобы понять, что будет дальше. «Все, ребята, я утонул в очередном длинном деле».

Лужин возвращается к себе, снова он похож на Лужина, а не на «техасского шерифа», на скромного и честного человека, который душой усвоил простые истины зависимости человеческих судеб и ответственности человека за другого человека. «Важно не версию правильную найти, а не осудить невиновного», — как совсем просто, на профессиональном языке юристов объяснил герой Леонова свою позицию. И вот это свойство — не настырно, не шумно и вместе с тем активно утверждать человечность как норму поведения — самое дорогое в артисте.

Фильм «Длинное, длинное дело» при всей композиционной рыхлости смотрится с интересом, а герой Леонова вызывает безусловное доверие. И тем более обидно, когда через несколько лет мы встречаемся с Леоновым в роли следователя в многосерийном телевизионном фильме «И это все о нем» и обнаруживаем лишь повторение уже созданного образа, без каких-либо новых существенных граней.

Леонов часто говорил, что «у актеров есть одна вечная проблема — преодоление собственных штампов». Успешное решение этой проблемы, естественно, зависит в первую очередь от материала.

Леонов входил в круг интересов своих современников смело и иной раз даже отважно. Он не отказывался принять участие в каком-нибудь рискованном театральном предприятии; случалось, не выпускали спектакль, запрещали фильм, он относился к этому без паники, он доверял своим убеждениям и не менял их по всякому поводу. Так было с пьесой Наума Коржавина «Однажды в двадцатом». Взгляд на историю глазами философа, честного историка, взгляд глубоко человечный обнаруживал много нового, неожиданного, повергал в сомнения, призывал к самостоятельному обдумыванию исторического нашего бытия. Легко было предвидеть, какие трудности навлек на себя режиссер Борис Львов-Анохин, полюбивший пьесу и взявший ее к постановке. Но он был не один — Леонов сразу же заявил о готовности играть и сражаться до конца. Спектакль шел недолго, а потом и само упоминание его было запрещено. Наум Коржавин жил в Америке, а писатель, которого, по сути, вынудили покинуть родину, автоматически вычеркивался из жизни, из литературы, из истории. Так что из первого издания монографии страницы, посвященные спектаклю «Однажды в двадцатом», были изъяты.

Первоначально пьеса называлась «Ни бог, ни царь и ни герой» и центральная роль в ней, профессор Ключицкий, предназначалась Леонову. Образ этот был очень важен для понимания нравственной и философской концепции автора.

Дело не в том, что автор вложил свои мысли в уста героя, отнюдь нет. Дело в том, что созерцательность, доброе, доброжелательное отношение к событиям жизни являются сами по себе ценностью. Человек должен открыть эту ценность, понять и усвоить. А это ощущение шло от профессора Ключицкого. Мудрец, философ, профессор истории Ключицкий Леонова демократичен и даже простоват. Может быть, это определенная хитрость, может быть, простоватость эта наигранная, а может быть, облик актера вызывает подобное ощущение? Нет, соединение простого, демократичного, невыдающегося внешнего облика и глубокой, напряженной интеллектуальной жизни суть характера. Не мыслитель, воспаривший над остальными участниками событий в силу ума своего, а живой человек в исторических обстоятельствах. Понимая больше других ход истории, профессор Ключицкий чувствует себя каплей в море истории. И то, что все люди равны перед случайной смертью и перед минутами жизни, ему представляется нормальным свойством человеческой жизни. Сложный текст Леонов произносил так же просто, как он говорил бы ничего не значащие бытовые реплики. Это было оправдано, потому что для его героя процесс мышления естествен как дыхание. Леонов мыслит каждую секунду своего сценического времени, и он настолько великолепно и точно передает этот процесс, что никаких сомнений в поведении героя у зрителя не возникает. Его персонаж представлял свою жизненную функцию именно в том, чтобы увидеть, понять, запомнить день истории. Он говорил, что «все знает лишь Господь Бог», а он, профессор, с Богом «в доверительных отношениях не состоит». И юмор у Ключицкого как бы нечаянный, в нем острота мысли, интеллекта, а не словесные курьезы.

Оценка действительности и себя в ней не такая простая вещь. Благодаря Ключицкому — Леонову, в котором дивно сочетались скептицизм и жизнелюбие, исторические парадоксы как бы сами собой открывались зрителю.

XX век, 20-е годы XX века... Революционность есть определяющее состояние умов, революционность как способность людей жить идеей. Идея может быть верной, может быть ложной, но страсть, с которой отдается человек служению своей идее, она особая, и она свойственна была именно этому времени. Поэтому, обращаясь к истории, поэт видит в событиях сложные пути сознания современного человека. И не так просто решается вопрос чести, долга, человеческого достоинства в это бурное, суматошное время. По-настоящему сохраняет достоинство один человек — профессор Ключицкий, не потому, что он считает себя особенным или таковым является на самом деле, но потому, что он имел мудрость понять, как соотносятся человеческая судьба и миг истории. Свою задачу он видит в том, чтобы понять позицию каждого. Он не хочет принять упрощенное разделение на противников и взять чью-то сторону. Он хочет понять систему заблуждений.

Профессор Ключицкий не произносит сентенций с апломбом человека, которому открылась истина. Мы видели много исторических пьес, спектаклей, фильмов, в которых мудрость последующих поколений приписывалась каким-то персонажам и тем самым разрушалась историческая достоверность характеров. Коржавин избежал этой беды. Он не стремился к тому, чтобы его познание истории было выражено в словах прямо, откровенно, настырно, чтобы зрителю некуда было деться.

Сегодня, обращаясь к событиям истории, мы можем в них увидеть такое, что внутри этих событий было незаметно, непонятно. Тончайшее же искусство театра в том и заключается, что у зрителя остается возможность считать, что подлинное знание он добывает самостоятельно. Под сводами театра Львова-Анохина мыслям было просторно, даже слишком, как оказалось, по тем временам. И смешной профессор кое-кому казался опасным. Представьте, в одном сарае прячутся и ждут решения своей судьбы белогвардейский офицер, красный комиссар и профессор Ключицкий и таким образом имеют возможность какие-то проблемы обсудить, обдумать, каждый в меру своего опыта и темперамента. Как это выглядит сквозь стекло истории? Фарс, чреватый трагедией, вкус которой хорошо известен публике.

Пьеса строится на достоверности психологической, а не бытовой. Автор не стремится вовлечь зрителя в действие, известная дистанция между сценой и зрительным залом сохраняется и даже провоцируется, но при этом историческая достоверность характеров абсолютна. Поэтому очень важна была способность Леонова сделать образ профессора Ключицкого предельно жизненным, опрощенным, во всяком случае, далеким от героического ореола, от резонерства. Афористичный текст Ключицкого передан настолько мягко, что мысли об афоризме не возникает. Быть может, зритель отмечает остроту суждений героя, яркость его мышления, но отнюдь не удачные афоризмы. Да и бесстрашие его — это ведь не смелость воина, а что-то одновременно нелепое и недосягаемое — бесстрашие духа.

К сожалению, не все эстетические установления автора удалось в спектакле выполнить. «Однажды в двадцатом» — пьеса глубокая, серьезная. Работая над ней, театр стремился пьесу упростить, какие-то сложные сценические моменты опускал. Но то, что касается образа профессора Ключицкого, было реализовано полностью, глубоко и точно, и в этом, конечно, немалая заслуга принадлежит актеру.

Как к смелому эксперименту отнесся Леонов к предложению режиссера М. Захарова сыграть Иванова в Ленкоме. Эта пьеса Чехова и этот герой не могут не взволновать сегодня зрителя. Что если снять с образа традиционную исключительность, ведь трагедия внутреннего разлада — это не катастрофа одинокой личности, но беда целого поколения русских интеллигентов.

Иванов являлся публике разноликим: гордым героем, обличителем и жалким, изжившим себя человеком. Леонов не старается приукрасить, возвеличить Иванова, но внутренне он берет его под защиту. Его Иванов без вины виноватый.

Когда после бурных шестидесятых годов в России XIX века наступила тягостная эпоха реакции — запрещения, ссылки, расправы, — лучшие сыны ее оказались не у дел, попали в «лишние люди». Нет применения ни уму, ни сердцу, ни благородству Иванова. Ощущение собственной бесполезности невыносимо для человека, познавшего радость и энергию действия. Непримиримость Иванова к себе — вот фундамент глубокой симпатии к леоновскому герою. Да, Иванов подчас смешон и жалок. Но кто из тех, что смешон и жалок, понимает это? Иванов понимает, поэтому он трагичен.

Весь спектакль Леонов проводит как исповедь героя: три попытки объясниться — прямо-таки приступы откровенности — Львову, Сарре, Шурочке. Но слушать никто не умеет, каждый слышит только свое, только то, что его занимает. Со всей искренностью доверчивого человека, жаждущего понимания, открывается Иванов в этих монологах.

«Голубчик, не воюйте вы в одиночку с тысячами, не сражайтесь с мельницами, не бейтесь лбом о стены...» — говорит Иванов Львову, и артист дает нам отчетливо понять, что «не делайте всего, что я делал» — это только форма, в которую стыдливо прячет Иванов свою гордость за прошлое активное молодое бытие. Собственно, мы узнаем от Иванова, что за жизнь у него за плечами: полная мечты, дерзновенных планов, горячих речей, донкихотства. В самом деле, не станет же интеллигентный человек похваляться прошлыми заслугами. Здесь ход от противного. И если бы, если бы Львов был другой, он бы понял Иванова, как понимает его сегодня зритель.

Леонов дает почувствовать, что грубая прямота его героя по отношению к Сарре — это тоже беспощадность Иванова к самому себе: вот я весь, судите, судите меня! Объяснение с Саррой — это крайность, здесь, сейчас он скажет ей то, чего уже никогда себе не простит. Весь разговор Леонов проводит так, точно герой его ощущает невероятность того, что он произносит. Но нерв, истинное состояние Иванова ускользает от Сарры — она слышит только слова, а зритель видит весь драматизм переживания героя.

Монолог Иванова — его исповедь. Он один на сцене. Ушел Лебедев, разговор с ним не получился — трудно дается человеку откровенность. И вот Иванов говорит сам себе горькие, беспощадные слова: «Как глубоко ненавижу я свой голос, свои шаги, свои руки, эту одежду, свои мысли».

В кино, наверное, такой текст дали бы за кадром, и всем сразу стало бы ясно: мысли вслух. В театре передать это значительно труднее.

Режиссер и актер находят интересное решение: они как бы мешают герою сосредоточиться на своих мыслях, отвлекая мизансценическим действием, — от этого монолог становится еще более нервным, драматичным.

Иванов подходит к столу, чтобы освободить его, убрать следы пьянки. Сколько раз просил: «Не надо в моем кабинете». Крошки... огурцы... водку разлили — убрать все это с глаз долой. Движения Иванова механичны: бутылка летит со стола, он не замечает — сейчас он далеко, он в другом, мысль бьется, стучит в его сердце — Иванов хочет понять, что с ним, что происходит.

— Я веровал, в будущее глядел, как в глаза родной матери...

Останавливается взгляд, опускаются руки:

— Ничего я не жду, ничего не жаль, душа дрожит от страха перед завтрашним днем...

Он точно сам слушает свой голос и хочет уловить в нем хотя бы интонацию надежды. Нет.

— Молиться на свою душевную лень и видеть в ней нечто превыспреннее — не могу...

Первый круг откровений — до мысли «пулю в лоб», и второй — когда мысль эта уже засела в голове.

Последний разговор с Шурочкой, последняя попытка — ну хоть она поймет.

— Если ты меня любишь, то помоги мне. Сию же минуту, немедля откажись от меня.

В конце концов она добрая и неглупая девушка, она друг, должна понять...

Как зверь в клетке, мечется:

— В тебе говорит не любовь, а упрямство честной натуры... Тебе мешает ложное чувство...

— Пойми!..

Саша в ответ ведет свою партию. Точно не к ней обращался Иванов, не может понять, что человек дошел до крайности:

— Не задерживай людей...

— Опомнись!..

— Не кричи так, гости услышат...

Всё — круг замкнулся.

Дальше начинается абсурд или агония, Иванов обращается к манекенам, к спинам и говорит, говорит без какой-либо надежды быть услышанным. Театральная метафора объясняет, что все торопят конец, все по-своему толкают Иванова к смерти.

Леонов и в этой сцене остается верен себе — самоубийство без эффектов, не как акт особого мужества, недоступный другим. Он делает это для себя. Не найдя выхода, он в смерти ищет освобождение от пошлости, обступившей его, от своего бессилия с ней бороться, от нелепостей и неумения объяснить себя людям.

Некоммуникабельность, невозможность людского взаимопонимания — такова атмосфера спектакля Захарова. И в какие-то минуты кажется, что дух развенчания витает и над Ивановым: Иванов, Иванов, нет никакого Иванова, выдумки одни. Вот эта театральная вакханалия, торжествующая над Ивановым, мешает образу, мешает артисту, мешает Чехову.

Когда время и революционные ветры призывали таких, как Иванов, в строй — они были молодцы, но в удушливой атмосфере реакции, когда ясность действия ушла, они движутся по инерции, на холостом ходу. Они говорят, обличают, они не приемлют действительность, но и ничего не делают, чтобы ее изменить. Возникает стремление — хоть как-то, хоть внешне сохранить свою порядочность. Только в мертвой зоне общественной жизни возможно такое. Никогда люди не кичились скромностью и порядочностью...

Во времена революционных подъемов все, кто «веровал», шли под знамена борьбы; в трудные времена реакции одного «верования», не подкрепленного действием, оказывается мало.

Готовясь к роли, Леонов рассуждал за Иванова: «Безвременье рождает «порядочного обывателя». Если ты вышел из игры, ты — обыватель. Ум не оставил тебя, способность критически видеть и мыслить сохранилась, взгляды не переменились, но время вышибло тебя из действия, невыносимо трудно стало сохранить себя. Чем, собственно, ты лучше этой пошлой публики в гостиной Лебедевых? Тем, что ты видишь их низость, и только-то? А что ты им противопоставишь? Слова, слова, одни слова!..»

Леоновский Иванов стесняется слов, он ощущает ложность этого словесного протеста. И он начинает говорить неохотно, всякий раз думает, а не помолчать ли мне, а то всюду свое мнение, свое слово — смешон, право. Он явно избегает общений: придет к Лебедевым и стоит в стороне, отвечает односложно, стыдится болтовни, боится, что Шурочка что-то другое видит в нем, ошибается. Впрочем, иным, кто не пережил истины действия, и слова кажутся действием. Поговорили в гостиной смело, дерзко, умно — и довольно, по нынешним временам довольно. И горько видеть: то, что было идеей, становится развлечением. Перед Ивановым открывается эта перспектива: поправятся с новой женитьбой дела в имении, поправится настроение. Шурочка станет ловить каждое умное слово, а Иванов, мыслящий человек, станет заполнять пустоту словами. Кажется, он это себе представил: «Я подумал, хорошо подумал».

Своим Ивановым Леонов и нас всех призывал о многом подумать. Сила этого образа в том и состоит, что таких, как Иванов, большинство. И трагедия его серьезна. И поэтому пьеса Чехова вызывает сегодня глубокие размышления о нравственных критериях личности и нравственных постулатах общества.

## *Евгений Леонов — актер трагикомедии*

Играть настоящую трагикомедию, вполне соответствующую понятиям об этом жанре, Леонову не пришлось. Но среди его актерских созданий есть фигуры поистине трагикомические. Нюхин, Травкин, Ванюшин, Король, Сарафанов, Отец (в пьесе «Вор»). Личная тема художника прозвучала в этих ролях с пронзительной болью.

И хотя, например, пьеса «Дети Ванюшина», семейно-бытовая драма, написанная в прошлом веке, с трудом выдерживает груз режиссерского ви́дения — спектакль задуман и осуществлен как трагикомический фарс, — эффект актерской работы Леонова, именно трагикомический эффект, безусловен. Но не только в союзе с режиссером, увлекаясь сложностью его задания, обнаруживает Леонов трагикомическую суть характера. Когда первые трагикомические роли были сыграны, яснее представился собственный леоновский чисто эмпирический путь к трагикомедии.

Способность артиста уловить, внести в роль нотки трагикомизма проявлялась и раньше.

Вот Кристи, к примеру, — спектакль «Ученик дьявола», который мы уже ранее вспоминали. Смешной и жалкий дурачок Кристи в пьесе — и обычно в спектаклях — оставался в полном неведении, что его показания, его неразумение помогли врагам вынести его брату Ричарду смертный приговор. И когда Ричарда уводили, Кристи, радостный, кричал ему вслед: «Возвращайся скорей!» Что возьмешь с дурака — и гневаться не приходится. Это одна история. Но в спектакле Леонов и Урбанский, который играл Ричарда, делали нечто совершенно иное. Леонов играл так, что не оставалось сомнения — его Кристи, хотя и не мог уразуметь, что именно хотели от него и добились эти люди, каким-то внутренним чутьем человека любящего понимал: произошло что-то непоправимое, ужасное. И хотя сознание не могло охватить всего, сердце его разрывалось, и свою безмятежную реплику: «Возвращайся скорей!» — он произносил как мольбу, как надежду, что не так чудовищно жесток этот мир, чтобы убивать калеку. В отчаянии смотрел Кристи на брата, и Ричард, уходя, гладил его по голове (деталь придумана Леоновым во время репетиций). В эту секунду открывалась зрителю вся мера трагедии, бездна жестокости и неправедности мира.

Между Ричардом — Урбанским и Кристи — Леоновым были любовь, понимание, они в равной мере были жертвы безумного мира, и потому спектакль обретал поэтическую мощь.

Трагические ноты звучали и в монологе старого рабочего Шохина («Первый встречный»). Леоновский герой отлично понимал, что ему не вырваться из тесного круга мещанских представлений его семьи, где покой, и порядок, и счастье измеряются на рубли. Не умея изменить этот уклад, не зная, как с ним бороться, он все же ощущал потребность выразить свое неприятие, бросить им свое презрение. «Возьму-ка я пол-литру и «Казбеку» пачку, приду да как шмякну на стол», — говорит леоновский Шохин, и, пока зрители еще смеются над этой формой протеста, сердитость его сменяется усталостью, вся фигура опускается, и, грустным взглядом ища в зале понимания, Леонов говорит: «И такая тут кутерьма начнется...» Нет у него выхода, но и смирения в нем нет. Потому трагичен этот комедийный, почти репризный монолог в устах артиста.

И наивный парнишка Агафон в фильме «Трудное счастье» режиссера А. Столпера в своей открытости перед злом и невзгодами первых революционных лет нес нотку трагизма: самый чистый, самый трогательный и наивный до смешного мальчишка, ни умом, ни сердцем не измеривший своего пути, весь устремленный в завтрашний день, убит, как птица в полете.

Леонов всегда стремился видеть глубокую связь своих персонажей с миром, и это умение соотнести человеческую личность с общими категориями человеческой жизни сделало его проницательным художником, который способен был понять и выявить трагикомическую суть роли.

Трагикомический персонаж сложен и для исполнителя, и для режиссера, и для зрителя. Чаще всего именно трагикомедия вызывает дискуссии по поводу авторской позиции, авторской оценки героя. Трагикомедия мало изучена, и кинематограф наш делает пока первые шаги на пути освоения этого жанра. Секрет этого жанра в том, что трагическое и смешное не просто соседствуют, уживаются в одном произведении, но взаимодействуют.

«В трагикомедии трагическое и смешное переходят друг в друга, меняются местами, — пишет теоретик кино С. Фрейлих, — и, более того, осуществляются друг через друга. Трагикомедия сталкивает трагическое и смешное не только как противоположности, она обнаруживает единство этих противоположностей... Действие заставляет героя делать сакраментальный шаг от великого к смешному и от смешного к великому, чем обнаруживается существо его характера».

Монолог «О вреде табака» в фильме Михаила Швейцера «Карусель», сделанном по чеховским рассказам и дневникам, стал для Леонова подлинным материалом трагикомедии.

Чехов вообще очень близок Леонову. Если правомерно сравнение художественного метода писателя и артиста, то можно обнаружить много общего.

Чехов, этот великий открыватель добра в человеческих душах, этот «человек с молоточком», который всем счастливым и довольным хотел напомнить о несчастных, — любимый писатель артиста.

Человек создан для больших трудов и больших радостей, считал Чехов, и потому так важно было писателю показать несообразность жизни, которая мешает человеку реализовать богатство своих возможностей. Он любил человека горькой, но верной любовью. Гуманизм — не декларация чеховской литературы, а самая ее суть.

Пристально вглядываясь в будничное течение жизни, подмечая пошлость, глупость и мелочность житейских страстей человека, Чехов умел выявить сокровенное существо характера. И по Чехову всегда выходило, что и самый плохой, никчемный человек — не вовсе плох, есть в нем человеческое. Потому и горевал Чехов, потому и жалел своих персонажей.

Не все современники понимали, что Чехов писал о мелочах жизни не потому, что не видел ничего крупного, а потому, что ставил себе задачу изучить и показать Россию всю как она есть. В этом, собственно, была новация Чехова в литературе, эту особенность отметил и Лев Толстой, назвавший Чехова «несравненным художником жизни».

Леонов мог бы играть едва ли не всех чеховских героев: какой-нибудь почтовый чиновник, уездный фельдшер, дьячок, чеховский инженер или учитель — образы такие понятные и близкие Леонову, что, когда они ему встречаются, кажется, буквально сливаются с артистом: принимают его фигуру, его манеру поведения человека нескорого на дела, скромного, неуверенного, — и уже думаешь, что такими именно они представлялись тебе всегда.

Внимательность к мелочам быта, житейского поведения, доверие к правде жизни, веру в выразительность детали Леонов воспринял у Чехова. Его персонажи крепко-накрепко привязаны к земле, земным делам и эмоциям.

В леоновских персонажах мы замечаем ту же перемешанность высокого и низкого. Историческую реплику его герой может произнести так, точно и не подозревает о ее значительности, а просто так вышло по житейскому раскладу, по его мужицкому уму.

Многие чеховские герои, погрязшие в житейской тине, окутанные мелочами, сами чувствовали скуку и нелепость своей жизни. Это-то ощущение «трагизма мелочей» глубоко и точно передал Леонов в своем Нюхине.

Леонов так сыграл Нюхина, как может сыграть артист что-то очень ему дорогое. Большая роль создается долго, в союзе с режиссером ее можно сделать, даже если она была далека и неведома артисту, но такая роль — художественная кульминация в чистом виде — дается только тогда, когда многое припасено для нее в душе заранее.

Усталый маленький человек с грустными глазами, Нюхин Леонова способен уморить людей одной своей серьезностью.

— Я, конечно, не профессор и чужд ученых степеней, но, тем не менее, все-таки я вот уже тридцать лет, не переставая, можно даже сказать, для вреда собственному здоровью и прочее, работаю над вопросами строго научного свойства... — доверительно сообщает Нюхин тем, кто пришел послушать его лекцию «О вреде табака». Он поправляет пенсне, заглядывает в зал поверх стекол и продолжает:

— Размышляю и даже пишу иногда, можете себе представить... — снова взгляд в зал, оценивающий реакцию: — Ученые статьи, то есть, не то чтобы ученые, а так, извините за выражение, вроде как бы ученые.

Иван Иванович Нюхин, муж своей жены, содержательницы музыкальной школы и женского пансиона, вовсе не клоуничает и не думает собственной персоной развлекать людей, просто с непосредственностью недалекого человека он рассказывает незнакомым людям кое-что о себе и своей жизни.

Перед нами эстрада провинциального клуба, заставленная столами, завешанная диаграммами; на столах какие-то пробирки, спиртовки, колбочки, и среди всего этого нагромождения очень ловко, даже изящно движется толстенький лысоватый человек, все время что-то переставляет, подливает, поджигает, курит и при этом говорит, говорит... Вот, к примеру, написал он громадную статью под заглавием «О вреде насекомых».

— Дочерям очень понравилось, особенно про клопов, я же прочитал и разорвал...

Лицо Нюхина становится решительным и даже воинственным, и вдруг он ухмыляется нам, как сообщникам, и закругляет свою мысль:

— Ведь все равно, как ни пиши, а без персидского порошка не обойтись. У нас даже в рояле клопы...

Рассчитывая на понимание, но никак не на смех, рассказывает леоновский герой о своих разнообразных обязанностях в пансионе: кроме преподавания математики, физики, химии, географии, истории, сольфеджио, литературы на нем лежит заведование хозяйственной частью.

— Я закупаю провизию, проверяю прислугу, записываю расходы, шью тетрадки, вывожу клопов, прогуливаю женину собачку, ловлю мышей... — смущаясь перечисляет Нюхин: говорить, так уж все как есть. И когда несколькими минутами позже он скажет, что жена, будучи не в духе, называет его «чучело», мы согласно улыбаемся: чучело и есть.

Кинематографически монолог Нюхина аскетичен. Большой мастер создания атмосферы, красноречивого антуража, Швейцер оставляет здесь актера одного перед камерой. Мы не видим аудитории, не ощущаем ее реакции даже в намеках, — по существу, Леонов обращается непосредственно к нам ко всем, к зрителям. И при таких переходах, эмоциональных перепадах, неожиданностях, на которых построена роль, это принципиально важно. Зрительское внимание должно быть непрерывное, сосредоточенное. Потому что монолог Нюхина — монолог не только по форме, но и по существу содержащегося в нем откровения — некоторым образом исповедь больной души.

Сначала ничего, кроме привычки и охоты поговорить, и, как всегда в небогатой по мысли речи, слова цепляются за слова, и «круглая», беспрепятственно катится речь героя, неведомо в какое русло: и почему никотин вреден, и почему дочери не выходят замуж, и т. д., и т. п. И сама эта словоохотливость человека, чемто внутренне озабоченного — непонятно только пока, чем, — смешит нас и забавляет.

— Табак, помимо его вредных действий, употребляется также в медицине. Так, например...

И тут Нюхин с особой ловкостью неуклюжего человека ловит муху, запихивает ее в табакерку и с увлечением продолжает:

— Если муху посадить в табакерку, она издохнет, вероятно, от расстройства нервов.

И когда среди всей этой чепухи впервые возникает фраза, сказанная всерьез: «Вот читаю лекцию, на вид я весел, а самому так и хочется крикнуть», — мы не успеваем ее оценить, как леоновский Нюхин вступает в центральный аттракцион. Не теряя правды внутреннего состояния, артист продолжает монологическую речь, которая на наших глазах начинает буквально хромать, и мы видим, что герою все труднее держать равновесие. Он точно клоун, который идет по проволоке, изображая, что может упасть, а зритель вдруг замечает, что это действительно возможно...

— Я несчастлив, я обратился в дурака, в ничтожество, но в сущности вы видите перед собой счастливейшего из отцов.

Путаясь, перепрыгивая с одной мысли на другую, Леонов мастерски нагнетает напряжение, то обращаясь в зал, к слушателям, то к самому себе только, то надеясь на сочувствие, то пугаясь своей откровенности...

— Я прожил с женой тридцать три года и могу сказать, это были лучшие годы моей жизни, не то что лучшие, а так, вообще...

Мысль его не успевает за словом, а тут еще чувства — подступил комок к горлу. Почти бессознательно, но изо всех сил сдерживает Нюхин рвущуюся откровенность:

— Протекли они, одним словом, как один счастливый миг, собственно говоря, черт бы их побрал совсем.

Что это? Почти абракадабра, абсурдное состояние души, человек не в себе, человек несчастен — мы ощущаем это раньше, чем окончательно понимаем, в чем же дело. А Нюхин вертит головой, точно она ему мешает, то прячет от нас глаза, то буквально заглядывает в зрачок камеры и говорит:

— Надо вам заметить, что пьянею от одной рюмки, и от этого становится хорошо на душе и в то же время так грустно... вспоминаются почему-то молодые годы, и хочется почему-то бежать, ах, если бы вы знали, как хочется!

Нюхин стоит неподвижно. Обмяк, застыл. Слезы блестят. И, точно выдыхая какую-то тяжесть, он говорит совсем-совсем просто:

— Бежать, бросить все и бежать без оглядки... Куда?

Он словно вспомнил, что говорит это нам, и теперь вынужден объяснить.

— Все равно, куда... лишь бы бежать от этой дрянной, пошлой, дешевенькой жизни, превратившей меня в старого, жалкого дурака, старого, жалкого идиота, бежать от этой глупой, мелкой, злой, злой скряги... бежать от музыки, от кухни, от жениных денег, от всех этих пустяков и пошлостей...

Лицо Нюхина преображается, становится почти вдохновенным, просветленным этим мгновением откровения — освобождения души.

— И остановиться где-нибудь далеко-далеко в поле, и стоять деревом, столбом, огородным пугалом...

Нюхин говорит мечтательно, лицо его делается умиротворенным, спокойным, говорит он тихо, точно не он вовсе только что мельтешился здесь перед нами, распространялся о науке и о вреде табака.

— ...под широким небом, и глядеть всю ночь, как над тобой стоит тихий ясный месяц, и забыть, забыть... О, как бы я хотел ничего не помнить!.. Как бы я хотел сорвать с себя этот подлый старый фрачишко...

И вдруг Нюхин быстро, порывисто снимает фрак, бросает его на пол, пинает его, топчет в каком-то исступленном отчаянии, которое уже само по себе возвращает нашего героя к реальности его бытия. И уже в обиде на судьбу он говорит:

— Я был когда-то молод, умен, учился в университете, мечтал, считал себя человеком...

Усталый маленький человек поднимает с пола фрак, слегка стряхнув, напяливает на себя и в этот момент замечает за кулисами жену...

— Исходя из того положения, что табак заключает в себе страшный яд... — произносит Нюхин.

Глаза его в печали, но сам он улыбается, спешит, говорит...

Жалкий, смешной человек. Почему остается на сердце царапина от встречи с ним? Точно кто-то виновен, что человек в этом мире теряет себя. И каждый чувствует неловкость, будто это он именно и виновен или уж по крайней мере причастен к всеобщей виновности. Таков дар Чехова пробуждать совестливость в человеке. И такова способность актера, оставаясь смешным и нелепым персонажем, со всей пронзительностью передать страдание человека, передать мысль автора о попранном достоинстве и угнетенной душе.

Трагикомизм Леонова — Нюхина чисто чеховской интонации, не крикливый, не гротескный, поражающий внутренней борьбой, которую ведет человек с самим собой, в себе самом.

Леоновский Нюхин одним своим внешним видом и манерами привыкшего к унижению человека убеждает, что это и есть чеховский несчастливец, без вины виноватый, «добрый человек», о котором сказано, что ему «бывает стыдно даже перед собакой».

Если бы начертить в виде диаграммы внутреннее состояние леоновского героя на протяжении всей сцены, мы бы поразились многообразию и интенсивности эмоциональных вспышек в такой короткий отрезок времени. Ко всему притерпелся бедняга Нюхин и грустно ему, потому что «пропала жизнь». Вот уж действительно и смех и слезы.

Критик А. Свободин в журнале «Искусство кино» пишет об этой леоновской роли: «Актер всякий раз играет всерьез, когда мы готовы принять его за личность из анекдота, и всякий раз сворачивает на анекдот, когда мы готовы отнестись к нему серьезно. Это истинная трагикомедия».

Прошли годы. И артист вновь встретился с режиссером Михаилом Швейцером на чеховском материале.

В фильме «Смешные люди» (по рассказам и записным книжкам А. П. Чехова) Леонову досталась роль регента Алексея Алексеевича. Толстый, носатый, нелепый, наивный, но с Богом в душе — преданный искусству, настоящий чеховский герой. Роль состоит всего из нескольких небольших эпизодов, но артист успевает дать исчерпывающую характеристику своего персонажа. Мы видим Алексея Алексеевича на спевке, в кругу друзей и в одиночестве — нам открывается его отношение к делу, к людям и к самому себе.

Диалог с самим собой в собственной холостяцкой квартире перед зеркалом и смешной и грустный. Он сидит за столом, перед ним рюмки, графин, тарелки, И он заглядывает в глаза воображаемому собеседнику, и тычет в него пальцем, и говорит:

— Все на этом свете лишнее... и науки, и люди... и тюремные заведения, и мухи... и огурцы... и вы лишний...

Тот, который в зеркале, молчит, сносит оскорбления.

— Хоть вы, может быть, и хороший человек, и в Бога веруете, но и вы лишний. Сейчас вот мы натрескались, налопались, а для чего это? Ну?

Человек в зеркале тупо молчит.

— А!.. — злорадствует Алексей Алексеевич. — Все это лишнее. Едим, живем и сами не знаем, для чего. Для чего?

И как бы предвидя, что на этот раз ответить нечего, он встает, стараясь не качаться, и видит, что человек в зеркале тоже встает и будто даже уйти собирается... Алексей Алексеевич тут же меняет тон:

— Ну, ну, уж и обиделся! Я ведь это так только... для разговора! И куда тебе идти? Посидим, потолкуем... выпьем!

И он тяжко опускается на стул, наливает рюмку. Но, прежде чем выпить, бросает взгляд на висящий на стене женский портрет, ставит рюмку на стол, потом отворачивается и, прячась от ее глаз, быстро выпивает. Все здесь есть: и правда переживания, и естество фантастического действа.

Тоска по настоящей жизни, в которой человек знал бы цену себе и своему труду, вечное недовольство собой, страдающая душа...

«Когда мы снимали монолог регента перед зеркалом, — вспоминает режиссер М. Швейцер, — и Леонов произносил текст: «Все на свете лишнее... и науки, и люди... и тюремные заведения, и мухи...» — он вдруг глазами ловил муху, и взгляд его продолжал следить за мухой, пока он говорил: «... и огурцы... и вы лишний», — я заметил, как в этот момент осветитель, поймав взгляд Леонова, тоже стал следить за воображаемой мухой. В этой леоновской конкретности и смысл и образ: муха здесь — «дрязги жизни» и категория какая-то значительная. Вот эта верность интонации Леонова мне особенно дорога. Он точно чувствует, о чем и как следует говорить, чтобы самая серьезная и глубокая мысль оказалась убедительной, сейчас рожденной. Артист как бы заземляет высокие рассуждения, чтобы, приобщив их к жизни, к житейской правде, дать им новую высоту.

Монолог регента — это рассуждение с самим собой — содержит глубочайшие философские вопросы. Но эти вопросы герой задает сам себе, не может же он в позу стать, — здесь естество Леонова было решением всего эпизода. Его почти физическое погружение в образ помогало нам выполнить поставленную задачу — следовать Чехову по духу, иногда отступая от буквы текста, сохранять общее ощущение и тональность.

Леонов всегда к обобщению идет от обыденного, житейского, и в данном случае это был метод, продиктованный автором, — чеховский метод. У Чехова авторское скрыто и ненавязчиво, у него не найдешь прямой нравственной проповеди, поэтому он труден. Чехов не водит твоей рукой, ничего не подсказывает, не указывает впрямую.

Мы хотели вывести Чехова из рамок анекдотической истории на просторы глобальной трагедии — трагедии человека и государства. Леонов, способный соединить в своей игре единовременно достоверность и квинтэссенцию правды, то есть художественную квинтэссенцию, был тут особенно нужен. Он не только необыкновенно точен в психологических моментах, он находит пластические подробности поведения, внешних проявлений, сама его пластика достоверна и органична — и это тоже чеховское и особенно ценное в кино.

Леонов всегда правдив, его создания максимально приближены к реальности. В нем есть душевная искренность, которая сразу выделяет его как актера. Лицо Леонова на крупном плане меня всегда потрясает, в нем столько, казалось бы, исключающих друг друга эмоций. Леонов может погружаться в трагическую стихию и одновременно быть смешным. Это подлинный трагикомизм.

Неоднозначность человеческого лица — это тоже Чехов, вернее, без этого, мне кажется, нет чеховского героя.

Мне думается, Леонов сродни Щепкину, я нахожу в нем лучшие качества и черты русской сценической игры. Правда, подробность, увиденное в жизни, конкретное, достоверное — все живое. Замечено, что Леонов почти не гримируется, во всяком случае, и в кино и в театре редко прибегает к гриму. Зато как он гримируется изнутри! Для режиссера особое счастье работать с актером, так владеющим тайнами мастерства.

Леонова в его способности к самостоятельному творчеству я мог бы сравнить только с Бабочкиным. Уже после первого разговора с каждым из них можно быть уверенным, что работа над образом началась, к следующей встрече они приносят почти готовую роль, и поражаешься, как много продумано, пережито, найдено ими для своего персонажа.

В фильме «Карусель» Леонов прямо-таки удивлял и восхищал меня своей самостоятельностью. Для актера это была работа необычайной сложности, весь драматизм был заложен в нервной возбудимости и эмоциональной убедительности актера. Поэтому и второй наш чеховский фильм — «Смешные люди» — мы не мыслили себе без Леонова».

Вот еще один эпизод из этого фильма: регент Алексей Алексеевич самозабвенно дирижирует хором, пение хора необыкновенно. Под открытыми окнами школы, где проходит спевка, останавливается народ, слушает; смахнул слезу дьякон Авдиесов, прослезился отец Кузьма. Затихает последний звук, и сам регент Алексей Алексеевич, красный, изнеможенный, окидывает всех мутным, но победным взглядом. Восторг и нервное напряжение, чувство беспокойства и вечное недовольство собой... Как передать эти чувства смешного человека?

— Накажи меня Бог! — обращается регент к священнику. — Такой необразованный народ, что никак не разберешься, что у него там в горле: глотка или другая какая внутренность...

— Подавился ты, что ли? — подскакивает он к певчему Денису Григорьеву. — На что у тебя сегодня голос похож? Трещит словно кастрюля!

— Невежа ты! Какой ты певчий, ежели ты с мужиками в кабаке компанию водишь?.. Эх ты, осел, братец!.. Через два дня перед графом петь!..

Но пение перед графом не состоялось, потому что граф Михаил Иванович атеист и церковного пения слушать не пожелал. Так что и талант и старания оказались лишними.

— Все на этом свете лишнее. Все... лишнее. И певчие, и науки, и люди, и... тюремные заведения. И мухи...

На этот раз Алексей Алексеевич не один, а в компании с дьяконом Авдиесовым (В. Басов). И, обращаясь к нему, регент подытоживает: — Хоть вы и октава, и в Бога веруете, но и вы лишний!

А дьякон с его необыкновенным голосом тоже в накладе, не оценил граф голоса его, и потому с обиды «тарарахнули они по единой» и дьякон запел: «Духовной жаждою томим, в пустыне мрачной я влачился...»

И величавая значительность слов и голос мощный захватили их. И словно трезвея, подымает регент тяжелую голову, лицо его светлеет: «Какое наслаждение уважать людей!»

В этом фильме, пронизанном чеховской грустной любовью к человеку, где каждое душевное движение понято глубоко, актеры играют с поразительной психологической правдой.

Грим Леонова в этой роли незначительный, содержащий, скорее, намек на стиль и моду того времени, не более. Его внешность, довольно-таки специфическая, безусловно, запоминающаяся, остается почти неизменной во многих ролях, но почему-то это не мешает преображению актера в разные лики. Все помнят лицо Евгения Леонова, узнают его сразу, но ведь это живое лицо, а не актерская маска, и оно не может быть однообразным.

Вот Нюхин: пенсне, небольшая лысина, едва прочерченные морщинки — следы прожитых лет и какая-то замшелость во всем облике.

Рядом Ванюшин — вовсе без грима, только взгляд, поворот головы, и уже — иной характер.

Чуть волосы завиты и баки наклеены подлиннее собственных, большой артистический бант — и уже видишь человека, чья поэтическая восторженность смешна и трогательна одновременно. Это Нароков из пьесы Островского «Таланты и поклонники». Леонов сыграл всего несколько спектаклей, потому что основной исполнитель роли — Максим Максимович Штраух — не смог поехать с театром на гастроли в Югославию, но критика отметила работу Леонова: «...нечто родственное трагикомическим легендам русского театра» увидел в Нарокове — Леонове югославский рецензент Миркович.

А вот и Травкин — достоверность в облике необходима фантастическому сюжету, снятому в документальной манере...

И наконец, Король в фильме «Совсем пропащий»: грим жирный, толстый какой-то — надо снять, спрятать добрый свет леоновских глаз, но в общем-то грим и здесь почти не изменил знакомое лицо. И чеховский персонаж, регент Алексей Алексеевич, точь-в-точь Леонов в жизни, только одет не по нынешней моде да кругловатость и полноту не пытается преодолеть, а, напротив, «выставляется» толстым...

И старик крестьянин из спектакля «Вор» — седины добавлено, платье другое...

Да, это он, всюду сам Леонов... Но до чего же разные его герои! До чего непохожи один на другого!

Забавен и смешон Леонов как бы изначально, еще вне сюжета — такова впечатляющая сила его облика. Потому-то смешной леоновский персонаж способен навеять грусть и тоску, что обаятельность и забавность не исчерпывают актерской натуры Леонова: есть в нем вместе с тем и своеобразная хитреца, свидетельствующая, что человек этот живет не в облаках, а по земле ходит. Леонов не веселил публику, в своих лучших работах он ведет нас тропою смеха к серьезным и грустным истинам. Быть может, эстетическая ценность смеха в том-то и заключается, что, обнажая бессмыслицу и несоответствия в жизни, смех приводит нас к великой грусти.

Комедия Георгия Данелия «Тридцать три» — это удар по мещанству. Ее герой, Иван Сергеевич Травкин, которого играет Леонов, живет в городе Верхние Ямки. В один прекрасный день обнаруживается, что у Травкина тридцать три зуба, в то время как у всех нормальных людей — тридцать два. На основании этого открытия местного зубного врача делается предположение, что Травкин марсианского происхождения. Шумиха и ажиотаж вокруг его имени нарастают, и вот уже новая знаменитость вынужден отправиться на Марс, чтобы вступить в контакт с марсианами. Даже при таком схематичном изложении сюжета видно, что ситуация абсолютно пародийная, гротесковая.

Вокруг комедии Данелия было много споров. Так всегда бывает, когда художественное решение неожиданное, когда взрываются законы жанра, когда комедия по воле ее автора наполняется трагическим содержанием и смешная ситуация вдруг оказывается печальной и грустной. И к тому же, где и когда сатирическую комедию не сопровождал гул оппонентов.

Антимещанская комедия «Тридцать три» содержит в себе элементы буффонады, откровенного гротеска, пародии. Несомненно, Иван Сергеевич Травкин недалеко ушел от тех, кто в упоении раздувает вокруг него шумиху. Но несомненно и то, что его готовность принять «суровую участь» говорит не только о глупости, наивности и примитивности. Будучи частью мещанской среды, Травкин в большей степени, чем другие, сохранил в себе какие-то истинно человеческие качества — доброту, способность к самопожертвованию. Очень грустный, нелепый леоновский персонаж в какие-то секунды экранной жизни внушает зрителю симпатии.

Среда в этом фильме такова, что он мог стать комедией масок, однако Данелия избежал этого. По-настоящему гротескна лишь сама ситуация, а все артисты действуют согласно установлениям бытовой психологической комедии. Они находят логику поведения своих персонажей, они обретают веру в такие характеры и достигают убедительности — и Н. Мордюкова, и В. Невинный, и И. Чурикова, и С. Мартинсон, и другие актеры.

Эстетические установления, данные актерам, тем более важны были для исполнителя главной роли —

Леонова. Несомненно, человек иного склада, чем Травкин, человек, которого мы могли бы назвать антагонистом этой среды, человек, оторвавшийся от нее, мог быть исполнен актером броско, эксцентрично, и основой его поведения было бы шутовское отношение к среде.

Нет, Леонов играет Травкина таким, каков он должен быть в жизни, — человеком, для которого существуют неосознанные авторитеты, ничем не подтвердившие своего права быть авторитетом. Очевидно, это ощущение происходит, прежде всего, от сознания собственной малости, незначительности, которая тоже есть оборотная сторона мещанства. Да, всегда непомерные притязания мещанства, воинствующего мещанства имеют свою оборотную сторону, которая в том-то и заключается, что человек не способен осознать собственные возможности, осознать себя как некую ценность в мире. И вот именно эта внутренняя «разведка» в глубь мещанства совершается образом Травкина. Будучи сам частью мещанской среды, Травкин становится ее жертвой. Этот трагикомический нюанс Леонову удается передать потому, что он умеет видеть в своем персонаже сложную подоплеку поступка.

Почему, в самом деле, Травкин Леонова представляется нам не только комичным, как все окружающие его персонажи, но и вызывает какую-то щемящую жалость?

Когда мы говорили, что Леонов находит каждую роль в себе самом, мы прежде всего разумели некое доброе отношение артиста к своим персонажам. Леонов и в этой комедии не хочет казнить своего героя; он никоим образом не выгораживает его, не приукрашивает, но он видит в нем истинные человеческие проявления и очень тонко утверждает ценность этой человечности своего героя.

Как ни странно, но в Травкине Леонова живет человеческое достоинство. Это звучит парадоксально, тем не менее это так. Вспомним, как принимает он несправедливый гнев своей жены, как трогательно прощается с детьми и как постороннему человеку, сопровождающему его в поездке домой, кратко отвечает: «Семья согласна». Его личная жизнь принадлежит ему, дела не касается и других людей волновать не может.

Все злоключения Травкина, все, что он «натворил» в гостях у незнакомых людей, которые собрались в его честь, объясняются отчасти тем, что Травкин, работая на заводе безалкогольных напитков, не очень приспособлен к такому застолью, быстро пьянеет и пьяный, естественно, не способен контролировать свои поступки. Но и в этой сцене, блестяще проведенной Леоновым, мы видим, что Травкин, собственно, не шарлатан. В результате исключительности ситуации герой пьян, от непонятного, чрезмерного к нему расположения возбужден, поэтому и верит, что собравшимся здесь людям чрезвычайно интересна его персона.

Наивность, примитивность, глупость героя попросту говоря полностью выявлены Леоновым, но заметим при этом, рассказывает Травкин не какие-то фантастические истории, рисующие его Гераклом. Нет, он рассказывает о рыбной ловле, и доблесть его заключается в том, что он отличный рыбак.

Что только не вытворяет в этой сцене актер! Вот герой его округлившимися глазами обводит сидящих за столом гостей, вытаскивает из кармана леску, разматывает ее, насаживает мормышку и, слегка икая, обстоятельно объясняет свои действия. Все больше увлекаясь рассказом, Травкин испытывает прямо-таки неодолимое стремление действовать. Затуманенный взор его натыкается на аквариум, и он мгновенно вскакивает, бежит к аквариуму и с огромным увлечением, не теряя деловитости, забрасывает удочку, радуется успеху и запихивает пойманных красных рыбок в карманы... Тут и конкретность бытовых красок, и конкретность психологических ощущений.

Несомненно, будь это комедия масок, Леонов, опираясь на свое дарование актера-буфф, мог бы соответствовать замыслу. Но, как мы уже говорили, авторская идея, авторские эстетические установления были совершенно иными. Ситуация гротесковая, фарсовая была разыграна психологически достоверно, конкретно, и это дало замечательный художественный результат.

Очень простенький, простецкий герой фильма Данелия вместе с тем далеко не так прост, характер увиден и понят авторами глубоко. При всей своей «малости» и человеческой незначительности Травкин — художественный образ большого масштаба.

Может быть, зритель не всегда осознает, откуда проникает в него грусть, от которой, право же, невозможно отделаться после просмотра веселого фильма. Эта грусть происходит оттого, что фильм заставляет нас подумать о многих проблемах нашей жизни, о правилах нашего общежития. Искусство трактует мещанство как социальное зло.

Режиссер опирался в этом фильме на трагикомическое дарование артиста. Он увидел его ростки, его первоэлементы в театральной работе — Креон в «Антигоне» — и не ошибся.

Трагикомедия — жанр для актера трудный. Дело не в том вовсе, что актер должен уметь из комедийной ситуации прямиком шагнуть в трагедию. Чаще всего в трагикомедии трагическое существует подспудно, не находит разрешения в действии, это скорее ощущаемая зрителем вероятность, возможность трагедии, а не свершившийся факт. Механическое соединение трагического и комического может только разрушить каждый из жанров, но не создаст нового органического художественного целого. Суть трагикомического характера в парадоксальности, двойственности, даже полярности чувств, которые он внушает зрителю.

Трагедию старика Ванюшина Леонов должен был рассказать в спектакле фарсовом, гротесковом, все время оставаясь смешным, нелепым, смехотворным существом. Казалось, пьеса С. Найденова далека от жанра трагикомедии. Глава семьи Ванюшин был выведен драматургом (и обычно так играли его в театрах) почтенным старцем, на глазах которого происходило крушение семьи. Гибель нравов и разложение, которым пропиталось все в его доме, казались ему невероятным, чудовищным итогом его праведной жизни купца-труженика, положившего свою жизнь в заботах о семье, и в первой редакции финала Ванюшин кончал самоубийством.

Эта вполне серьезная история крушения купеческой семьи современному режиссеру видится как трагический фарс. Постановщик Андрей Александрович Гончаров предложил смелое, дерзкое решение. В известной мере он совершил насилие над литературным материалом, но сделал старую пьесу интересной сегодняшнему зрителю. Одно то, что Ванюшина играл Леонов, говорит о новом прочтении пьесы, о полемике с театральной традицией.

События в Ванюшинском доме, как они рассказаны Гончаровым, напоминают шутовской балаган. Яркая театральность, ирония, комедийный темперамент спектакля и замечательно точный выбор актера на главную роль обеспечили постановке долгий и прочный зрительский успех.

Из хозяина положения, человека, создавшего свое дело, дом, богатство, Ванюшин превратился в суетливого, беспомощного старика, силою обстоятельств лишенного всякой власти над домашними.

Уже первое его появление в накинутой прямо на нижнее белье шубе, то и дело сползающей с плеч, со свечой в руках совершающего ночной обход своих владений, воспринимается как выход персонажа комического. И когда развеселые приказчики под треньканье балалайки развесят вывески о продаже Ванюшиным «разных мук» и поднимут занавес, мы станем свидетелями сцены, вызывающей неизменный хохот.

Все в том же наряде, вернее без всякого наряда, в исподнем, Ванюшин мается в гостиной и вдруг слышит звонок, скрип двери и чьи-то робкие шаги. Сообразительный Ванюшин прячется за висящие в прихожей пальто, и, как только появляется Алеша, он с ловкостью внезапно напавшего бандита втаскивает сыночка в темноту, и оттуда несутся звуки, свидетельствующие о серьезной битве. Наконец Алеша вырывается, убегает, за ним появляется утирающий со лба пот Ванюшин и кричит ему вдогонку свои родительские угрозы: «...бочки откупоривать заставлю, мешки с мукой таскать...».

И всякий раз, когда Ванюшин появляется, все стараются исчезнуть, предпочитают не попадаться на глаза, не из почтения и страха, а чтобы не связываться. Да и сам Ванюшин будто понимает тщетность своего желания обуздать, подчинить своих детей дисциплине, как он ее разумеет, потому что всякий раз пыл его быстро гаснет, и, опустив круглые плечи, он уходит в свою комнату.

Есть нечто большее, чем непослушание детей, нечто более страшное, проникшее в дом извне и подточившее авторитет Ванюшиных, их нравственные устои и правила. Перед этим Ванюшин бессилен, но мало этого, он же еще и виновен. Действие кругами обвивается вокруг Ванюшина — одна за другой идут истории двух дочерей, история старшего сына, Константина, и младшего, гимназиста, и, завершаясь, бьет по Ванюшину с беспощадным сарказмом, выставляя его началом всех бед... Прошло время ванюшиных, изжило себя их представление о миропорядке.

Толстый, неуклюжий Ванюшин — Леонов носится по дому как угорелый, разражается бранью и искренне пытается понять своих детей, понять, в чем же дело, почему они стали друг другу чужими, почему так очерствели их души.

— Души у них у всех несчастные, — говорит он жене своей Арине Ивановне (актриса Н. Тер-Осипян великолепно дополняет комизм Ванюшина своей непреходящей озабоченностью, ее эмоции сиюминутны, ее серьезность непоколебима; и когда Леонов — Ванюшин допускает буффонаду, дьявольская серьезность партнерши доводит ситуацию до полного гротеска).

— Работать не могут, жить не могут... Откуда у нас дети такие? Старуха, а может, они не наши? — осеняет Ванюшина.

И Арина Ивановна вполне серьезно откликается:

— Уж я не знаю, что ты и говоришь...

— Для них старался, для них делал и всем врагом стал.

Несмотря на сложность и серьезность своей душевной озабоченности, леоновский Ванюшин нелеп и глуп. В суматохе и домашней суете он то и дело тщательно пересчитывает кредитки, никоим образом не подозревая, что власть денег разрушила его дом, разрушила, изуродовала психику его детей.

Вот Арина Ивановна просит у Ванюшина денег на муку, и сама же предлагает дать меньше на сей раз. Толстыми пальцами, отвернувшись от жены, торопливо отсчитывает он деньги, сует жене в руки и тут же отнимает, снова пересчитывает, дает меньше, но в смятении отнимает опять — а как же престиж дома Ванюшиных? — вновь отсчитывает деньги и велит взять муки, как всегда.

Не успевает Ванюшин отойти от одной «денежной операции», как подступает к нему с требованием денег родственник его и сотрудник, муж старшей дочери, Нащекин. «Не дам ничего, убирайся!» — кричит Ванюшин и тут же посылает его в контору за деньгами.

А уж торг его с Красавиным, шумным пьяным нахалом, мужем другой дочери, Людмилы, и вовсе решен как сатирический фарс. Торг происходит в кабинете Ванюшина, мы не слышим диалога, а только видим, как то и дело вылетают они друг за другом на сцену: Ванюшин прогоняет Красавина и чуть ли не за фалды тащит к себе снова.

И наконец, жадный, крикливый, беспомощный, всюду побежденный, подступает Ванюшин с разговором к старшему сыну: просит Константина жениться на «девице Протопоповой, за которой шестьдесят тысяч». Просит, настаивает, кричит, обвиняет. Насмешливо, свысока отчитывает старика сыночек, слова его, убеждения — все ложь, все напоказ, но переборот это не под силу Ванюшину.

Леонов смешон в этой роли, хотя сразу ясно, что герой его не замечает комизма собственной персоны. Он настолько сосредоточен на своей мысли разобраться в этой жизни, что-то понять в ней, что у него нет времени посмотреть на себя со стороны.

Готовясь играть Ванюшина, Леонов говорил о своем герое: «Несчастный старик. Одинокий в обществе, одинокий в огромной семье, глубоко ощутивший пустоту своей жизни, не умеющий понять, откуда эта пустота происходит, не умеющий ничего ей противопоставить». И эта субъективная правда ощущений героя живет в спектакле. Очень важна в этом смысле сцена объяснения Ванюшина с младшим сыном — Алешей.

Режиссер выводит героев на авансцену, вся шумная, загроможденная сценическая площадка погружается в темноту, отступает, только иконостас и двое Ванюшиных.

Почти на протяжении всей сцены Ванюшин — Леонов сидит неподвижно, он слушает, слушает взволнованный рассказ сына о том, как в их доме «няньки и горничные развращали детей, как сами дети развращали друг друга, старшие младших», и никто не знал подлинной их жизни. Ванюшин только слушает и изредка вставляет даже не слова, а междометия. И вот он поднимается и говорит: «Поезжай... Куда хочешь поезжай, помогать буду». И когда Алеша уже взлетел по лестнице, сбитый окончательно с толку, притихший и потерянный Ванюшин бормочет ему вслед: «Родной мой».

Так ведет нас артист к пониманию трагизма комической фигуры Ванюшина. Леонов очень точно нашел зерно роли. Если его герой способен глубоко страдать, а такое страдание мы видим в этой сцене, если человек способен глубоко и сильно страдать, то этот человек, несомненно, несет в себе огромный запас доброты, которую он, быть может, не сумел выразить, не сумел никому отдать, не растратил это свое человеческое добро, никого не сумел обогреть им, но оно тем не менее в нем живет. Глупый, смешной, жадный Ванюшин в исполнении Леонова вдруг оказывался душевно щедрым, способным понять и выслушать искреннее слово. Без этого спектакль не мог бы обрести финальной трагической, пронзительной ноты.

И дело вовсе не в том. покончил ли Ванюшин жизнь самоубийством, не это занимает режиссера, потому что в его спектакле не герой выносит себе приговор, а общий дух, авторское ви́дение подводит черту: ванюшинский мир рухнул, обнаружив свою нежизнеспособность. Будучи последовательным союзником режиссера, Леонов сумел вместе с тем взять все, что было найдено автором пьесы в человеческом характере Ванюшина.

Когда Ванюшин Леонова выходил на сцену после мнимого самоубийства, после шутовской интермедии скорбных и насмешливых приказчиков, которые с похоронной торжественностью выносили его шляпу, трость, и замыкал это шествие сам Ванюшин, он шел, не глядя по сторонам, не видя никого, поднимался по крутой лестнице и что-то произносил и делал это так, что, по существу, нельзя было понять — свершилось ли самоубийство? Может, это дух его поднялся по лестнице, чтобы произнести слова, не произнесенные героем в жизни, а может быть, это он, переменившийся, идет — эта неопределенность была необыкновенно выразительна.

Оставаясь в рамках бытовой и психологической конкретности, Леонов в трагикомедии мастерски выходит на иной уровень поэтических обобщений. Он умеет исчерпать человеческую страсть, довести своего героя до крайности, до самого предела, за которым открывается уже нечто новое.

В фильме Георгия Данелия «Совсем пропащий» (экранизация хорошо знакомой всем книги Марка Твена «Приключения Гекльберри Финна») Леонов играет Короля. В согласии с замыслом режиссера он рисует образ своего героя с той безжалостной откровенностью сатирика, которая до сих пор казалась не свойственной Леонову. В данном случае собственно леоновскую идею защитить своего героя, возложить вину за его падение на окружение, на мир насильников и предателей, берет на себя режиссер.

Король Леонова — мошенник, плут, злодей, не способный угомониться в своем мошенничестве, не знающий границ коварства, жаден, безжалостен, гадок. Он жалеет дать золотой Геку, лицемеря при этом: «Деньги портят детей»; пьяный, он продает негра Джима, который ему не принадлежит. Этот человек таков, что у него не возникает человеческого отношения даже к людям, связанным с ним бедой, ни единой минуты не видим мы глаза Короля потеплевшими от сострадания, жалости, внимания к чужой беде. Мир лицемерия и жестокости создал его по собственному образу и подобию, ничего человеческого не осталось в этой изуродованной душе. Когда Король и его сообщник Герцог (Вахтанг Кикабидзе), такой же мошенник, представившись родственниками умершего колониста Томаса, обокрали, обездолили сирот, он и тогда отказывается понять всю бесчеловечность и жестокость их действий и оставить хоть что-то беднягам.

В мире мошенников и воров торжествует тот, кто не пойман, но если уж судьба отступилась от наших героев, то им придется испить свою чашу до дна.

В сцене на кладбище, когда раскрылось жульничество Короля и Герцога, подставных родственников умершего проповедника Питера Уилкса, комический гротеск принимает черты трагифарса.

...Гробовщик завинтил крышку гроба, и гроб стали опускать на веревках в могилу. Король с Герцогом обнялись и зарыдали. В это время к группе скорбящих над могилой родственников подвели еще одну парочку наследников Питера Уилкса: симпатичного старичка и молодого джентльмена с рукой на перевязи. Кто-то заорал, другие возмущенно зашикали, и все в недоумении смотрели на Короля. Король — Леонов оценивал обстановку, взглядом призывая всех в союзники, и наконец спросил:

— С кем имеем честь?

Ему отвечал вновь прибывший интеллигентно, мягко:

— Простите, я не готов к такой неожиданности, но мы те, за кого себя выдаем. Я — Гарви Уилкс, а мой брат — Уильям.

Люди расступились, глядя на Короля и Герцога. После секундного замешательства Король криво усмехнулся и, нагло выступая вперед, сказал:

— Простите, но я не готов к такой неожиданности. Я — Гарви Уилкс, а Уильям — он.

Не очень надеясь на поддержку окружающих, Король тем не менее всех вовлекал в свидетели и, приободренный смехом, неизвестно кому адресованным, переходил в наступление. Засунув руки в карманы, он медленно подошел к новому Уильяму, оглядел его с ног до головы и, покачиваясь на носках, в отчаянии азартного игрока потребовал:

— Ну, если он глухонемой, пусть поговорит с моим Уильямом. А мы посмотрим, как он это делает.

— Видите ли, сейчас это невозможно потому, что брат сломал по дороге руку, — отвечал на это старичок.

— Сломал руку! — радостно, тоном победителя воскликнул Король. — Это очень кстати для обманщика, который не знает азбуки глухонемых.

И едва Король и Герцог, возбужденные удачной атакой, успели изобразить благородное негодование, как уже новая опасность нависла над мошенниками. Кто-то видел Короля на плоту у мыса с негром и с мальчишкой.

— Враки! Не было меня на плоту, — кричит Король и, забыв о приличии, угрожает обидчику кулаками.

Однако надо же как-то доказать свое право наследников...

— Нет ли тут кого-нибудь, кто помогал обряжать моего брата? — спрашивает старичок и, получив подтверждение, предлагает: — Тогда пусть этот джентльмен мне скажет, какая у Питера была татуировка на груди?

— Скажу! — заорал Король, одновременно и испуганно и бесстрашно.

Леоновский персонаж здесь и жалок и смешон.

— Да, сэр, я могу вам сказать, что у него было на груди, — говорит он, судорожно соображая, что же именно могло быть у проповедника на груди. — Я знаю, какая татуировка была у моего брата, — подбадривает Король сам себя, так как помощи ждать неоткуда. — Кто ж тогда знает, если я не знаю... Кому же знать, как не мне...

Король и нахальничает, и трусит, и заискивает, и угрожает, точно волчок вращается вокруг собственной оси. Толпа смеется, кричит: «Ну и говори! Какая?»

— Маленькая синяя стрелка, вот что. А если не приглядеться как следует, то ее и не заметишь.

Выпалив это, Король с достоинством оглядывает толпу, мол, каков я молодец, и не сразу слышит ответ гробовщика: «Не было. Не было...» — и крики толпы: «Мошенники! Да что там разговаривать! Утопить их всех — и точка!» Все это жульничество Короля, благодаря его артистичности, приобретает черты гротеска, доводит ситуацию до абсурда и как бы проявляет художественный смысл эпизода. Подлинный гротеск — форма трудно достижимая, но и наиболее емкая художественно. Это особенно проявилось в финальных эпизодах фильма. Пришла расплата за очередное мошенничество. Пьяная, уже пресытившаяся жестокостью толпа вершит суд над Королем и Герцогом.

И вот здесь-то режиссер переводит действие в иной план образности. Озверевшая толпа гонит перед собой нечто невообразимо страшное, даже отдаленно не напоминающее человека: это Король и Герцог, голые, вымазанные смолой и вывалянные в перьях, избитые, израненные, — не люди, не животные, химеры. Ужас холодит душу. Толпа гонит их к обрыву, чтобы ногами, топча и отталкивая, сбросить в бездну, в смерть.

И вот уже мошенники, ничтожные, жестокие, достойные кары преступники, уходят из поля нашего мысленного взора. Сила образности заставляет нас вместе с автором скорбеть о поруганной человечности, о жестокости, превратившей толпу в нелюдей, о жестокости самой по себе, потому что такая ее мера не вмещается в понятие людского возмездия.

Мир лицемерия и продажности, в котором правит его величество доллар, разбудил в человеке зверя, теперь обидчик и пострадавший в равной мере жертвы, и нет возможности восстановить разрушенный мир, потому что человек знает одно средство борьбы с жестоким преступлением — преступную жестокость. Трагическая нота завершает фильм. Финал романа несколько иной, иной именно в авторской интонации.

Когда толпа расправляется с Королем и Герцогом, которые столько издевались и над Геком и Джимом, Гек и Джим только наблюдают этот печальный конец. Автор фильма решает финал иначе, он снова посылает «весточку жизни»: плот, на котором спасаются Гек и Джим, разворачивается к берегу, чтобы подобрать изгоев.

Окровавленный Герцог распластан на плоту. Но Король — Леонов уже возвращается в лоно сюжета, жизни, реальности. Он находит щепку и начинает старательно соскабливать с тела смолу. Притихшие Гек и Джим молча следят за ним, потом Джим протягивает ему ножик: «Ножичком не в пример удобнее». Король берет нож, поворачивается к негру: «Встань, мавр, когда говоришь с королем Франции».

Свободно, легко, мастерски переходит Леонов от одного плана роли к другому, образ возникает от достоверной детали: интонации, жеста, бытовой подробности.

Работа Леонова с Георгием Данелия — счастливый пример творческого согласия, режиссер и актер не подводят друг друга.

«Для меня главное в Леонове, — говорит режиссер Г. Данелия, — всечеловеческое добродушие, которое несут его герои. Мне кажется, если в фильме играет Леонов, то атмосфера фильма согрета его добродушием. Для меня главное — отношение к человеку: либо веришь в него, либо не веришь. У меня с Леоновым общая вера в доброе в человеке. Я не знаю, мог ли бы я снимать просто смешные фильмы, может быть, и мог бы, но мне это неинтересно, смех для меня не самоцель, это метод. Мне кажется, если фильм с юмором, мысль автора становится доходчивей, не так назойлива. В Леонове я ценю незаурядное чувство юмора — без юмора быт пресен, а чувства приторны. Юмор неотъемлемая черта его артистической натуры, и поэтому он всегда интересен зрителю, я бы даже сказал — приятен зрителю.

Как режиссера меня пугают крайности — натурализм и высокопарность. Леонов не грешил ни тем, ни другим. Истинное реалистическое искусство не отрывается от быта, но и не замыкается в нем, это не все актеры чувствуют, а это, может быть, самое важное в современном фильме. Актеры для меня соавторы, и люблю я их за творческий вклад в фильм. Леонов всегда помогал мне выполнить профессиональную задачу: соединить узнаваемую достоверность и нервный драматизм».

Леонов умел довериться художественной идее автора, буквально проникнуться ею. Поэтому часто говорили, что исполнение Леонова становилось камертоном для других исполнителей.

В фильме «Совсем пропащий» прекрасен дуэт Леонова и Кикабидзе. Стройный, изящный, весь какой-то музыкально-ритмичный Кикабидзе и толстый, круглый Леонов, при этом не уступающий партнеру ни в пластичности, ни в подвижности. Сцена, когда они зазывают публику на представление, отплясывая современные ритмы, темпераментна, гротескна и чрезвычайно артистична. Остроумцы и шутники, они замечательно смешно и зло представляют своих героев-проходимцев в сцене похорон (стенания и молитвы), они так увлекаются этой игрой, что Герцог — Кикабидзе забывает о своей «трагической немоте». С упоением отдаваясь ситуации, актеры не теряют общения между собой, и в этом общении все точно, нота в ноту.

Особенность трагикомедии именно в том, что отдельная человеческая судьба, конкретная комедийная ситуация соотносится с категориями общечеловеческими, вписывается в контекст мироздания и обнаруживает свой трагический смысл. Король в фильме «Совсем пропащий» был скопищем пороков, растленной личностью, и все же мысль о попранном человеческом достоинстве, угнетенной человеческой натуре просвечивала в леоновском персонаже. Злодей, потому что злодей от природы, у Леонова не получался никогда.

В пьесе «Вор» польского драматурга Вацлава Мысливского Леонов играет роль Отца. Этот персонаж в центре событий. Драматическая притча без актов и сцен, как определил автор свое произведение для театра, похожа одновременно на философский диспут и на моментальные кинематографические зарисовки.

Действие переносит нас в тяжелые военные годы; люди не только чувствуют себя беззащитными перед лицом торжествующей несправедливости, но и теряют нравственные ориентиры. Ситуация взята условная, не в коллизии дело, не ее развитие определяет движение пьесы. Она лишь повод погрузиться в проблемы нравственной ответственности человека за себя, за то, что происходит вокруг.

— Боже мой, человека от вора не отличишь. Из-за этой войны все смешалось.

Все смешалось, трудно быть правым, трудно быть добрым, верить людям, трудно, почти невозможно стало согласие между людьми.

Все события пьесы свершаются в крестьянской избе, в одну ночь. Старый крестьянин и трое его сыновей поймали в своем огороде вора, за которым охотились давно. Поймать поймали, а что делать с ним — не знают. Отец уходит от решения, то кричит, то жалеет, опасается ошибки. Казалось бы, все просто: вот вор, вот картошка, которую он копал, пойман на месте преступления... Но виновен ли?

«В городах теперь голод»... «дети, жена, война»... «и пальто, видно, порядочного нет»... «и чего это он такой желтый?..».

И пытаясь как-то соединить эти разные правды — радость в доме: поймали вора, другим вот не удается поймать вора, и боязнь совершить жестокость, нарушить справедливость, потому что, когда уже нигде нет справедливости, «пусть она будет хоть в нас, здесь, в этом доме», — говорит Отец неуверенным голосом.

Начальные эпизоды, которые по отношению ко всей драме можно назвать еще только экспозицией, артист проводит мягко, нелепость Отца смешна, хотя предчувствие беды уже живет в нем. Леонову удалось очень точно определить внутреннюю характерность своего героя, она рождается как бы сама собой от правильно найденного «внутреннего склада души». «Сценическое самочувствие, — писал Станиславский, — имеет свои разновидности. У одних преобладает ум, у других чувство, у третьих воля. От них оно и получает свой особый оттенок».

Замечено, что, когда преобладает ум, возникает стремление к актерскому резонерству. Пьеса польского автора располагала к этому. Но у Леонова преобладает чувство — чувство ответственности отца за сыновей, крестьянина за землю и за плоды труда своего, чувство справедливости и, наконец, чувство тревоги за жизнь перед лицом опасности. Его ум от доброго сердца, он пробивается к истине страдая, через слезы и отчаяние.

Все свои сложнейшие монологи Леонов проводил так, что ясно слышалось его неуемное желание удержать сыновей своих от жестокости, от несправедливости. Хотя пьеса своей откровенной условностью позволяла артистам быть свободными от быта и правды житейского поведения, Леонов как всегда погружает своего героя и все действие в конкретность, добивается бытовой узнаваемости обстоятельств, поведения и в результате заставляет зрителя следить за персонажем, за его мыслями, его чувствами и верить ему.

Философские монологи артист пытается произносить как можно проще, сделать их естественными для своего мужицкого героя, где-то сердце ему подскажет, где-то опыт, а то и случай поможет. Длинные монологи становятся короче не за счет сокращения, а за счет актерского умения преодолеть красноречие и литературную словоохотливость, превратив слово в действие. Отец немного умничает, потому что он ведь старший, он ответственный, вокруг дети, ему надо сохранить семью, привычный и правильный, по его разумению, уклад семьи, поэтому, когда возникает разлад, явное и острое непонимание, он принимает удары на себя, только бы соединить всех на какой-то доступной всем основе. Станиславский считал, что «артист должен быть скульптором слова». И Леонов умел так вылепить мысль, чтобы зритель не только услышал и понял, но и увидел её и почувствовал. Поэтому леоновские «вольности» в монологах, когда он позволяет себе разбить интонационно фразу на две, что-то отодвинуть, стушевать, а что-то сделать выпуклее и красочнее, не только допустимы, но художественно оправданы. Артист как бы превращает каждый свой монолог в диалог с другими персонажами, его монолог движется если не их репликой, то их реакцией. Когда Леонов говорит, он втягивает в действие всех, кто на сцене, он буквально наступает то на одного, то на другого, взглядом, жестом требует участия. Логика и последовательность его действий и логика его мысли неразрывны и вызывают напряженное внимание к персонажу.

Эти монологи-сцены, монологи-действия — особая область в спектакле. Здесь от взаимопонимания с режиссером зависело многое. И, склонный к ярким сценическим решениям, построивший абсурдистские мизансцены, дающие нерв спектаклю, режиссер Марк Захаров нашел возможность соединения бытовой правды актера с условным действием и добился большой выразительности.

Война — абсурд и насилие над человеком; спектакль звучит как призыв к человеку сохранить себя в мире жестокости, не утратить в себе доброе зерно человечности.

То, что Отец — Леонов трагикомическая фигура, становится ясно в самом начале спектакля.

Еще, собственно, и не обнаружился конфликт между Отцом и сыновьями, все спокойно пока, им хочется вздремнуть часок, но Отец велит охранять Вора и следит, чтобы никто не спал. Доносится крик петуха...

— Вот, двенадцать — петухи кричать начинают.

— Это не двенадцать, — убеждает Отец. — Это запел скочиловский петух. Вот, слышишь, будто кость у него в горле... Он всегда не вовремя орет.

И начинается жуткая история про петуха, которого чуть бомбой не разорвало. Леонов рассказывает это как пустяковый житейский случай, рассказывает будто для того только, чтобы отвлечь от сна сыновей и уговорить их, что еще нет двенадцати. Но вместе с тем эта история звучит в его устах как тревожное напоминание о времени, о том, какой жестокий, какой суровый мир за стенами этой крестьянской избы, и потому надо быть начеку, наготове, а не спать...

Все как есть рассказал, странно, что не поняли его, реакции нет. Тогда в смущении Отец начинает палец рассматривать, точно от всей этой истории у него на пальце рана осталась. И хорошо даже, что история эта тонет в споре о часах, нужны ли часы в доме и где их взять? И почему за полцены не взял, когда предлагали? И уже накаляясь. Отец скажет:

— Я не покупаю у тех, кто на смерть идет!.. Часов им захотелось, мало что сами живы.

Вот в чем дело — тревога терзает старика, тревога за сыновей, за дом.

И про яблоки из своего сада он говорит как о весточке мирной жизни:

— Ребята, только ночью так яблоки пахнут.

Может быть, яблоко поможет им понять, чего от них Отец добивается — трудно остаться человеком, но надо остаться человеком.

— Война ведь грехов не искупает, — старается объяснить Отец. Ищет слова, заглядывает в глаза сыновьям, надеется убедить их своими добрыми наставлениями. — В войну зло лучшим не становится. Если б война воровство отпускала, и спесь, и алчность, и прелюбодеяние... но она же не отпускает, сынок. Так бы и ненависть людскую отпустить могла бы, и убийство человека человеком...

Он серьезен, он не хочет больше хитрить и уговаривать их, но должны же они понять: не просто быть справедливым, но надо ради себя, ради совести своей. Вот, ребятки мои, призываю вас остаться людьми.

Самое страшное испытание для него, самая тяжелая мука слышать, что сын его, Валек, человека хочет убить, утверждает, что убивал и теперь убьет.

Драматизм нарастает, Валек настаивает: справедливость требует, чтобы Вор был убит.

И тут силы Отца кончаются, аргументов у него больше нет, ничто не заботит его, пусть все видят и узнают до конца эту правду о его сыне...

— Где тут у меня был нож? Острый, для хлеба куплен, — проговаривает слова, которые как бы сами собой выскакивают... — Вот, возьми и убей. Господь это на мою совесть зачтет. Ну, убей же! Я буду проклят, потому что какие сыновья, таков и отец... Ну, чего ты? Убей. И меня вместе с ним. И пусть наступит покой. Грешный, но вечный.

Этот взрыв от бессилия и вместе с тем от внутренней силы человека, который способен дойти до край-

Во время гастролей театра в Свердловске я познакомился со студенткой консерватории Вандой Стоиловой. Вскоре мы поженились, а через год появился Андрюшка.

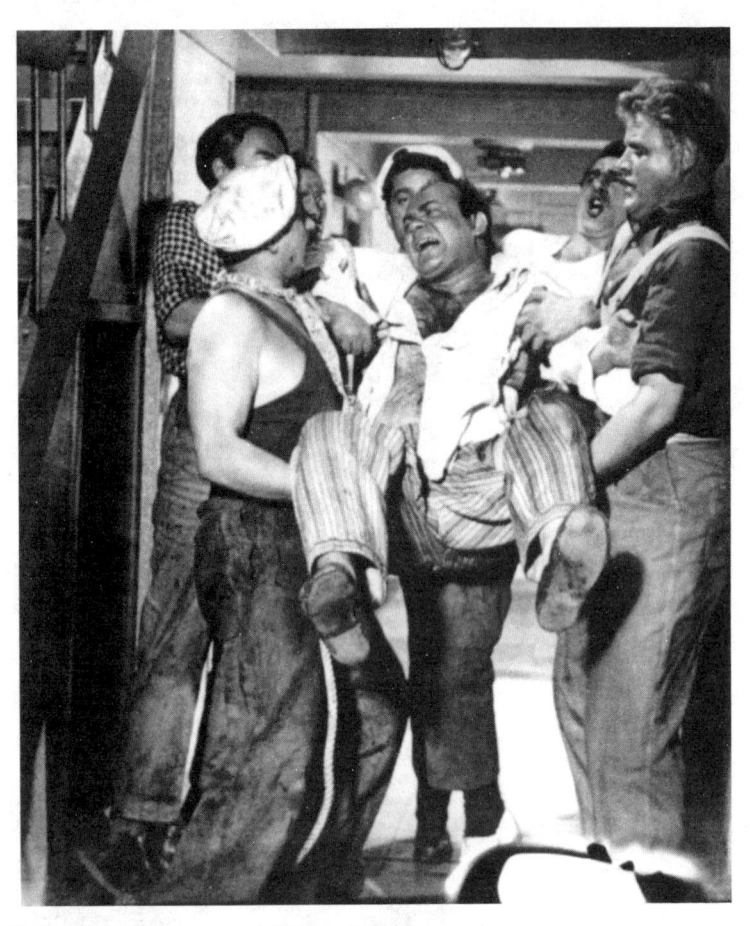

Я, быть может, не из смелого десятка, но, когда надо было, чудеса храбрости показывал. Хотя бы в «Полосатом рейсе».

Роль Шулейкина была целиком построена на комизме ситуации — характерный пример того, как актер обыгрывает свои внешние данные. Был ли я недоволен своим Шулейкиным? Нет, этого я сказать не могу. Но в то же время не могу уж так смело записать эту роль в свой творческий актив. Это, так сказать, эпизод в биографии, определенное звено в жизни актера.

Мой отчаянно смелый дебют в музыкальной комедии «Черемушки» принес отзыв самого Шостаковича. Великий композитор сказал, увидев и услышав меня в роли управдома, что ничего подобного до сей поры не слышал. Человек пел все между нотами, но при этом получилось по-своему интересно.

Я после этого отзыва со страху стал петь еще больше, но мне лично нравятся из моего «вокала» только песни Винни-Пуха. Если разобраться, так и Винни-Пух — это очень серьезная роль: маленький смешной медвежонок очень хочет принести окружающим пользу, а что из этого получается — знаете сами.

7*

Кроме театра и кино, люблю семью. Сына Андрюшку.

Прежде всего я театральный актер и основательно загружен в театре. Сейчас Львов-Анохин репетирует пьесу Л. Зорина «Энциклопедисты». Я играю роль композитора Куманькова.

В театре и в кино все происходило постепенно. Когда я считался уже крепким средним «полукомиком», произошла моя встреча с шолоховской литературой.

Владимир Фетин, постановщик «Полосатого рейса», пригласил меня сниматься в «Донской повести». Я был против, худсовет «Ленфильма» был против, а Фетин стоял на своем, шел на риск. Риск в искусстве — по-моему, это прекрасно.

Работа над ролью Шибалка
шла не трудно. Мы основательно подготовились,
искали грим, щетину, челку.
Я был уверен, что смогу
передать любовь к ребятенку — ведь к этому времени
у меня уже был Андрюшка.

После «Донской повести»
обо мне впервые стали
говорить серьезно.

На Международном кинофестевале в Дели
за роль Шибалка я получил
«Гран-при».

Чего я, актер Леонов, хочу от своей очередной роли? Хочу, чтоб зритель не оставался равнодушным. Если играю подлеца — пусть горячо осудит, если играю хорошего — пусть искренне полюбит.

Актер не должен играть прямолинейно. В фильме «Первый курьер», играя жандармского полковника, я видел в нем, может быть, и хорошего человека, но он делал свое дело и заставлял людей становиться предателями.

Эльдар Рязанов всегда преподносит мне дорогие и неожиданные подарки, подобно тому, как в «Зигзаге удачи»: я, скромный сотрудник фотоателье, выигрываю огромную сумму денег.

Мой учитель по театральной студии Андрей Александрович Гончаров стал главным режиссером Театра имени Маяковского и несколько раз приглашал меня перейти к нему на работу. В его театре был интересный репертуар. В конце концов я перешел.

Счастьем была роль Ивана Приходько в фильме «Белорусский вокзал». Это добрый, мягкий, чистый человек, умеющий всегда быть прямым и честным. Он сумел сохранить открытые на войне истины, не разменять, не потерять их на дорогах жизни.

В нем огромный запас человеческой прочности. Вот он и с виду вроде неказистый, и ничего такого в жизни не добился — обыкновенный слесарь, как это говорится, «маленький человек». А на проверку получается большой. Потому что мудр своей добротой, доброжелательностью к людям и очень скромен по отношению к себе.

Нам всем так много удалось сказать о войне без войны, что и внукам будет не стыдно смотреть. Если захотят, конечно.

Режиссеры так поверили в меня, что в фильме «Джентельмены удачи» поручили сразу две роли: жулика по кличке Доцент и заведующего детским садом, доброго, милого человека.

Фильм пользовался большим успехом, но, с моей точки зрения, он беднее сценария.

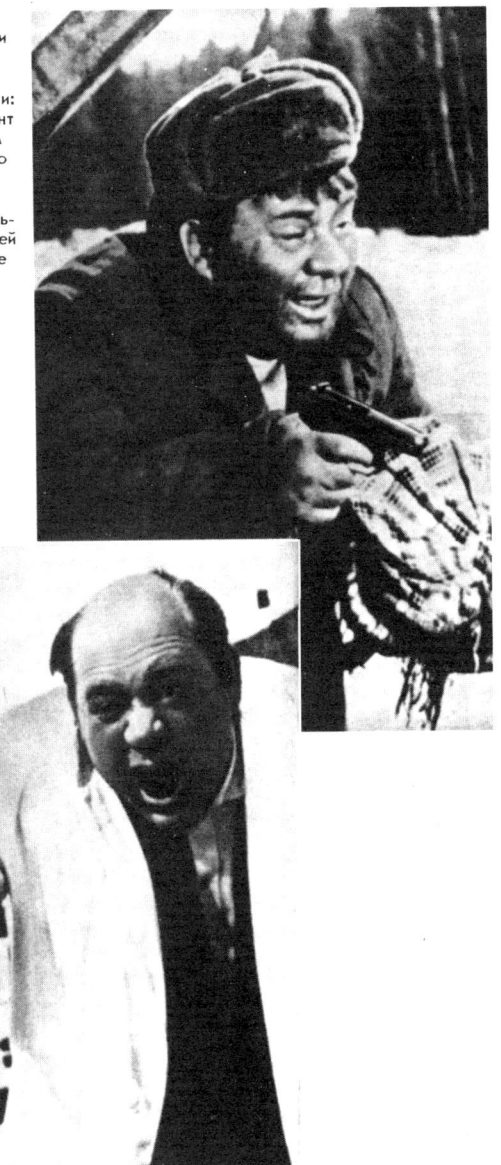

В редкие дни отдыха
уезжаю с женой и сынишкой
в подмосковные леса. Сын
Андрюшка сейчас в таком
возрасте, в каком был я,
когда стал мечтать о театре.
У него тоже есть свои мечты
Он хочет быть солдатом.

«Человек из Ламанчи» был первым спектаклем в жанре мюзикла на русской сцене. Поэтому работали долго и упорно.

Мой Санчо Панса был вроде и смешной, но и добрый, во всём помогающий Дон Кихоту.

ности, если час настанет. Трагический в неразрешимости своей вопрос: что вообще значит жизнь человеческая в войну.

Спектакль «Вор» свел на сцене Евгения Леонова и Андрея Леонова. В 1983 году Андрей вернулся из армии и ему предстояло возобновить в театре свои старые работы, в основном это роли небольшие, эпизодические и кордебалет в мюзикле «Юнона» и «Авось». Неожиданно оказалось, что молодой артист, исполнявший роль Михася, младшего сына в «Воре», ушел на съемки и нужен был срочный ввод. Предложили Андрею. Он поначалу даже растерялся: одно дело «свои» спектакли, другое — вот так сразу сыграть в новой и сложной пьесе. Но вместе с тем он, конечно, чувствовал, что роль для него. В спектакле явно очень сильно ощущается внутренняя связь и какое-то особое притяжение самого старшего — Отца и самого младшего — Михася, который не всегда может вставить слово в спор братьев с Отцом, но и молчание его красноречиво.

Андрей вошел в спектакль, и новая волна душевной энергии накатилась на всех его участников. Не только Леонов — Отец, но буквально все, и самый жестокий из братьев, и чужак этот, вор, — все постоянно держали в сознании, учитывали Михася, хрупкого юношу, почти физически не принимавшего состояния войны между людьми, озлобления, подозрительности.

Андрей — Михась, натянутый как струна, был готов броситься на помощь каждому, кого обижали. Он жалел вора и так любил Отца, когда тот брал несчастного под защиту или угощал яблоками. Мальчик, как и мудрый старик Отец, чувствовал, что главная опасность —

в ненависти, в озверении людей. Он ходил по сцене бесшумно, как бы боясь навлечь на себя гнев и одновременно желая уберечь этого бедного человека; только бы не убили его. Взгляд встревоженный, быстрый, руки, вся пластика артиста рождали образ детского плача над неразумностью взрослых.

И быть может, особое какое-то напряжение, прямо-таки метафизическое, появилось в Леонове старшем: защитить, сберечь, образумить, ведь только он все понимает и за всех в ответе. Уже второй сезон шедший спектакль вновь обрел премьерную силу.

Андрею, как и всем вообще молодым артистам, и лестно, и трудно, и радостно всегда было играть с Леоновым. «Чувствуешь себя в безопасности, но вместе с тем не расслабляешься, а, наоборот, собираешься», — говорил он. Это точно: нельзя отсутствовать душой, когда ты рядом с Леоновым, он постоянно с тобой в контакте, он может так посмотреть, что тебе хочется сочинить немедленно реплику, ответить. Его присутствие все всегда ощущали, а в этом спектакле он вообще не уходил со сцены, можно сказать, он постоянно контролировал все сценическое пространство.

Леоновский персонаж — бытовой, наивный, смешной, суетливый, и он же тонкий, нервный, мудрый, трагический.

Бытовая, эстетическая, психологическая стороны игры Леонова не существуют раздельно, они крепко связаны друг с другом. Благодаря этому финал спектакля, решенный режиссером как трагический гротеск, кажется естественно вытекающим из сценического действия. Пьяная вакханалия, учиненная Валеком на исходе ночи, отрешенные и потерянные персонажи, и выстрел, сразивший младшего сына — Михася, — трагическая гримаса времени, лик войны, запечатленный беспощадной рукой художника, знающего приговор истории. Трагический гротеск — высшая форма сценического творчества. Леонов взял и эту высоту.

«Карусель», «Тридцать три», «Дети Ванюшина», «Совсем пропащий», «Вор» — какие разные произведения, стилистически несхожие, далеко стоящие по своей образности. И какие разные герои: Нюхин, Ванюшин, Король, Отец. Один смешон, не сознавая того, другой даже обозлился бы, если бы кто вздумал смеяться над ним, третий нахально, откровенно смешон, четвертый трогательно смешон, — но почему-то, прощаясь с этими героями, вспоминая их, ощущаешь более всего горечь, боль, тоску, точно на твои плечи возложен груз ответственности за непорядки в жизни, за них за всех.

Леонов легко вышел из амплуа комика, можно сказать, сама судьба позаботилась об этом. Всем было ясно, что этот актер может очень многое, и он наиболее интересен в тех ролях, которые дают ему возможность выразить свою главную идею — любовь к человеку. Вот почему разговор о его ролях хочется закончить ролью Сарафанова в телевизионном фильме режиссера Виталия Мельникова «Старший сын». Сарафанов в такой мере воплотил идеальные представления артиста о могуществе человеческой доброты, что было бы невероятно, если бы Леонов не сыграл его.

Эта роль — одна из самых ярких и значительных его работ.

Чудак, способный только любить и верить, верить и любить, скромный кларнетист, всю жизнь сочиняющий ораторию «Все люди — братья», Леонов — Сарафанов своим простодушием и добротой буквально потрясает.

Все лучшие черты человеческой натуры, все сильные стороны актерской индивидуальности Леонова оказались необходимыми в этой роли.

Бытовая достоверность, занятность внешнего облика и особая леоновская пластика удивительно подошли Сарафанову.

И его сбивчивая речь, органическая неспособность к красноречию человека, который говорит только самое важное, чего нельзя не сказать, — речь таких людей обычно афористична, именно так написаны Вампиловым диалоги Сарафанова.

И умение Леонова молчать, и способность слушать и слышать партнера здесь, в этом фильме, прямо работали на образ персонажа.

«Этот папаша — святой человек», — скажет Бусыгин, едва познакомившись с Сарафановым. И вся его шутка (Бусыгин представился незнакомому человеку его старшим сыном) теряет привлекательность водевильной путаницы. Анекдот в сюжете лишь повод для выяснения очень серьезных вопросов жизни, морали, внутренней устремленности людей к подлинным чувствам, к пониманию себя и других.

К высоким истинам ведет нас леоновский Сарафанов, нимало не подозревая, что ему выпала такая миссия. Сарафанова делает мудрым доброе отношение к людям, душевный настрой на доверие и неспособность подумать в какой бы то ни было ситуации о себе прежде, чем о другом. Верно сказано о нем — блаженный. Жена оставила его с двумя маленькими детьми, но, вспоминая об этом через четырнадцать лет, он старается объяснить ее поступок: «Ей казалось, что вечерами я слишком долго играю на кларнете, а тут как раз подвернулся один инженер — серьезный человек...» На работе у него тоже вечно какие-нибудь сложности. Он неплохой музыкант, но никогда не умел за себя постоять. Работал в симфоническом оркестре, а теперь играет на танцах. Но все печали, неудачи, все удары судьбы удивительным образом переработала душа этого человека.

— Жизнь умнее всех нас живущих и мудрствующих, — говорит Сарафанов. — Жизнь справедлива и милосердна. Героев она заставляет усомниться, а тех, кто сделал мало, и даже тех, кто ничего не сделал, но прожил с чистым сердцем, она утешает.

Леонова всегда интересно наблюдать в действии. Он не движется — ходит, не говорит — разговаривает, для него нет текста, который надо сказать, слова возникают по ходу дела, рождаются на глазах. Монолог, «укутав в действие», он проговаривает так, словно сказал пару слов.

В стилистике фильма «Старший сын» это дало решающий художественный эффект. Герой Леонова все время в действии. То дети ссорятся, то у Васеньки несчастная любовь, и он, Сарафанов, по-отечески, хотя и наивно, старается оградить сына от страданий. То вдруг объявился «старший сын», то Нина — дочка, умница и красавица, приводит жениха, который как-то странно не вписывается в этот дом, но разве скажешь человеку такое... И сколько еще событий, требующих душевного участия Сарафанова! Весь в делах, в заботах, в действии, часто нелепый и смешной, очень наивный, не защищенный от людских обид, он несет в себе некий внутренний свет, который проясняет поступки, слова всех окружающих его персонажей фильма.

Вспомним подробно одну сцену. Ночью, когда дом затих, дети уснули, Сарафанов и Бусыгин беседуют на кухне — надо же побыть со старшим сыном с глазу на глаз, что-то самое главное сказать ему, узнать что-то...

Сарафанов в майке с длинными рукавами — вид не просто домашний, а какой-то патриархально-архаический и смешной. Неосознанное, едва уловимое желание понравиться сыну руководит его действиями. И одновременно робость, боязнь быть непонятым, показаться навязчивым. Рассказ о себе краткий, конспект жизни в двух словах:

— Я служил в артиллерии, а это, знаешь, плохо влияет на слух... Гаубица и кларнет — как-никак разные вещи... Не все, конечно, так, как замышлялось в молодости, но все же. Зачерстветь, покрыться плесенью, раствориться в суете — нет, нет, никогда.

Он то заглядывает в глаза молодому человеку, то в смущении прячет взгляд. И вдруг совершенно неожиданно, так, что и не понять сразу, сообщает главное:

— Я сочиняю. Каждый человек родится творцом, каждый в своем деле, и каждый по мере сил и возможностей должен творить, чтобы самое лучшее, что было в нем, осталось после него. Поэтому я сочиняю.

Этот круглый, нелепый человек в майке, он еще сочиняет? Бусыгин в недоумении:

— Что сочиняешь?

А дальше уже начинается такое, что описать трудно. Сарафанов «бегом» приносит ноты и кларнет. Он берет инструмент в руки, чтобы сейчас, сию минуту показать «старшему сыну» свою музыку — ораторию «Все люди — братья».

— Я выскажу главное, только самое главное.

Предельно серьезно это. И предельно смешно. Ночь, все спят. Одинокий голос кларнета может разбудить всех, и минута откровения превратится в курьез. Но Сарафанов этого не учитывает, не может учесть — музыка звучит в нем, и ему кажется, она прекрасна. Он подносит к губам кларнет, он открывает ноты, вот сейчас голос кларнета разорвет тишину. Но одновременно в нем живет сомнение, готовность обидеться:

— А может, сейчас не надо? Потом, в другой раз...

И он укладывает бережно кларнет и собирает ноты.

Такое сложное состояние души, такое множество эмоций, желаний, сомнений, надежд, откровений, что кажется просто невозможным передать все это через поведение в роли. Здесь результат полного погружения в героя, глубокого понимания сути характера и его нравственной идеи.

Философская притча по существу, трагикомедия по жанровым признакам, пьеса Вампилова близка артисту по духу. Леонов верил, что Сарафановы, эти добрые чудаки, были и будут и что любовь к человеку всегда противостоит разобщенности, душевной апатии, безверию.

Всю свою актерскую жизнь — а уж три десятилетия точно, — Леонов провел в режиме «звезды».

Очередная кинокартина с Леоновым в главной роли выходила на экраны, а за монтажным столом «Мосфильма» складывалась следующая с его участием, в павильонах шли съемки, а в квартире Леонова в Москве, на Комсомольском проспекте, раздавались звонки: режиссеры, студии приглашали в новый фильм; и почта приносила толстые пакеты со сценариями, каждый из которых надо было прочитать, обдумать, обсудить на семейном совете и только тогда дать ответ. Жена Леонова Ванда Владимировна — театральный критик, она первый и самый строгий судья его работ на протяжении всей жизни.

Леонов работал очень много, всегда серьезно и увлеченно. Будет ли его новая роль драматической или комедийной, не это волновало артиста. Читая новый сценарий, он хотел обнаружить в нем главное для себя — правду человеческого характера и причастность рассказанной истории нашей жизни.

Нужно особое умение читать сценарии, чтобы от тебя не ускользнула авторская интонация, чтобы зерно нового взгляда на мир, на человека, на явления нашей действительности не потерялось в деталях, подробностях, частностях. И особое чутье, способность видеть подлинную жизнь, атмосферу живой реальности, в передаче которой сценарий подчас бывает довольно скуп, но, если черты этой реальности схвачены, актеру открывается широкое поле деятельности.

«Сняться в плохом фильме, — сказала замечательная актриса Фаина Раневская, — все равно что плюнуть в вечность». Как уберечься актеру от неудачи? Неудача ведь неудаче рознь. В искусстве никто не застрахован от неудачи, от провала даже. Чем интереснее, неожиданнее, ярче замысел, тем больше опасность — а вдруг не получится? Но бывает неудача в кино, предопределенная сценарием; соглашаясь сниматься в таком фильме, актер уже вступает в неудачу. От этого он может и должен себя уберечь, чтобы не обмануть любовь и доверие зрителя.

Конечно, есть такие актеры, которые всегда знают, чего от них ждут, на что надеются, и само сознание соответствия роли их неоднократно проверенному амплуа внушает им уверенность и помогает в работе. Но подлинный артист никогда не довольствуется уже известным, найденным, открытым, он идет вперед, ищет, рискует — и в этом для него мука и радость творчества.

В журнале «Советский экран» (1969, № 3) была напечатана статья драматурга С. Алешина «Испытание успехом». Эта очень глубокая, серьезная, восторженная статья об артисте заканчивалась наметками репертуара для Леонова. И надо сказать, что автор статьи угадал многие сокровенные желания Леонова. Алешин не сомневался, что «дело Леонова — Фальстаф, Фамусов, а может быть, городничий, а может быть, король Лир и Ричард III». Добавим к этому: Тевье и Иудушка Головлев, — получится прекрасный репертуар! Увы, реальностью стал только Тевье, и о нем разговор отдельно.

Если же речь заходила о герое-современнике, Евгений Павлович говорил: «Я бы хотел, чтобы мой герой-современник был моего возраста, но чтобы он работал и жил среди молодых. Это самое трудное и самое важное — понимать и принимать их заботы».

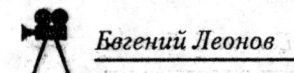

...Леонов обращался к зрителям на языке классических пьес и языке газеты, далекое умел приблизить, сегодняшнее приподнять, он жил не только собственной жизнью, его сердце вмещало заботы многих и многих людей, он разделял их беды и трудности, и потому постепенно его имя стало означать Человека, который интересен не только как артист. Всюду хотели его видеть: спортсмены просят быть их «талисманом» на Олимпиаде, артисты выбирают директором Дома актера, школьники зовут на выпускной вечер, космонавты просят на концерт, журналисты ждут интервью, в Институте кинематографии предлагают актерский курс. И за всем этим люди, друзья, ответственность. Удивительно, как все для него было важно: он мог подробно обсуждать какие-нибудь внутритеатральные дела, все воскресенье беседовать с автором пьесы, читать по ночам письма зрителей и мечтать, как он однажды напишет всем ответы... И как знать, может быть, именно эта жизненная полнота привела к тому, что все его работы в театре и в кино оказывались в центре внимания, затрагивали какие-то важнейшие болевые точки общественного сознания. Играл ли он в телевизионных мюзиклах Марка Захарова Короля демократом-самодуром или в его же постановке «Оптимистической трагедии» Вожака, отца родного — изувера, он сообщал зрителю некое дополнительное, собственное знание жизни, данного момента нашей жизни, и зрители всегда его понимали.

К Леонову признание пришло рано. И это не популярность известного имени и не титулы, которыми величает страна своих лучших артистов, — это действительно была любовь, любовь и признание народа.

В театр и на киностудию, в телецентр и домой шли письма, в которых зрители благодарили артиста за искусство, вселяющее веру в человека, веру в добро.

«Для нас праздник— видеть Вас», — это из письма семьи Коростылевых из Норильска.

«Спасибо за радость совместного труда», — слова, написанные на программке в день премьеры коллегами по театру.

В среде профессионалов и в среде зрителей Леонов сохранял спокойное достоинство человека, которого интересует труд, а не аплодисменты.

Он любил людей, и люди любили его. И поэтому он успел многое сделать не только для нас, его современников, но и для будущего.

Евгений ЛЕОНОВ

# Письма сыну

## *Вместо предисловия*

Два обстоятельства хотел бы я поведать читателю, который возьмет в руки эту книгу.

Первое: мою книгу написал не я, вернее, не только я.

Дело было так: одно московское издательство предложило мне написать книгу в серии «Мастера искусства — молодежи». Возникла пауза, такая большая сценическая пауза, — немая сцена! —но я не отказался. Поскольку я пел, не умея петь, и даже пел перед изумленным Дмитрием Дмитриевичем Шостаковичем его сочинение к фильму «Москва — Черемушки», не попадая ни в одну ноту, то я и на этот раз на что-то надеялся. Я стал рассказывать своим друзьям об этом предложении. Все в недоумении пожимали плечами: как, мол, так, книгу написать, легко сказать. Я и сам это понимал. Но у меня есть друг — Нинель Хазбулатовна Исмаилова. Она журналист. Мы с ней двадцать лет беседуем об искусстве, о жизни, об Андрюшках. У меня есть сын Андрей, и у нее есть сын Андрей, и они тоже дружат; и считается, что я их балую, а она их воспитывает, а когда я их воспитываю, она их балует. Поэтому мы вместе сделали телевизионную передачу для родителей «О пользе смеха в воспитании». А еще раньше она написала обо мне книгу, которая вышла в издательстве «Искусство». И, если я затрудняюсь ответить на какой-нибудь вопрос о своем творчестве, я звоню ей — и все проясняется. И вот я ждал, что скажет она.

Она улыбнулась и сказала: «Хорошая книга может быть, знаешь какая? — Я не знал. — Письма сыну».

Возникла пауза. Все, кто был в комнате, переглянулись. Большая пауза, которую в кинематографе принято забивать дикторским текстом. Дело в том, что я по своей актерской профессии много разъезжал и всегда писал письма сыну, и когда он был совсем маленький, и когда вырос. Многие письма сохранились, но я понимал, конечно, что для книги надо писать заново — нужен иной, не внутрисемейный масштаб разговора о жизни и творчестве, и надо попытаться сформулировать свое кредо. Немая сцена кончилась, и мы договорились о беседах, которые стали записывать на магнитофон. И работа пошла.

Так образовалась эта литературная семья, которую скрепила круглая печать издательства.

Второе: эта книга не мемуары в обычном смысле, хотя материалом для нее послужили мои жизненные наблюдения, встречи, разговоры, впечатления. Изложены они подчас как воспоминания, но не хронология определяет последовательность событий и фактов моей жизни, а логика размышлений, обращенных к сыну — школьнику, студенту, артисту, солдату. Мне кажется, подлинная цена наших знаний о жизни обнаруживается не сразу; с годами в сознании расширяется значение того или иного события, ибо память соединяется с новыми впечатлениями. Человеческая память не сундук со старьем, мы помним то, что не теряет для нас смысла, а стало быть, связано непосредственно с сегодняшним чувством.

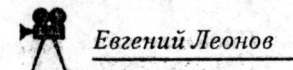

*Евгений Леонов*

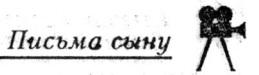

# Письма школьнику

*Ленинград. 27.IX.74*

Андрюшенька,
только положил телефонную трубку — и сразу захотелось еще что-то сказать. Глянул на часы — **полночь**. И вот пишу. Однако ты хорош, сыночек, специально, что ли, ждал, пока уеду, чтобы по телефону сказать о своем решении поступать в театральное — то ли шутка, то ли слишком серьезно...

Радуюсь ли я, что ты хочешь стать актером? Радуюсь, это укрепляет наше родство, ибо нет ничего выше духовного братства. Но, сказать по совести, это меня и пугает — труден актерский путь. Мое упущение, **ошибка**, что моих трудностей ты не знал. А ведь есть только одна цена в искусстве — беспощадность к себе. Ах, сынок, я в смятении. Я подумаю. Я напишу тебе.

*Отец*

*Ленинград. 28.IX.74*

Андрей,
остаюсь в Ленинграде на две недели, поэтому буду писать длинно, буду писать тебе каждый день.

Я не собираюсь умирать — мне еще нет пятидесяти. Я работаю, и буду падать и подниматься, и ошибаться, и мучиться, как я радовался, и мучился, и переживал всегда... Я просто хочу тебе, а может, и твоим товарищам, и не только тем, кто будет работать в искусстве, рассказать о том, как я падал и счастлив был, как я работал, с кем встречался, кого терял, приобретал...

Может, тебе моя жизнь в театре представляется каким-то восхождением. Со стороны многим кажется: вот счастливчик, который постепенно, но все время вперед шел, поднимался. Ты знаешь, у меня есть такие «санитарные дни», я сам их так назвал. Живу, живу, а потом начинаю думать: что же я сыграл? и что это для меня? а не похожие ли это роли? Иной раз не могу понять — хорошо что-то или не так хорошо... Смотрю свой фильм, свою роль, вроде что-то нравится, а вроде и похоже на то, что было в предыдущей роли... Если я еду куда-нибудь, я не скучаю, потому что беседую сам с собой. В поезде кто книжку, кто что, а я вытаращусь в окно и начинаю о чем-то думать, о своей жизни. Даже сегодня вот проснулся в 7 часов и до 9 лежал и обдумывал свою жизнь и скоро, конечно, на искусство перекинулся... Фальстафа хочу сыграть. А что будет, сумею ли? Часто я считал, что неправильно что-то у меня в жизни складывается, искал выход. Молодыми актерами ходили мы до ночи от театра (Театр имени Станиславского на улице Горького) до моего дома (недалеко от площади Маяковского), приходили ко мне ночевать, неделями не расставались — и все мы по улице идем, и спорим, и разговариваем о нашей профессии. Сейчас в театрах полегче: молодые ребята роли получают с ходу, а тогда было сложнее — то ли пьес ставили меньше, то ли совсем мы были беспомощные, и я в частности. После училища год я был в Театре Дзержинского района, а с сорок восьмого — в Театре имени Станиславского, а первую большую роль — Лариосика в «Днях Турбиных» — я получил в пятьдесят шестом...

Понимаешь, я начинал свою театральную жизнь в суровое время, был момент, когда театры закрывали, закрывались киностудии. Естественно, что в театрах было не совсем хорошо. Я даже помню нашу директрису — она до театра была прокурором то ли судьей — тогда это было возможно... Спектаклей ставили мало, а выпускали почтовые открытки и бумагу для писем с фотографиями из наших спектаклей. Это такой доход приносило, что спектакли и не нужно было ставить. Так вот, эта женщина, директор Театра имени Станиславского, при проведении очередного сокращения все на меня посматривала.

В течение скольких лет я, кроме массовок, ничего не играл. А потом пришел Яншин, прекрасный артист Художественного театра, стал главным режиссером Театра имени Станиславского, и при нем я первые годы тоже ничего толком не играл. У меня стало появляться сомнение: правильно ли я сделал, что пошел в искусство... И были мысли бросить это дело совсем, хотя мне казалось, что я люблю очень театр. В том году мы поставили только один спектакль. Мы его даже, пожалуй, года два ставили — «Чудаки» Горького. Яншин ставил, и больше ничего не репетировали. Можно сказать, я был готов отступить, почти отступил... Что значит отступить? Это когда человек не использует свои силы до последнего.

Вот ты говоришь мне: «Не знаю, хватит ли сил, получится ли, и вообще...» Голос твой мне не нравится.

Ты что, неудачи боишься? А я, по-твоему, не боюсь? Искусство — риск, для народного артиста и для тебя, делающего первые шаги, искусство — риск. Если ты надеешься обойтись без синяков и шишек, оставь это дело, не начиная.

Я помогу тебе, у нас впереди почти два года. Ты еще в девятом классе — будем заниматься, подумаем о репертуаре для тебя, посоветуемся — это чертовски важно — свой репертуар, в нем артист лучше, чем он есть.

Ты записался в секцию по фехтованию, теперь я понял, что неспроста. Молодец, очень пригодится — гибкость, ловкость, красота движения — азбука ремесла. Но всего важнее, Андрюша, подготовить свой дух. Как к полету в космос: готов на все!

Ау! Слышишь меня?

*Отец*

*Ленинград. 29.IX.74*

Андрюшенька,
что-то ты не весел, не бодр, или мне только показалось это по телефону? И еще не понял: почему надо тщательно скрывать твое желание поступать на актерский после школы? Что тут плохого, почему ты считаешь, что об этом не должны знать ни ребята, ни учителя, ни наши знакомые? Тебе, мой друг, явно смелости не хватает, а актерское дело требует лихости и отчаянности. Я, быть может, тоже не смелого десятка, но когда надо было, чудеса храбрости показывал. Хотя бы в «Полосатом рейсе». Я, правда, в пасть к тигру не лез, как некоторые дрессировщики делают, но страха от зверюг полосатых натерпелся. Я хорошо помню съемки этого

фильма. Помню, как мы приехали на корабль, красивый очень. Ко мне подошли режиссер, оператор и сказали: «Ты не волнуйся, мы придумали очень смешной эпизод. Посадим тебя в клетку, выпустим тигров и посмотрим, что будет». Я говорю: «Нет, я не согласен. У меня семья, маленький сын, я против». Меня, конечно, уговорили, ведь я же дал согласие сниматься в этом фильме. Сами все попрятались. Режиссер смелый-смелый, а сам залез на мачту, оттуда все видно — руководить легче. Оператор спрятался в железный ящик, выставил камеру. Посадили меня в клетку, выпустили тигров. Тигры подошли, понюхали и пошли дальше палубу осматривать. Тигры не бросаются — комедия не получается.

Режиссер кричит: «Дрессировщик, почему твои животные не бросаются на артиста?» — «Они к нему принюхались, — говорит, а сам запихивает ко мне в клетку живого поросенка и шепчет: — Леонов, возьми вилку, поколи поросенка, а то тигры на него не реагируют». Я говорю: «Тебе надо, ты и коли, у меня другая профессия».

Зато что творилось на палубе через минуту, когда тигры учуяли поросенка! Они его через прутья поцарапали, поросенок визжит, тигры от этого еще больше свирепеют. Я кричу, поросенка прижимаю. А поросенок от страха совсем обезумел, на меня стал кидаться.

Тигры рычат, поросенок визжит, я кричу: «Дрессировщик, стреляй, не то всех сожрут вместе с палубой».

Дрессировщик выстрелил, в воздух конечно, но тигрица Кальма от всего это визга и грохота бросилась в море... Целый час ее спасали и спасли, конечно. Об этом случае много было написано в газетах и журналах — в «Огоньке», в «Юности», а молодой тогда писатель Юлиан Семенов даже написал повесть. Вот так-то, друг мой Андрюша. А тебя пока тиграми никто не пугает, а только экзаменами вступительными. Так что смелее, смелее!

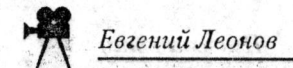

*Папа*

*Ленинград. 30.IX.74*

Здравствуй, Андрей!
Так работали на съемочной площадке, так мудрили и веселились, даже захотелось, чтобы ты был здесь и сам это увидел. Ты пьесу-то «Старший сын» дочитал? Давно я не испытывал такого восторга от пьесы и от сценария. Какой писатель этот сибирский парнишка Вампилов! Могучий талант.

Его Сарафанов, теперь называю «мой Сарафанов», герой нашего фильма, — потрясающая сила. Стоит мне сказать себе: «Я Сарафанов», как ко мне приходит абсолютная ясность, как будто все предстает передо мной в своем истинном виде — люди, поступки, факты. И как будто все вокруг понимают: хитрить и скрываться не следует. Не могу тебе передать, какое чувство внушает мне этот человек. Иногда думаю: да ведь это какое-то ископаемое, теперь таких нет; другой раз думаю: это личность из будущего, совершенно лишенная скверны мещанства.

Бусыгин, прохвост, назвавшийся его старшим сыном, говорит: «Папаша этот святой человек». Похоже, ты знаешь, похоже, что святой. Жена оставила его с двумя маленькими детьми, а он старается объяснить ее поступок: «Ей казалось, что вечерами я слишком долго играю на кларнете, а тут как раз подвернулся один инженер — серьезный человек...» Никогда он не умел за себя постоять, все удары судьбы принимал смиренно, не теряя достоинства.

Он оказался наивным — так легко разыграли мальчишки историю со старшим сыном: явились с улицы, в полночь, опоздав на последнюю электричку, в дом и подшутили: я ваш сын, я ваш брат и т. п. В такую наглую чепуху кто же поверит? Первое, что все видят и утверждают, — наивный человек Сарафанов. А мне, ты понимаешь, кажется, не в наивности дело. Чистота его представлений не допускает возможности шутить над отцовством, любовью. Я ведь тоже так считаю. Поэтому, когда возникают такие категории, он безоружен, мелочи для него неразличимы. И понимаешь, моя задача сделать так, чтобы и все другие «воспарили», духом воспарили над собой, то есть поняли бы Сарафанова, и он бы не казался больше им жалким, а напротив — могучим в своем умении всех любить.

Режиссер Виталий Мельников — кажется, я тебя с ним познакомил в Москве, такой маленького роста, с острыми, живыми глазами — очень умный и, мне кажется, влюблен в Сарафанова, как я. Мы добьемся, чтобы нас поняли все — и на съемочной площадке все-все, и в зрительном зале — все.

Надо Чехова почитать, он поможет. Ты возьми, Андрей, зелененький томик, а приеду — вместе почитаем.

Не зли мать, Андрей, без алгебры тоже аттестат не получишь. Звоните мне после 12 ночи или утром до 9.

Завтра будем снимать ночную сцену — разговор с сыном. Откровенность, надежды, сомнения — и, заметь, все это, все смешно... Сомневаюсь, что снимем в один день, — труднейшая сцена. Кажется, даже я трушу или, уж во всяком случае, так волнуюсь, что это может повредить. И не придумаю, как снять напряжение.

Пошел глотать снотворное. Спокойной ночи, сынок.

*Папа*

*Ленинград. 3.Х.74*

Андрюша,
ты люби меня, как я люблю тебя. Ты знаешь, это какое богатство — любовь. Правда, некоторые считают, что моя любовь какая-то не такая и от нее, мол, один вред. А может, на самом деле моя любовь помешала тебе быть примерным школьником? Ведь я ни разу так и не выпорол тебя за все девять школьных лет.

Помнишь, ты строил рожи у доски, класс хохотал, а учительница потом долго мне выговаривала. Вид у меня был трижды виноватого, точно я стою в углу, а она меня отчитывает как мальчишку. Я уже готов на любые унижения, а ей все мало: «Ведь урок сорван... — ведь мы не занимаемся полноценно сорок пять минут... — ведь сам ничего не знает и другим учиться не дает... — ведь придется вам его из школы забрать... — ведь слова на него не действуют...»

Пропотели рубашка, пиджак и мокасины, а она все не унималась. «Ну, думаю, дам сегодня затрещину, все!» С этими мыслями пересекаю школьный двор и выхожу на Комсомольский проспект. От волнения не могу сесть ни в такси, ни в троллейбус, так и иду пешком...

Женщина тащит тяжелую сумку, ребенок плачет, увидев меня, улыбается, спиной слышу, мать говорит: «Вот и Винни-Пух над тобой смеется...» Незнакомый человек здоровается со мной... Осенний ветерок обдувает меня. Подхожу к дому с чувством, что принял на себя удар, и ладно. Вхожу в дом, окончательно забыв про затрещину, а увидев тебя, спрашиваю: «Что за рожи ты там строил, что всем понравилось, покажи-ка». И мы хохочем.

И так до следующего вызова. Мать не идет в школу. А я лежу и думаю, хоть бы ночью вызвали на съемку в другой город или с репетиции не отпустили бы... Но Ванда утром плачет, и я отменяю вылет, отпрашиваюсь с репетиции, я бегу в школу занять свою позицию в углу.

Какие только мелочи достойны наших переживаний...

Я оттого и пишу эти письма, чтобы исправить что-то неправильное, и выгляжу, наверное, смешным и нелепым, как некоторые мои персонажи. Но ведь это я! В сущности, дружочек, ничего нет проще живой тревоги отцовского сердца.

Когда я один, вне дома, тоскуя, вспоминаю каждое твое слово и каждый вопрос, мне хочется бесконечно с тобой разговаривать, кажется, и жизни не хватит обо всем поговорить. Но знаешь, что самое главное, я это понял после смерти своей мамы, нашей бабушки. Эх, Андрюша, есть ли в твоей жизни человек, перед которым ты не боишься быть маленьким, глупым, безоружным, во всей наготе своего откровения? Этот человек и есть твоя защита.

А я уже скоро буду дома.

*Отец*

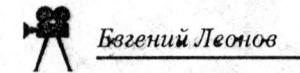

*Ленинград. 10.X.74*

Андрей,
выжигать по дереву шаржи — это что-то новенькое, но если тебе работа нравится и уж если шарж на меня тебе подарил сам художник, повесь, конечно, на стенку — пусть все смеются.

Мне всегда доставалось и от актерской братии, и от художников особенно — ничего не скажешь, подходящий случай для карикатуры. Нарисовал шар или колобок, посередине нос картошкой и брови лохматые — кто такой? — Леонов. Шутки, розыгрыши, пародии точно воздух в актерской среде. Но не всегда я был жертвой. Однажды, помню, отважился на актерское хулиганство. Это было на спектакле «Ученик дьявола» в Театре имени Станиславского. Пьесу Бернарда Шоу мы репетировали с каким-то воодушевлением, играли хорошо, и зрители всегда «принимали». Но спектакль был подвижный, живой, все время менялся в нюансах, точно нам всем хотелось его «доиграть». И когда Женя Урбанский вошел в спектакль — он Ричарда играл, — я почувствовал, что происходят перемены и в моем герое Кристи. Обычно Кристи — смешной и жалкий дурачок, ему невдомек, что его показания на суде помогли врагам брата. А тут, понимаешь, мы с Женей так сроднились, что стало ясно: между Ричардом и Кристи — любовь, нежность, они понимают друг друга. И когда Ричарда уводили, Кристи был в отчаянии. Хотя сознание его не могло охватить всего, что произошло, но он чувствовал: произошло нечто ужасное. Я предложил Жене, чтобы, уходя, Ричард гладил Кристи по голове. Все шло как будто так, как и было, но все прочитывалось по-иному. И мы долго работали, нам нужны были репетиции, чтобы все выверить, уточнить, прожить, ведь мое поведение немножко менялось и в других сценах.

И вот когда репетировали первую сцену, в суде, артист, игравший судью, был недоволен, что мы так много времени тратим впустую, как он считал. Он все время говорил: «Хватит, надо работать». Но мы продолжали, репетировали и репетировали. И по роли он меня спрашивал: «Как зовут?» Я молчал. Он говорил: «Там же написано — Кристи, — отвечай». А я говорю: «Я ж дурачок». — «А мне какое дело — дурачок ты или не дурачок. Отвечай, как тебя зовут!» Я: «А если он забыл?» — «Что значит — забыл? Как зовут, так и отвечай». Он меня довел до такого состояния, что во сне мне приснилось, что надо ему как-то отомстить.

Дворец Горьковского автозавода. Конец гастролей. Я рассказал Урбанскому о своем замысле мести — актерском розыгрыше, он загорелся: «Давай». Вот мы набрали в шар воды, засунули мне его под брюки, и тут дали занавес, началась картина суда.

Когда я только появился, в зале начался дикий хохот — я стоял спиной под светом прожекторов, и из меня лилась тоненькая струя воды. Потом меня тащат к длинному столу с сукном. «Как зовут?» Я молчу. Он спрашивает еще и еще раз (как это и было много раз на репетициях). Я икаю, потом, как бы неожиданно, вспоминаю: «Кристи» — и нажимаю шар с водой... Хохот оглушительный.

Он был отмщен. Ведь это все было неожиданно не только для зрителей, но и для артистов, так что в театре ему потом долго проходу не давали.

Кстати, о «портретах». Ленинградский художник Михаил Беломлинский на днях подарил мне книжку английского писателя Джона Толкина, которую иллюстрировал; оказывается, он изобразил героя сказочной повести хоббита Бильбо очень похожим на меня...

«У хоббитов толстенькое брюшко, одеваются они ярко, преимущественно в зеленое и желтое, башмаков не носят, потому что на ногах у них от природы жесткие кожаные подошвы и густой теплый бурый мех, как и на голове, только на голове он курчавится. У хоббитов длинные темные пальцы на руках, добродушные лица, смеются они густым утробным смехом, особенно после обеда, а обедают они, как правило, дважды в день, если получится».

Копия, не правда ли?

Книжку привезу, сказка мудрая и очаровательная, рисунки тоже.

*Обнимаю. Отец*

*Дрезден. 22.II.75*

Андрюшенька!

В сердце Саксонии, в знаменитой европейской столице художеств — Дрездене, мы были всего несколько дней, а сегодня вечером уезжаем. Город, так сильно раненный войной, еще помнит трагедию. Из истории ты должен знать, что за несколько месяцев до полной капитуляции Германии, когда наши войска подошли к Дрездену, неожиданно ночью 13 февраля 1945 года американская союзная авиация обрушила на него такой огонь, что едва не стерла с лица земли город искусств. До сих пор центр восстановлен не полностью, оперный театр не работает. Но Цвингер — здание Дрезденской галереи — хотя и пострадал, восстановлен и выглядит великолепно. Анфилада больших залов с верхним освещением кажется бесконечной. В центре галереи восьмигранный зал — ротонда, — который не прерывает анфиладу главных залов, так как превращен в проходное помещение. Построенная в середине XVIII века галерея воспринимается как прекрасный современный музей.

Судьбу коллекции мало кто у нас в стране и в Германии не знает. Наши солдаты спасали картины, вынося их, как живые существа, из затопленной штольни. Потом отправили в Союз для реставрации. И, возвращая городу его бесценный клад, Министерство культуры СССР устроило выставку в Музее имени А. С. Пушкина. Ты, наверное, знаешь из рассказов взрослых о паломничестве москвичей к Сикстинской мадонне. Картина Рафаэля была центром выставки, самым мощным ее аккордом. Авторы экспозиции, как сказали бы в театре, продумали драматургию нашей встречи с Мадонной. Она была торжественной и неповторимой. При таком скоплении людей каждому было обеспечено уединение. Стояла благоговейная тишина.

Здесь, в Дрездене, я все думал о встрече с ней, и когда мы вошли в музей, почувствовал какое-то волнение... Но представь, Сикстинская мадонна в родном доме не царствовала, как в Москве. Она показалась мне даже меньше размером, это ерунда, конечно, просто возникло чувство обиды за нее. В Москве мы шли к ней, здесь люди шли мимо. Висит «Сикстинская мадонна» в проходном зале, и одновременно несколько иноязычных групп, а между ними рассеявшиеся одиночки, снуют то в одну, то в другую сторону. Индустрия туризма, XX век, суетно и спешно... Каждой группе выдают магнитофон, и механический гид на твоем родном языке — русском, французском, испанском... — ведет тебя по выставке: а теперь посмотрите направо, подойдите поближе, обратите внимание. Удобно, но механистично. Не для меня. Мне хотелось бы, чтобы прелестная немка повела нас по 117-му залу, отданному итальянскому Возрождению, от картины к картине и, как тогда москвичка с сияющими глазами, срывающимся от волнения голосом сказала, пусть на ломаном русском: «А это она, Сикстинская мадонна Рафаэля, написанная в XVI веке».

В XVI веке... и с тех пор потрясает нравственной силой и красотой. Перед Сикстинской мадонной, по выражению Герцена, «человек останавливается с благоговением, со слезою, тронутый, потрясенный до глубины души, очищенный тем, что видел...».

Я пишу тебе об этом, сынок, чтобы ты, когда возьмешь в руки альбом, который мы с тобой не раз рассматривали, не листал его с поспешностью европейских туристов, а посмотрел бы внимательно и вдумчиво. Искусство обладает редчайшим даром сосредоточить человека на его духовном мире, то есть на самом себе. Без этого невозможно жить.

Галерея старых мастеров в Дрездене — подлинное собрание шедевров. Переходишь из зала в зал и все больше убеждаешься в гениальности человека. Ради этого стоят на земле храмы искусства вроде русского Эрмитажа и немецкого Цвингера.

Съемки идут по плану, к концу недели часть киногруппы, и я с ними, будет в Москве.

До скорой встречи.

*Отец*

*Новосибирск. 10.VIII.75*

Как всегда, в этом городе все проходит хорошо и для меня содержательно. Был снова у друзей, в компании крупных ученых и очень всех развеселил. Вспомнил, как прошлый раз говорили о летающих тарелках и все говорили, что это чушь, а когда узнали, что я еду в Петрозаводск (в газете сообщили, что над Петрозаводском была тарелка), говорят: «Ты узнай, как там тарелка летала?» А в Петрозаводске шофер такси сказал: «Я видел ее. Остановилась, полетала, покружилась, поплыла — сам видел». И хотя все равно я не поверил, у меня явилась возможность посомневаться и в академиках, которые доказывают, что это невозможно, но попросили меня все-таки выяснить у очевидцев — летала или нет. Может, она и есть, эта жизнь в космосе, но мне больше нравится, как в фильме «Тридцать три»: «А по телефону с ними нельзя связаться?»

Они ведь эту комедию обожают. Когда я с ними вместе смотрел ее, они так хохотали, что текста вообще слышно не было. Я Гие Данелия рассказывал, что в Новосибирске «Тридцать три» идет как немой фильм, а слова я после сеанса говорю. Вообще работать в таком городе было бы очень интересно, хотя и очень трудно.

*Евг. Леонов*

*Норильск. 12.X.75*

Здравствуй, Андрюша!
Пишу тебе из Норильска. Знаешь, что такое 35 градусов мороза? Это удивительно! Плотно, сплошь, глубоко лежащий снег — белая земля и дома — розовые, светло-зеленые, желтые акварели. Оказывается, это ленинградские архитекторы придумали, здесь этот район так и называют: маленький Ленинград, улицы прямые, ровные, строгость ленинградских линий...

По телефону, как у нас время, сообщают погоду: «35 градусов мороза, ветер умеренный, дороги во всех направлениях проезжие...»

Меня на концерты возят, а все ходят — 20 минут пешком до работы считается полезно. И дети 6 лет, в валенках и шубках, играют во дворе.

Люди здесь меня покоряют спокойствием и уверенностью, должно быть, при такой температуре разложению не подвержены. Мне они кажутся величественными. Вот загадка: человек боится трудностей, а может быть, их следует искать?

Познакомился с артистами Норильского драматического театра. Живется им, думаю, нелегко, но ни слова о трудностях житейского порядка не услышал. Проблемы творческие — пьесы, новые постановки, молодые режиссеры, где, кто, что? Репертуар московских театров, художественные задачи те же, что и у нас. Про них говорят — «рука Большой земли»! Вот молодцы!

Одним словом, этот белый цвет — белая земля и белое небо — что-то производит в моей душе... Обязательно напишу тебе еще. Обнимаю.

*Отец*

*Красноводск. 20.XII.75*

Здравствуй, Андрюша!

Пишу тебе из Красноводска. Каковы мои актерские маршруты в этом году? От Норильска до Красноводска. А помнишь, мы были на гастролях в Баку? Так вот, если переплыть Каспий, попадешь как раз в Красноводск. И это мы как-нибудь с тобой проделаем, на пароме! Паром идет из Баку в Красноводск 12 часов. Паром огромный, на нем умещается целый железнодорожный состав с людьми и грузами, машины и еще много-много всего.

Море Каспийское удивительное, нежно-голубое, огромное. Здесь зимы нет, солнце яркое, теплое, только вечером надеваю пальто.

Еще я побывал в двух туркменских городах: в Челекене и в Небит-Даге. Небит-Даг — Нефтяная гора, по ее имени и назван город нефтяников. Городок очень чистенький и аккуратный. Но самое смешное: везде по улицам ходят верблюды. Ходят не торопясь, ни людей, ни машин не боятся. Уходят в степь на десятки километров по два, по пять, без пастухов, одни, гуляют, ищут колючки и сами возвращаются домой. Такие величественные, такие спокойные и очень красивые на фоне гор. Мне в Челекене подарили фотографию верблюдов, посылаю тебе ее в письме, посмотри, какие они. Правда, хорошие?

Андрей, я надеюсь, ты не очень огорчишь меня своими школьными успехами, а то мама говорит, что ты собираешься свою актерскую судьбу без математики вычислить. Кстати, какое же училище ты выбрал — Щукинское?

Новый год идет. Я-то думаю о подарках для тебя, а ты? Скучаю очень.

*Отец*

*Красноводск. 21.XII.75*

Видишь ли, Андрей, я всегда любил и люблю играть с молодыми актерами. Теперь, когда я узнал о твоем решении идти в театральный, я захотел для себя определить общие черты молодых актеров сегодняшних, черты стиля их работы, черты общего облика, чем они отличаются от предыдущего поколения. Хотя понимаю, что сделать это непросто.

В нашем Театре имени Ленинского комсомола есть немало актеров старшего поколения, но большинство — молодежь. Ко мне они относятся хорошо, часто спрашивают, советуются, говорят: «Мы у вас учимся». Но им, как мне кажется, иногда не хватает терпения, трудолюбия. Бывает, что, когда я у режиссера что-то свое отвоевываю, выясняю, спорю, вижу, что кое-кого из них раздражаю. А я думаю, что им это в первую очередь должно быть интересно. Одна актриса даже так и сказала: «Евгений Павлович, вы все о системе Станиславского, но это уже прошлое», и сказала таким тоном, что я почувствовал, что она была уверена в поддержке и совсем не ожидала, что на нее тут же набросятся. В другой раз я попытался сделать одному актеру замечание: монолог у тебя недоделан, а он: «Так режиссер просил», я: «Ну, извини».

Нельзя относиться бездумно, нельзя торопиться: «Давай-давай!» А что давать, когда сцена не разобрана. Правда, есть режиссеры, которые не любят разбирать пьесы, искать атмосферу, но я думаю, этого требует литература, над которой работаешь. Без этого невозможна вся дальнейшая работа над спектаклем или фильмом. Огромна роль литературы, она первооснова.

Здесь, на съемках «Старшего сына», я с удовольствием наблюдаю молодых ребят. У нас есть атмосфера, мы фантазируем вместе, и пацан может мне сказать, что я не прав, и мы начинаем вместе все выяснять и вдруг видим — получается. Выходило чаще, правда, что я прав, потому что Вампилова нельзя решать с ходу, он требует, чтобы в нем разобрались. У меня, ты знаешь, в роли много слов, и, если их ни на что не посадить, они останутся словами, поэтому ищем точные действия, неожиданные повороты.

Еще меня настораживает упоение успехами. Все таланты, а как попадется серьезная пьеса, выясняется, что мы ее играть не можем или стараемся спрятаться за режиссера: музыка, песни, свет, мизансцены. Не все молодые понимают это и приписывают успех своему исполнению. Я пытаюсь им это объяснить, но иногда чувствую, что они не слышат меня — и я боком-боком на третий этаж, как Ванюшин.

Страшно в искусстве самодовольство, которое все отвергает.

Я в такой степени привык сомневаться, пробовать, искать, что нашел в этом творческую радость, потому что это помогает преодолеть пределы узкого моего направления. Я помню, как в Театре имени Маяковского я готовился к репетиции: думал, обдумывал, волновался. Мы все были там учениками: Гончаров умел выбивать стул из-под всех скопом. И это было допингом, заставляло внутренне собираться.

Как видишь, дружочек, у нас с тобой проблемы общие: как быть? кем быть? быть или не быть? Никуда от них не спрячешься, для людей искусства они неизбывны, в любом возрасте, каждый час жизни.

*Отец*

*Вильнюс. 15.III.76*

Эх, Андрей, Андрей!
Все звучит у меня в ушах твой голос и страх, который ты и обнаружить боишься, и преодолеть не можешь. В училище-то пойти можно? Показаться преподавателю, которого я просил рассказать, что требуется, как готовиться, посоветовать тебе что-то из репертуара. Пойми ты, никто не может сказать с уверенностью, хватит ли у тебя сил взять эту высоту. Но сил не хватает — это одно, а слабость другое...

Однажды, это было очень давно (я только начал заниматься в театральном училище, все мне нравилось, я тогда был счастлив), произошла такая встреча. Я думаю, что это был новогодний праздник: мы посидели, и смеялись, и веселились, — так было прекрасно — и стихи читали, и выпили немножко. А потом мы шли по улице, Лева Горелик и я, мы с ним дружили тогда. Идем, разговариваем. И возле Большого театра — какие-то парни, не очень трезвые... Один подошел, попросил закурить, посмотрел на меня пьяными глазами и сказал: «Пиджачок на тебе перевернутый». Это действительно был пиджак, перешитый с брата на меня. Потом он размахнулся и ударил меня по щеке. Я хотел его тоже ударить, и вдруг меня остановила мысль... Я даже сам не знаю, это называется страхом, бессилием или беспомощностью. Этот случай я вспоминал всю свою сознательную жизнь и думал: почему я его не ударил? У меня была бутылка вина в кармане. Я все подробно помню и сейчас немножко краснею, вспоминая это... И мне хотелось ударить бутылкой, но меня остановила мысль, что я его убью сейчас, потому что бутылка-то расколется... Мы это долго обсуждали с Гореликом, мы пошли к нему, он жил на Сретенке, и никак не могли успокоиться.

Сердце замирает не только тогда, когда тебя ударят, а ты не ответишь, сердце замирает, когда вдруг чувствуешь, что ты можешь что-то сделать. Часто в моей жизни бывает и сейчас, хотя я взрослый человек, когда заходится сердце от страха, что не сумеешь этого сделать, сыграть...

Как-то поехали мы отдыхать после гастролей — несколько актеров Театра имени Станиславского. Как раз в Вильнюсе это было, не помню точно, в каком году. Но помню мост, метров десять высотой, и как все взялись надо мной подшучивать: «А ты не прыгнешь с этого моста». Я говорю: «Может, и прыгну».

Тут они и вовсе развеселились: «Хвастун, хвастун». Я залез на перила — это было невообразимо как страшно, — но я прыгнул вниз. Я себе отбил что-то и никому не показывал синяк. И в «Полосатом рейсе», когда меня уговорили сниматься с этим тигром, — страх тоже.

Страх — это еще не слабость. Вот если страх заставляет тебя отступить, если ты бережешь свои силы и в результате уменьшаешься сам — это слабость.

Прыгай же! Синяк до свадьбы заживет.

*Отец*

*Днепропетровск. 7.IV.76*

Привет тебе, Андрюша, из прекрасного города на Днепре! Второй день в Днепропетровске, но город вижу только из окна автомобиля. Сегодня вот удалось одному побродить по набережной, ночью конечно. Тишина такая и красота, дух захватывает. Вернулся в номер — и не спится. И знаешь, о чем подумал? Иногда необходимо человеку побыть одному, в тишине, собраться, подтянуться, вглядеться в себя. Мне это редко удается. А вот ты слышал когда-нибудь тишину? Знаешь, что это такое — тишина? Впервые я испытал необыкновенное ощущение тишины на берегу океана, тишины как какой-то величественной тайны. И почему-то, когда я впервые услышал тишину, она для меня была связана с необъяснимой тревогой. И на сцене тоже у меня тишина всегда связана с чем-то нервным. Правда, сценическая тишина вообще драматична. А в жизни тишина совсем другое дело. Был у друзей, в Москве, они живут в переулке, в квартире тихо; у нас под окнами, сам знаешь, вечно шум, грузят, чинят машины, восемь черных кошек, галки, вороны с утра... Бытовая тишина — это так приятно, она ни к чему не обязывает, сиди себе, посиживай. Дома не хочется ее нарушать. Конечно, у мальчишек нет этого чувства благоговения перед тишиной, мальчишки слишком любят веселые шумные игры. И это прекрасно. Я сам тоже люблю побеситься, как тебе известно, ведь на даче мальчишки и теперь еще принимают меня в футбол, на воротах постоять... Я не о том, конечно, что лучше, сложив ручки, тихо сидеть у плетня, чем кричать и бегать, гонять мяч или танцевать до упаду. Пусть это все будет, это совсем не плохо, но надо и бережно к тишине относиться, должен быть такт по отношению к людям и к природе, к красоте тихой минуты. Такое грустное впечатление производят люди без понятия о тишине, покое, уважении к человеку. Согласись, какое чудо — тихая дружеская беседа или чуткий сон малыша... Иногда наблюдаешь такую картину с умилением и вдруг какой-то вопль бесовский, грохот магнитофона, ужасно... Не надо быть варварами, надо ценить и беречь тишину.

Но я хочу сказать тебе о другом: есть еще какая-то тишина... Тишина, которая возникает во мне, в тебе, в нас, когда не слышишь шума, сидишь, думаешь, погружаешься в себя — это внутренняя тишина, она не связана с шумом на улице, она в самом себе. Только очень редкие, очень развитые люди способны организовать такую свою тишину. Но для этого тоже надо сначала научиться слышать, видеть тишину, чувствовать.

Когда Юрий Гагарин вернулся на Землю и его показывали идущим по дорожке... я был тогда в Ленинграде на съемках, в гостинице в своем номере, один, я смотрел на экран телевизора, как и все, и мне казалось, что весь мир погрузился в тишину, замер и теперь вот, как и я, слушает его шаги. Я смотрел и плакал, от этой тишины разрывалось сердце — я даже не знаю, а были тогда какие-то звуки по телевизору? По-моему, нет, это действительно был миг тишины — изумленная планета смотрела на сына Земли, впервые разорвавшего путы земного притяжения. Я потом все время думал о нем, он мне снился, и, честно тебе скажу, во сне меня иногда охватывал страх: а вдруг он будет все время там крутиться и никогда не вернется?.. И вот он идет по дорожке и улыбается...

Тишина — это какое-то особое состояние мира и человеческой души. Мне кажется, мы себя чувствуем частичкой природы, каплей океана в тишине, и только. Вне тишины нельзя понять красоту.

Когда выйдешь в поле и ветер треплет колосья пшеницы, кажется, мир погрузился в тишину, все иные звуки пропали, а эта песнь ветра специально ласкает ухо, чтобы ты оглянулся и понял, какая кругом тишина. Или в лесу перелетит птичка с дерева на дерево, хрустнет лист под ногой, и ты слышишь, как тихо, как торжественно спокоен лес. И морская волна бьется мерно так, с музыкальным счетом, о берег, чтобы слышал человек тишину... Много удивительного придумала природа, чтобы помочь нам услышать и полюбить тишину. А когда одинокий лыжник пересекает снежное поле, какая кругом стоит тишина. Одетая снегом Земля наша так красива, только руками разведешь...

Тишина — это жизнь, все великое совершается в тишине. Тишина — это уважение людей друг к другу, это нежность и любовь. Как я люблю дома, где говорят тихо, даже дети не кричат без причины...

Сохранить тишину, покой в своем доме — значит установить в нем климат уважения. А сохранить тишину на всей Земле, на всей планете — это тоже значит установить климат уважения, обязательный для всех народов и стран. Поэтому люди против грохота, пожаров и разрушений. Никто не хочет жить на вулкане, ни один человек. Но если Землю утыкать ракетами, если люди начнут размахивать кулаками, может случиться большая беда, страшная и непоправимая.

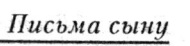

Как видишь, проблемы глобальные какими-то чудесными нитями связаны с конкретным человеческим чувством. Бродил сейчас по набережной и думал: был бы Андрей со мной, спустились бы мы к воде, сели рядом и так помолчали бы вместе. Днепр нежно так, бесшумно катил бы свои воды, на другом берегу редкими огоньками подмигивал бы нам уснувший город, а мы сидели бы молча и думали бы о чем-то важном... Хорошо! Правда ведь хорошо?

Обнимаю тебя.

*Отец*

*Днепропетровск. 1).IV.76*

С добрым утром, сынок!
Слушаю радио и пишу тебе. Сен-Санс, «Этюд в форме вальса» — такой нежный и юный голос скрипки Виктора Третьякова... Редчайший случай, свободен до четырех часов дня, решил: не выйду из номера. Музыка красивая-красивая, какая-то радость в ней плещется... Трудно вообразить, что кто-то не хочет слушать такую музыку. Я никак не пойму этих споров: современная рок-поп-музыка или музыка классическая — что молодежи нужно? Одна помогает жить веселее, другая — чувствовать сильнее. Как между ними выбирать? Надо, чтобы настоящее искусство встречалось каждому на его жизненном пути, чтобы в действительности получалось: все лучшее принадлежит народу.

Представь, я здесь уже получаю письма от зрителей. Один раз выступал во Дворце культуры, и весь город извещен. Ты ведь никогда не читаешь этих писем, а среди них есть такие смешные и трогательные. Одна девочка спрашивает: «Как вы стали талантливым артистом?» — и слово «талантливым» подчеркивает волнистой чертой. А мальчик (школьник, конечно) интересуется, как мое «актерское здоровье»? Может быть, он догадывается, что актеру нужно особенное здоровье — и физическое, и нравственное?..

Я вот все хочу тебе объяснить, что искусство потому-то и волшебство, что каким-то чудесным образом превращает человеческие качества в художественные категории. Конечно, я не имею в виду примитивные разговоры: «в этом образе автор изобразил самого себя, свой дом, свою улицу». Естественно, каждый пользуется своими впечатлениями, своим опытом, но я не о материале творчества, а о самом механизме его, перерабатывающем и претворяющем «материал» в «искусство». Цветаева говорила, что невозможно «знать из чего — что». Ахматова писала: «Когда б вы знали, из какого сора растут стихи...» — и т. п. Растут, цветут, благоухают... Благодаря автору, конкретной человеческой личности.

Как ты думаешь, почему сказано, что «поэт в России больше, чем поэт»? Или вот все школьники знают некрасовское: «Поэтом можешь ты не быть, а гражданином быть обязан». Во все времена люди ждали от художника помощи — в познании мира, познании себя, своих возможностей. Художник может стать для большинства духовным лидером, если он служит Отечеству, помогает жизни, если он друг всех людей.

Допустим, твой одноклассник, недобрый, замкнутый, не желающий понимать и принимать во внимание никого, кроме себя, — может он стать математиком? Я думаю, может, даже такую формулу изобразит, что будем десятилетия пользоваться. Но вот художником он стать не может, потому что тут нужно отдать часть души своей, нужно постоянно раздавать свое сердце людям, болеть, страдать, любить в полную грудь. Если решил работать в искусстве, думай о себе строже — всегда ли ты щедр душой, отважен, бескорыстен. И эта работа над собой пусть всегда идет впереди мастерства. Актерскую методологию, опыт можно постичь, а делать из себя человека — это работа не на годы учебы в училище, это на всю твою жизнь.

Я, Андрюша, верю, что у тебя добрый взгляд, доброе отношение к людям, — береги это. С артиста много спросится. Он и в истории представительствует от имени народа. Помнишь, у Шекспира в «Гамлете», мы с тобой отрывок учили: «Почтеннейший, посмотрите, чтоб об актерах хорошо позаботились. Вы слышите, пообходительнее с ними, потому что они обзор и короткая повесть времени». Чтобы быть повестью времени, надо быть достойным своего времени. А как же иначе?

*Отец*

*Тбилиси. 10.VII.76*

Андрюша, Тбилиси — город, куда я должен тебя привезти. Я здесь не первый раз, но и впервые, помню, приехал сюда, готовый любить: не потому, что мои друзья — Гия и Буба, Данелия и Кикабидзе, много рассказывали мне о Тбилиси, просто мне кажется, свою нежность к ним я перенес и на их родину. Одним словом, этот город не должен был меня завоевывать, я был заранее пленен его музыкой, высотой, талантом, согрет его товариществом. В самолете, когда стюардесса сообщила, что летим над Малым Кавказским хребтом и что справа его высшая точка — Казбек, я с гордостью подумал: Кавказ подо мною...

Есть города, в которых не чувствуешь себя чужим, хотя впервые ступил на их площадь. И чем это объясняется, не знаю. На улице слышу грузинскую речь, из репродуктора доносится чуть грустная грузинская мелодия, в метро не сразу нахожу надписи на русском, но не чувствую себя отдельно, отстраненным, одиноким. Все вокруг особенное, новое, красивое, но принадлежит всем, кто видит и понимает эту красоту. Впрочем, странно, сейчас подумал, это ведь общая истина: и в искусстве, и в жизни все прекрасное принадлежит тому, кто способен видеть и чувствовать.

Тбилиси я воспринимаю как один большой дом — хороший дом держится на уважении к дому каждого, кто в нем находится, не так ли? — здесь это есть, я очень ощущаю это. Грузины знают свою историю, корни, традиции, это очень проявлено в искусстве, в культуре музицирования, я имею в виду не академическое пение или с эстрады, а в быту, многие поют, и так красиво, музыкально, просто.

Конечно, ты сейчас думаешь, еще бы — плохо в Тбилиси, небось за тобой ухаживали, принимали... Так, да, Гия даже повел меня в гости к Верико Анджапаридзе, я был польщен как мальчик, что она меня знает, видела мои фильмы и ей многое нравится.

В этом городе очень остро чувствую и любовь к жизни, и нежность к людям, и, как всегда, меня охватывает желание разделить все это с тобой, сынок.

Тбилиси, окруженный горами, закрыт от недобрых ветров, как женщина за спиной верного мужчины чувствует себя неуязвимой для злой силы. Я не замечаю здесь московской суетности: если люди поют за столом, никто не смотрит на часы, если беседуешь с грузином, видишь, что он готов беседовать с тобой вечно. Может, это вообще смешно все — просто я устал торопиться. Но в самом деле каждый миг жизни уходит. Вот и пишу тебе письмо на балконе гостиницы «Иверия». Внизу — Кура, сплошной светящейся лентой по набережной бегут машины, кажется, не река быстро несет свои воды, а каменные берега уносят ее. И никогда уже не буду я смотреть с этого балкона на величественный город в огнях и думать о твоих экзаменах. Когда ты получишь это письмо, один экзамен уже будет позади, и ты сразу мне позвонишь, и я, конечно, буду звонить и днем и вечером. Хочу сказать тебе вот что: от случайностей многое зависит в нашей жизни, и все же то, что зависит от случайностей, — не главное.

Сегодня мы были в старом городе Мцхета. На высоком крутом склоне над слиянием Куры и Арагви стоит церковь Джвари — древнейшее строение Грузии. Церковь эта в виде креста построена в честь принятия грузинами христианства. V век. Грандиозен храм. Пушкин не мог здесь не написать стихов. Это место поэтов! Обязательно побываем здесь вместе.

*Отец*

# Письма студенту

*10.X.76*

Вот ты и студент, Андрюша!

Щукинцы имеют обыкновение задирать нос с первого курса. К тому, правда, есть основание: училище, освещенное гением Вахтангова, согретое темпераментом Рубена Симонова, действительно уникальная школа.

Судьбы многих талантов связаны с этим училищем. Я бы мог позавидовать тебе.

Трудно даже вспомнить, как все это начиналось у меня. Как-то само собой, постепенно.

Когда-то давно, это было в 5-м классе школы, у нас существовал драматический кружок, и я там однажды сыграл водевиль, который, кажется, мы сами сочинили. Мне трудно о себе что-либо сказать, я помню только свои ощущения: во время прогона этого представления я с радостью бросился в обстоятельства, нами придуманные. То ли денщика я играл, то ли еще кого-то. Но премьера не состоялась: что-то мне показалось обидным, и я так и не сыграл свою роль. Но те, кто видел репетиции — и учительница, и мои товарищи, — говорили, что я был смешон, вроде бы ничего не делаю, а смешной, физиономия, гримасы смешные. Может, это во мне зародило что-то, что потом теребило мою душу. Может, сыграли роль разговоры с дядей, он ведь был литературным человеком, очень образованным, написал диссертацию о Есенине. Может быть, разговоры с ним привели к тому, что однажды — это было во время войны, и мне было 14—15 лет, я работал на заводе учеником токаря, — я пошел разыскивать театральную студию. Не знаю, как получилось, — я стеснялся спросить, разыскивал сам и в конце концов на Самотечной площади нашел вывеску: «Управление искусств», но оказалось, что я попал в отдел книгоиздательств. Я сказал, что хочу стать актером, они расспросили, где я работаю. Представь: война, заснеженная немноголюдная Москва, голодное время, эвакуированные заводы. И все-таки я не оставил свою затею. Однажды я пришел в студию при Театре революции. Помню, топили печку, я потолкался, на меня поглядывали (я был в полушубке, в лыжных штанах, в башмаках с загнутыми носами, в мохнатой шапке, наползающей на глаза). Потом так получилось, что я пошел проводить педагога, кажется, он читал марксизм-ленинизм. Мы шли по улице, и я ему рассказывал о себе, у него был простуженный голос, он прикрывался воротником; и он посоветовал мне поступать, поскольку у меня не было среднего образования, в Студию Станиславского на Красной Пресне, может быть, стоит поступить туда рабочим, а потом и сыграть что-то.

Вот была такая беседа, которая ничем не кончилась. Продолжалась война, продолжалась моя работа, но наступил 43-й год, и хоть мне было 16 лет, я выполнял план, и нескольких молодых рабочих, в том числе и меня, послали в техникум. Я сдал экзамены и поступил учиться в Авиационный техникум им. С. Орджоникидзе. Свои театральные интересы я не оставил. Я помню, что именно там я подготовил «В купальне» Чехова, выучил и рассказывал «Монтера» Зощенко, очень любил Блока, Есенина, читал их наизусть на вечерах, и меня называли, как когда-то в школе, «наш артист». Я рассказывал об этом дяде, заходя к нему в Комитет по делам искусств, но чем он мог особенно помочь мне, мальчишке? Выслушивая меня, он говорил: «Ты артист у нас, Женька». А однажды он попросил меня почитать, и я стал читать «Стихи о советском паспорте». Когда я сказал: «Я волком бы выгрыз бюрократизм», дядя чуть не упал со стула. Я мужественно дочитал до конца. Он хохотал и сказал: «Женя, это очень плохо, очень». Я прочитал стихотворение Блока, ему тоже не понравилось. Он сказал: «Женя, у тебя культуры маловато, надо учиться, по театрам ходить». Но тем не менее меня это не остановило, и я на третьем курсе техникума пошел в Московскую театральную студию. Эта студия была очень интересная, она была организована в 43-м или в 42-м, руководил ею Р. Захаров, известный балетмейстер Большого театра; преподавала Екатерина Михайловна Шереметьева, ученица В. Н. Давыдова, она вела драматический класс. Студия имела музыкальное отделение — оттуда вышли прекрасные певицы; было сильное балетное отделение; на драматическое отделение был большой конкурс. Во всяком случае, мне об этой студии кто-то рассказал, и я пошел туда. Я попросил у брата пиджак и решил, что готов к экзамену. Я безумно нервничал — я понимал свою несостоятельность, но не думал, что так получится. Сидело человек 25 народу, я вышел (они, видно, добирали, студия существовала уже второй год) и прочитал все, что с таким успехом читал в техникуме: Чехова, Зощенко. У меня спросили: «Еще что-нибудь есть?» Я сказал: «Есть, но это еще хуже». Почему-то все стали просить, чтобы я почитал еще. Я прочитал Блока «В ресторане». Я любил это стихотворение — мне казалось, что сидит одинокий, седой, красивый-красивый мужчина где-то в ресторане и говорит:

«Никогда не забуду (он был или не был,
Этот вечер): пожаром зари
Сожжено и раздвинуто бледное небо,
И на желтой заре фонари.
Я сидел у окна в переполненном зале,
Где-то пели смычки о любви.
Я послал тебе черную розу в бокале
Золотого, как небо, аи.
Ты взглянула. Я встретил смущенно и дерзко
Взор надменный и отдал поклон.
Обратясь к кавалеру, намеренно резко
Ты сказала: «И этот влюблен».
И сейчас же в ответ что-то грянули струны...» —

и т. д. Была тишина, я был белого цвета. Я читал серьезно, мне сказали спасибо. И это стихотворение Блока спасло меня, примирило и с моим пиджаком, и с моей курносой физиономией, и с недостатком культуры. Потом, говорят, развернулось целое собрание, стали просить Екатерину Михайловну Шереметьеву, она сказала, что я, мол, очень серый, неотесанный, но ее стали снова просить: «Мы поможем» — и меня приняли в студию. Я пошел в Главное управление учебных заведений, и меня официально перевели из одного учебного заведения в другое, хотя этот перевод был очень сложен. Началась учеба, я пропадал в студии с 8 утра до часу ночи. Я был увлечен учебой в студии, делал какие-то успехи, особенно в этюдах, что-то придумывал, ломал голову. Я мечтал стать артистом.

Шли годы учебы в студии. Потом к нам пришел Андрей Александрович Гончаров, молодой, красивый, талантливый ученик известного режиссера Горчакова. Гончаров сразу после ГИТИСа добровольцем ушел на фронт, был ранен, руководил фронтовым театром, а тогда — только что пришел в Театр сатиры. Он стал вести наш курс. Занятия с Гончаровым были такие напряженные, насыщенные, мне все сразу стало казаться очень серьезным и безумно трудным. Так и вошло в мою жизнь искусство как вечный экзамен...

До завтра.

*Отец*

*11.X.76*

Я думаю, Андрей, что, рассказывая тебе о том, как это все у меня получилось, надо вернуться к моей маме. У мамы было нечто такое, что меня, мальчишку, удивляло — мама умела рассказывать так, что все смеялись, в квартиру набивалось много-много людей. У нас вечно в доме кто-то жил, ночевал, стелили на полу в наших маленьких двух комнатках... И вот мама рассказывала, а все говорили: «Нюра, господи, ты просто артистка». Она была простая русская женщина и не очень грамотная, но у нее был талант рассказчика. Я вообще похож на маму, и многие потом говорили: «Он в Нюру».

Я так любил искусство, что мне казалось, как ни парадоксально, что я все делаю хорошо, потому что я все делаю со страстью. И оттого что я любил, я верил в то, что происходит, и если бы сказали, что в конце концов надо умереть, я бы умер по-настоящему.

Конечно, судьба у меня, как и у каждого, была непростой. Когда стал старше, я понял, что Яншин действительно был прав: простота — это очень сложное дело. Ты молодец, что сказал мне о телевидении, и я посмотрел свой старый фильм «Произведение искусства», роль у меня хорошая — Саша Смирнов. Раньше, когда смотрел, не замечал — а сейчас увидел, что я играю, немножко играю. Хотя это кому-то и незаметно и кто-то даже теперь сказал мне: «Вы такой интересный, милый в этой роли». А я ведь, Андрюша, к тому времени уже сыграл «Дни Турбиных», значит, и в «Днях Турбиных» это немножко было — какая-то театральность. Но, может быть, еще время было другое, другая эстетика, потом уже появился «Современник», стали требовать, чтобы органично и просто, и каким органичным и простым был Олег Ефремов! Эти мысли приходят не сразу, часть тогда, часть потом, часть сейчас. Конечно, был он прав — Михаил Михайлович Яншин; конечно, и время меняется, и наши представления. Недавно я посмотрел в Свердловске старую картину «Окраина» режиссера Барнета. Я не знаю, были ли они великие актеры, но их картина снята чуть не 60 лет назад, а они играют, как играли бы сейчас. Когда смотришь на Николая Баталова, такое впечатление, что он играет сейчас, а не когда-то. Конечно, легко рассуждать, когда дело к концу жизни идет, когда и падения, и ушибы, и поиски — все пройдено. У меня было не так просто, хотя внешне складывалось хорошо: в кино я снимался первое время, скажу тебе честно, из любопытства, все эпизоды, эпизоды, маленький кусочек мелькнет, и на экране всего-то четыре секунды: пожарник, официант, массовка или какие-то маленькие эпизодики. И в театре — массовки, и в кино. Но какие-то пробы были. И к ролям я уже подходил, пугаясь, откидывая их от себя, чтобы создать барьер пространства, чтобы это пространство освоить — все сложно, непросто, тем более что Яншин репетировал длинно, мучительно и сложно. Школа Яншина — Лариосик в «Днях Турбиных».

Когда я смотрю сейчас «Полосатый рейс», то вижу, что в некоторых сценах правдив, а в некоторых подыгрываю. Рядом с Яншиным был, а не ухватил. Не знаю. Каждый из нас, актеров, имеет право на трудное становление, не быстрое.

Не знаю, Андрюша, могу ли я сказать, что у меня была счастливая жизнь, — и работал трудно, постепенно, хотя внешне выглядело вроде бы удачно: Лариосик! А потом ведь опять неудачи, вообще безрепертуарное время, спектакли слабые.

Но у меня была роль, на которой я учился почти всю жизнь, — Лариосик.

И про кино я тоже не могу сказать, что вдруг сразу все сложилось. Уж я, наверное, в эпизодах примелькался, запомнился зрителю. Потом только «Полосатый рейс» — и вдруг я стал популярный, и научился рассказывать про тигров, и появлялся на эстраде с отрывком из «Раскрытого окна» с Олей Бган. И все-таки такой роли, по которой можно было бы сказать, что это интересный актер, не было. Продолжались какие-то эпизоды и роли, хотя и не маленькие, но незначительные. В театре меня отпускали с трудом, иной раз и не знали, снимаюсь я или нет, я очень здорово лавировал, используя отпуск, выходные дни.

Первой крупной работой, когда обо мне стали говорить серьезно, была «Донская повесть».

В тот момент, хоть и Лариосик сыгран, и что-то еще, но все равно неясно было, каким я стану актером, а поскольку в «Раскрытом окне» и в других спектаклях были роли «а-ля Лариосик», критика меня упрекала, что однообразный актер. Честно говоря, в этом тоже была правда, хотя правда однобокая — ведь актер зависит от литературы, в которой работает, а я в тот момент все играл мальчиков, очень похожих по характеристике на Лариосика, и я с радостью вставлял в эти роли то, что было найдено в Лариосике, в той прекрасной литературе. Когда у самого себя воруешь и вставляешь в другое — плохо, но когда вовсе не было литературы, я подставлял Лариосика. Поэтому повторяю тебе: в театре и вовсе все происходило постепенно, и в кино постепенно, понемножку. И когда мне представилась возможность сняться в шолоховской литературе, я уже считался крепким комиком.

В «Донской повести» мне работалось нетрудно, мы к этому подготовились, искали грим — щетину, челку, искали костюм. Я как-то верил, что могу передать любовь к ребятеночку этому (у меня уже был ты, мой Андрюшка). Фетин, по-моему, и дал мне эту роль потому, что я ему про тебя рассказывал, а иногда, когда рассказывал, слезы появлялись.

В «Морском охотнике» — первая картина-эпизод, там песенку надо было петь, для меня это тоже было стеснительно — и оркестр, и все на меня вытаращились, я так запел, что пюпитры закачались, но все-таки каким-то образом я пел песню — с моим-то слухом. Потом он стал получше, и я даже в «Трехгрошовой опере» пел, из семи нот в четыре, если не в пять научился попадать.

«Дело Румянцева» вроде бы легко работалось, режиссер Хейфиц — мастер. Но я вообще не могу сказать, что мне, молодому актеру, дали роль, я сыграл — все ахнули, я проснулся на другой день знаменитым актером. У меня в моей жизни так не было; все труд, труд, все с этим словом у меня было связано.

*Евг. Леонов*

8.XII.76

Андрюша,

спасибо за поздравление, за то, что был на премьере «Старшего сына» и все рассказал. Ты говоришь, у всех ощущение полной победы. Это здорово, конечно. Но если говорить честно, я никогда не знал ощущения полной победы. Я верил иногда похвальным отзывам, но не до конца. Жизнь меня научила остерегаться. Бывало, испытывал я восторг, но не могу о нем рассказать, он спрятался куда-то далеко, этот бес сам в меня уже не впускается. Жизнь меня била довольно часто... Однажды в журнале «Театр» (я тогда работал в Театре имени Станиславского) поместили мои фотографии — в том числе какую-то плохую фотографию из «Де Преторе Винченцо», и в статье было написано, что, мол, мы так много от Леонова ждали, а он неполучившийся Яншин. Я, помню, мысленно беседовал с автором, не мог успокоиться. «А почему я должен быть Яншиным? Пусть маленькая дорога, но пусть она будет моей. Почему я неполучившийся Яншин, а не страшнее — неполучившийся Леонов?» Статья была резкая, обидная, А были люди, которым нравился спектакль «Де Преторе Винченцо».

Поэтому я никогда не был убежден в том, что вот, мол, у меня получилось. Рядом с похвалой я мог услышать и что-то другое. Помню, на «Днях Турбиных» публика хлопала, кричала, а Яншин приходит и говорит: «Вы что из Лариосика оперетту сделали». А как-то шли по фойе театра после спектакля, Яншин говорит: «Это ужасно, ужасно», а впереди идет Павел Александрович Марков. Знаешь, кто это? — знаменитый завлит Станиславского, который привел во МХАТ и Булгакова, и Олешу, и Катаева, обаятельнейший человек, скромный и вместе с тем строгий, — одним словом, величайший театральный авторитет. И Яншин спрашивает у него: «Ну что, Паша, Леонов? Как он?» А Марков отвечает: «Миша, он уже лучше тебя играет». И вижу, Яншин, довольный, улыбается, а мне свое: «И не подумай, что правда». Это Яншин — кумир мой... Он меня никогда не хвалил, а за Лариосика всегда ругал. Он ведь даже перед смертью, выступая по радио, ругал меня. Хотя мне передавали соседи по дому (они были знакомы с Яншиным), что он сказал: «Леонов мой лучший ученик». Конечно, хочется верить, что он меня любил. Михаил Михайлович считал меня своим учеником, а я его — своим учителем.

В какие-то моменты, я помню, испытывал счастье от работы — хотелось жить. И не всегда, между прочим, это было связано с объективной ценностью работы.

Я только поступил в театральную студию, только-только начал заниматься, и педагог Воронов (он сценическую речь преподавал) просил нас читать стихи — нас сидело 30—40 человек. Один читал, а остальные должны были разговаривать, улюлюкать — такое условие. Я был стеснительный и понимал, что эта ситуация мне не по силам. И я стал читать Блока. Мне рассказывали, что я был белого цвета, как полотно; я прочитал — и они замолчали. Пошумели, поулюлюкали и замолчали. Воронов похвалил меня, и я тогда подумал, что, может быть, я смогу стать актером, я гордился, что сумел их подчинить.

А стеснительным я был всю жизнь. До сих пор, когда меня приглашают на радио, я сомневаюсь, надо ли, имею ли я право. Вот приглашают читать «Кола Брюньона», я даже попробовал и понял, что могу прочитать, идя от характера, а вчистую — нет. Мне вообще кажется, что читать надо через характер. В твоей курсовой работе, на мой взгляд, удалось только то, что было в характере. Определилась ли новая работа? Кто будет ставить?

*Отец*

*15.III.77*

Когда ты готовил мальчишку из «Святая святых» Друцэ, ты с неверием принимал все мои мелочи, детали, которые я тебе подсказывал, считая их штучками. А между тем ты был не прав. Ты думаешь, штучки — штамп, а Станиславский, Яншин рассказывал, считал, что в этих маленьких, незаметных штучках и есть искусство. На репетициях «Мольера» булгаковского (Михаил Михайлович играл Бутона, а Мольера — Станицын) Станиславский ему говорил, что он ищет большую правду, а надо искать маленькую, а она приведет к большой. А маленькую правду надо найти и полюбить. Эта маленькая правда, по-моему, была конкретность чувства, жеста, мысли, поступка. Не концепция образа, что да как, чем сейчас больше всего увлекаются, а именно сиюминутное переживание.

Маленькая правда, считал Станиславский, ведет актера путем интуиции. Конечно, я не Станиславский и не Яншин, я, наверное, не могу тебе все это толком объяснить. Но я хочу, чтобы ты всегда начинал с мелочей, которые были бы в логике твоих чувств, а потом, фиксируя на них внимание, научился бы пускать их в дело.

Мне кажется, маленькая правда уберегает актера от декламации, пафоса, самолюбования на сцене, она его как бы пригвождает к естеству, к земле, к почве. Всякую роль надо пережить как событие своей жизни, иначе — чепуха.

Твоя курсовая программа мне нравится, но еще много работы.

*Отец*

*22.IX.77*

Понимаешь, Андрюша, эстетическая ценность и популярность фильма могут не совпадать, даже чаще всего именно не совпадают. Когда ты участник этой работы, патриот и когда говорят: «Не очень получилось, не по вкусу...» — мы сразу: «А народ как принимает!» А когда популярности нет, говорят: «Зритель не дорос». Это, конечно, шутка, но в этом вопросе разобраться никто не может, даже те, кто специально этим занимаются.

Мне, конечно, хотелось, чтобы фильм и имел эстетическую ценность, и был популярен, чтобы и то и другое присутствовало. Но по жизни у меня чаще было так, что не совпадало. И не только у меня. Как-то мы разговаривали с Папановым, и он сказал, что, когда оглядываешься назад и вспоминаешь свою жизнь, называешь не больше 3—5 ролей, о которых можно сказать: «Да, это большие работы, я под ними подписываюсь, это моя радость, мои вершины». Я вообще помалкиваю, особенно последнее время, когда пришла молодая режиссура в театр и в кино. Когда некоторым из них говорят, что зрители уходят, они отвечают: «Очень хорошо, остается тот, кто любит нас, любит искусство». А может, это правильно? Иногда слышу: «Мы смотрели ваш спектакль. Прекрасно! Как вы сыграли эту роль!» Другие: «Видели вчера ваш спектакль. Это безобразие, темно, ни черта не видно, и не понятно про что!» (Это про один и тот же спектакль «Вор».) Может быть, я утрирую, но я теперь всем говорю: «Спасибо», и все. Это не значит, что я не мучаюсь, по ночам начинаю соображать — бессонница помогает. Это не проходит бесследно, это все откладывается для споров с самим собой и с теми, кто так говорит.

И хотя чаще всего успех и эстетическая ценность не совпадают, все-таки бывает радостно узнать, что твой фильм пользуется успехом. И когда тебе об этом говорят, в особенности зрители, ты не будешь говорить, что, мол, он по эстетике того... не очень.

Вот «Джентльмены удачи»... Картина была очень популярна, скажи кому-нибудь из зрителей, что мне не нравится, там, дескать, с эстетикой не все ладно — так тебя еще и побьют за это.

Вот я тебе все время говорю: «Андрюша, поближе к правде, поближе к правде». Но это понятие тоже относительное, а может, я и не умею расшифровывать. А ты обращаешься ко мне в тот момент, когда уже завтра играть; у тебя такое впечатление, что это можно сделать за два часа, а я тебе говорю, что это трудно, что надо пройти через трудности, поплакать и упасть, но у тебя терпения нет. Соизмеряй все с жизнью. Вот прочитал кусок — а как в жизни? Вот, к примеру, ты играешь в отрывке из Василия Белова старика; когда мы с тобой репетировали, мне нравилось, как ты в комнате репетировал и плакал даже. Соизмеряй все с жизнью. Хотя в училище тебе попало за мою режиссуру и ты расстроился, я тебе еще раз скажу: ты был очень правдивый, и это все заметили.

Ты очень обидчивый, Андрюша, я даже не представляю, что ты будешь делать, если режиссер начнет тебя ругать. Вот Гончаров вовсю кричит — ну и что? Когда я был молодой, меня это вдохновляло, и в Театре имени Маяковского когда я работал, он кричал, а меня это дисциплинировало, я неожиданные интонации искал. И еще: не будь самолюбивым. А ты самолюбив, этого не поправишь, ты белеешь, может, это даже честолюбие. Ты упрямый, но, может, это только со мной? Больше себя люби профессию, она такая прекрасная, столько ты увидишь в жизни интересного. И еще: никогда не завидуй, особенно в театре это заметно — ему прибавили пять рублей, ему дали главную роль, а мне нет. Мне понравилось, что к предложению сниматься ты отнесся сдержанно: «Сценарий не очень», «мы поправили сценарий, он стал лучше». Самолюбие в хорошем направлении не плохое дело. Так что держись спокойнее, не спеши, не суетись.

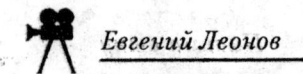

Билета еще нет. Звони завтра вечером.

*Отец*

4.VII.78

Знаешь, Андрей, мне всю жизнь казалось, что я недополучаю любовь. Мне казалось, что моя мама больше любит брата, чем меня, мне казалось, что Ванда и ты мало меня любите. Я всегда больше отдавал, чем получал взамен. И меня это не огорчало, нет, но я даже от этого заплакать мог.

Вспоминаю себя совсем маленьким, трех-четырех лет, а если вспоминаю, значит, это осело во мне, — мы жили в Давыдкове, дом и сейчас стоит там, мама и ее сестры любили его. И вот я помню, как мы ходили гурьбой купаться: мои тетки и мама уходили вперед, а я шел сзади, то ли мне было тяжело идти оттого, что я был толстый, но я чувствовал себя одиноким, и мне становилось обидно. Или вот еще: когда мне и моей двоюродной сестре Люсе было по двенадцать лет и мы играли в городки — это там же, в Давыдкове, — она нарочно или ненарочно ударила меня битой по ногам, было жутко больно, но жалеть стали не меня, а ее.

С детства в моей памяти вкус одиночества: мы были маленькие с братом, учились в 5—6-м классе (он на два года старше меня), приезжали на станцию Фроловская и три километра (почти все три километра лесом) шли в Давыдково. На опушке леса всегда сидел Константин

Иванович Малыгин, прадед Жени Малыгина, моего друга детства, который был потом секретарем райкома в Клину. Этот дед — вот уж одиночество, но почему-то величественное и гордое. Ему лет было девяносто, а может, сто.

Надо было проходить имение, где Чайковский написал свои знаменитые оперы, а дед сидел на опушке леса, на пеньке, в шерстяных носках, седой как лунь и самокрутка во рту. Один. Сидел и о чем-то думал.

В одиночестве утопаешь, начинаешь уходить в себя и думать, ковыряться в самом себе. Кто-то танцует, кто-то поет, а ты без тех, кого любил.

Завтра допишу.

Была война, я работал на заводе, мне было 15 лет. Я помню, что не получалось так, чтобы я куда-то шел, танцевал, чтоб компания... Я больше помню, что уходил один, мы жили тогда на Васильевской... Я шел к Москве-реке, садился на кораблик и ехал, ехал. Потом домой возвращался... часто так. Да и пойти было некуда — военное время, трудное, сорок второй год... Это тоже называется одиночеством. Никого я не любил, некогда было — я работал. Дружили с братом, школьные были товарищи, но в компанию мы не ходили, ни с кем не целовались.

Одиночество — чувство горькое, но иногда полезно в душу свою посмотреть, а раз в себя смотришь — что-то ты там находишь.

Говорят, неудобно жалеть людей; а мне кажется — ну почему плохо, если кто-то тебя поддержит, пусть это называется жалостью, но рядом со словом — поддержать человека, пожалеть.

Встречал ли ты одиноких людей?

Однажды на гастролях к нам пришел человек, старый морской офицер, и стал рассказывать о своей жизни. У него были железные зубы... Он прошел самые страшные испытания для человека, он прошел через несправедливость. И вернулся, и работает. Пока он рассказывал, он даже побледнел, из глаз его сочилась боль одинокого человека. Он рассказывал не о том, как посадили или ударили, а о том, что пострашней, — о жизни в тех формах, которые там были возможны. Он рассказывал, и в голосе его было сиюминутное волнение, у нас перехватило дыхание, но нарушать его одиночество мы не могли...

Через мою жизнь, как и через жизнь каждого человека, прошло столько лиц, людей. С кем-то сталкивался ближе, а с кем-то просто ехал на машине со съемок. Но ведь каждый человек, если заглянуть ему в глаза, это целый мир. Будь восприимчив к этим мирам. Здесь начало искусства.

Обнимаю тебя, сынок. Звони чаще.

*Отец*

*12.VII.78*

Здравствуй, Андрей!

Что это ты об одиночестве заговорил? Ты не волнуйся, у меня тут работы — не продохнуть. Это я так философствую.

Когда я говорю — одиночество, я имею в виду, что я что-то делаю, а меня не понимают, тогда я одинок. А потом, мне казалось, что я вырос на серии каких-то обид. Так мне казалось. Вроде бы все нормально, а у меня такое ощущение есть: была обида — я ее проглотил; была обида — я ее съел. От того же Яншина сколько обид я съел, а теперь, когда стал постарше, я понимаю, что эта обида сделала меня актером. Может быть, я не так называю это слово — обида, но тем не менее тогда было обидно: я тянулся к нему, а он говорил, что я задницей кручу в Лариосике, или еще что-то...

Понятие одиночество — сложное.

Кончились гастроли театра в Кисловодске, все уехали, а мы с Женей Урбанским остались, у нас было выступление в Пятигорске. И вот Женя узнал, что его невеста, молодая актриса, на юге с другим человеком, то ли вышла замуж, то ли еще что. Женя все куда-то рвался, он хотел в самолет сесть, мчаться... Это тоже одиночество. Я помню, как еще один мой товарищ, Женя Шутов, поругался с женой и жил у нас — мама же была очень добрая, и дом наш был всегда полон. Женя жил у нас много времени, мы вместе в театр ходили, до трех часов ночи разговаривали с ним...

Вот он тоже, наверное, был одинок.

И ты, помню, мне однажды одиноким показался. Лето было, Ванда отдыхала где-то, ты, Андрюшка, маленький был, у бабушки оставался в Давыдкове, а у меня гастроли в Горьком. Вызывают меня на съемки в Ленинград на один день. После съемок получаю билет на самолет до Москвы и вижу, остается немножко до отхода поезда из Москвы в Горький, могу успеть к тебе — самолет из Ленинграда прибывает в Шереметьево, а от Шереметьева 50 км до Давыдкова. Накупил игрушек, какую-то грузовую машину огромную. С самолета бегом, схватил попутную машину, еду, открываю калитку, никого не видно, вхожу в дом — стоит мой пацан, маленький такой, что-то возит. Я говорю: «Сынок!» (Все проходит в спешке — не опоздать бы на поезд.) А ты остановился, посмотрел на меня и продолжал заниматься своим делом. Мне не то что обидно было, что ты отвернулся, не узнал, но мне показалось, что ты одинокий какой-то. Я был всего 15 минут, поцеловал тебя и бабушку — и в путь. Шел дождь.

Я вышел, темно, и думаю: «Я срываю спектакль в Горьком, не успеваю». Я голосую — никто не сажает, никто не узнает — темно в деревне. А потом едет «Победа», она остановилась. Ехали мама и сын, они перевернулись около Калинина, перепуганные. И водитель говорит: «Я за полтора часа не доеду до Москвы». Я говорю: «Хоть как-то, может быть, я пересяду». Едем, едем — я чувствую, не успеваю, срываю спектакль, а я в жизни никогда этого не делал, из-за меня не отменяли спектакли. (Болел я, с воспалением легких играл, падал на сцене, камфору вкалывали на спектакле. Однажды в Ленинграде «Дни Турбиных» с температурой сорок играл.)

Водитель понял, что я в отчаянии, спрашивает: «Когда поезд?»... Домчались мы. И вот я в поезде всю ночь почти стоял у окна, и виделась мне маленькая одинокая фигурка. Так что, дружочек, если ты тогда одиночества не ощутил, я его за тебя хватил сполна.

Звони, не забывай.

*Отец*

*10.V.79*

Андрей, вечером вчера не успели толком поговорить о показе. Решил написать сразу.

Как думаешь, почему Станиславский считал, что любовная сцена — это самое опасное на сцене. Сколько раз приходилось мне убеждаться в этом: говорят про любовь, целуются, а любовной сцены нет. Показать любовь невозможно, а испытать ее не всегда удается. И когда не возникает этого особого душевного напряжения, получается ерунда.

Станиславский советовал актерам не говорить о чувствах, а говорить о том, что является манком чувств. Партнеры как бы заманивают друг друга в любовь, а зритель, доигрывая в душе своей, видит действительно любовь.

У тебя в отрывке из «Старшего сына» любовь деревянная, не любовь, а какое-то неправильное представление о любви. И поэтому, когда ты сильно страдаешь, хочется сказать: не плачь, мальчик, это еще не любовь, это все пройдет, рассеется. А ведь в том-то и фокус, что была у Васеньки настоящая любовь, глубокая до боли, охватившая все его существо. Я даже подумал, ты и не знаешь, наверное, что это такое, что ты должен изобразить. Ты, видимо, считаешь, что это возбуждение, приподнятость, состояние, близкое к экзальтации. Что такое любовь на самом деле, я объяснять не берусь. Каждому человеку она дается в своем объеме: мне такая, тебе другая. В этом и сложность соединения людей, любовь у них должна быть равная, а то один думает: я ее люблю, я ей все, а она... и т. п.

Ты чем так возбужден в этой сцене? Ты кого-то хочешь убедить, что влюблен? Но подумай, разве же это нормально — желание демонстрировать свою любовь. Мне кажется, надо быть тише, осторожнее, лучше пусть никто не знает, ведь любовь — тайна твоя душевная. И потом, ведь ты в ней не уверен, чего уж тут шуметь и руками размахивать. Я, конечно, утрирую. Но вся установка психологическая неправильная, вольная, выдуманная формально. Постарайся все забыть и начать сначала. Нечего свою любовь выпячивать, прячь ее, но так, чтобы зритель заметил, что ты прячешь что-то, утаиваешь, и тогда они догадаются, что это, наверное, любовь.

Словом, Андрюша, сцена совсем не получается. Но в панику, пожалуйста, не впадай. Может, она и вовсе не получится, так и будешь плохо играть. Это бывает. Важно только понимать, что плохое — плохо, не удалось, — тогда можно идти дальше, и что-нибудь обязательно получится. Понимаешь меня?

*Евг.*

### 2.VII.79

Обиды вообще, Андрей, не следует копить, небольшое, как говорится, богатство. Я не призываю не замечать, когда тебя обидят, нет, конечно. Сам я, как видишь, помню некоторые обиды. Но не в этом дело. Понимаешь, мне кажется, что от обид я не замыкался, а старался преодолеть обиду как какое-то реальное жизненное препятствие.

Как-то Ванда села в такси, и таксист говорит (не предполагая, что везет знакомого мне человека): «Женька Леонов здесь живет». Ванда спрашивает: «Откуда вы знаете?» — «Мы всю жизнь вместе. Вот пьянь беспробудная, каждый день приходит и просит у меня трешку». Ванда: «Даете?» Он говорит: «Даю. Я люблю,

Наловчившись петь в мюзикле, я обнаглел, и, когда фирма «Мелодия» пригласила меня записаться на пластинку, я спел раз пять или десять песенку Марка Карминского «Из чего только сделаны мальчики».

Конечно, композитор был на записи, бледнел, холодел, но по дружбе, я думаю, вида не показывал.

Сын Андрей, кажется, начинает подумывать об актерской профессии. И в фильме «Гонщики» он впервые снялся в кино. Играет там моего сына. Пусть будет актером — стал бы человеком.

Фильм «Совсем пропащий» — экранизация романа Марка Твена «Приключения Гекльберри Финна». Георгий Данелия стремился по-своему ново и свежо прочесть это произведение. Я играю роль Короля, в образе которого Марк Твен выразил свое отношение к лицемерию и продажности.

Возьмем того же Колю — штукатура из «Афони». И добрый он вроде бы, и процитировать кое-что может при случае, а когда у Афони крах, жизнь под откос, предает друга.

Для меня определяющей, очень важной была встреча с образом Потапова из фильма «Премия». Потапов — характер сложный, в нем максимализм, упорство, настойчивость, с какой он добирается до истины, нужной не только ему лично.

Потапов — герой сегодняшнего дня, когда честность, правда, нравственность обретают свою истинную цену.

Фильм принес мне немало радостных минут, я получал прекрасные письма от зрителей, в которых говорилось, что Потапов — настоящий рабочий человек, совесть наша.

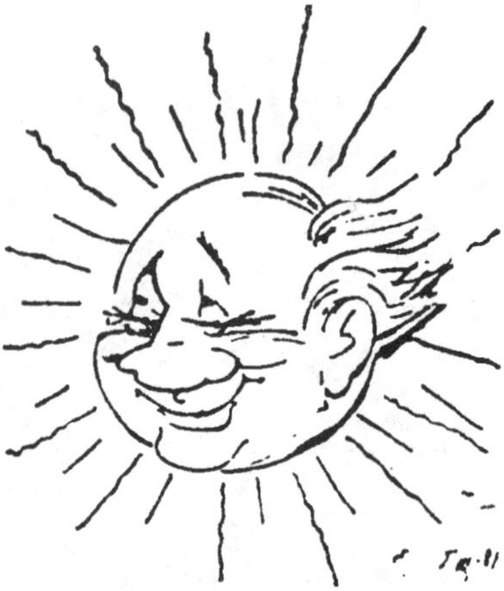

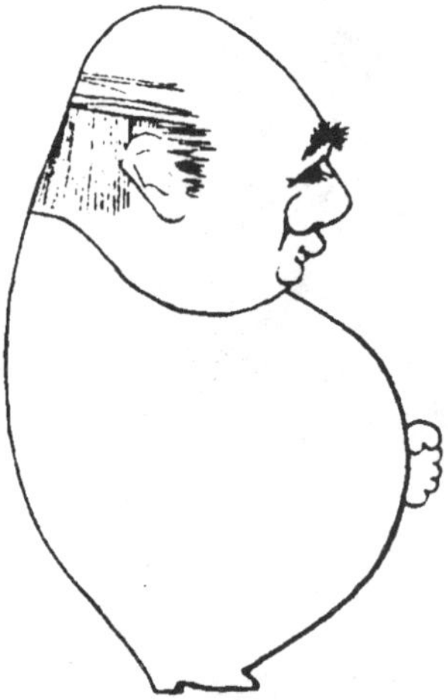

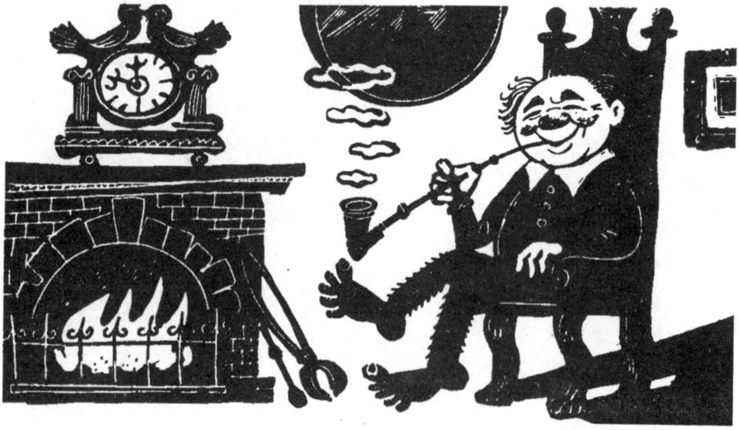

Дружеские шаржи Г. Щукина и В. Пицека

Пьеса Вацлава Мысливского «Вор» — о человеческой совести, справедливости. Произведение сложное, тревожащее душу. Я сыграл роль старика крестьянина, отца, не сумевшего вложить в своих детей крупицы добра и правды.

«Вор» подкрепил мою внутреннюю веру в то, что обязательно надо тратить свое сердце, отдавая его людям.

Режиссеры Алов и Наумов экранизируют знаменитую книгу Шарля де Костера «Тиль Уленшпигель». Я играю Ламме Гудзака, Тиля — эстонский артист Лембит Ульфсаак. (В эпизоде снялся Андрюша.)

«Легенде о Тиле» отдан кусок моей жизни в три года.

И пришел в наш Театр имени
Ленинского комсомола.
Пока трудно предвидеть, как
сложится его сценическая
судьба. Он сам выбрал
профессию.

В фильме «Обыкновенное чудо» мой король, творя безобразия, смущается и объясняет свое плохое поведение плохой наследственностью. А в жизни? Ведь и в жизни мы иногда не прочь свалить свою вину на кого-то или на что-то, лишь бы выйти сухим из воды, остаться чистеньким.

Харитонов из «Осеннего марафона» — добродушный, с виду рубаха-парень, который от безделья разворовывает частицу собственной души и чужое время.

«О бедном гусаре замолвите слово» полного удовлетворения не принес. Я старался хорошо сыграть, чувствовал трагикомическую ситуацию, но оказалось, что эта моя интонация не соединилась с другими сценами, и я был в фильме сам по себе.

Васин из фильма «Слезы капали» — чеховский тип на современный лад. Он и добрый, и хороший, но посмотрите, как он свою жизнь просвистывает, не находя себя.

Когда фильм вышел на экраны, немногие его посмотрели. Чем объяснить это? Один из тех, кто, по-видимому, посмотрел картину, написал мне: «Леонов, весели нас, чего ты в грустных лентах снимаешься? Не надо».

он хороший артист». «Вот в этой парикмахерской мы с ним бреемся вместе». Ванда выслушала, а потом говорит: «Как вам не стыдно! Я с ним в одном театре работаю — он не пьет».

Когда я понял, что стал популярным (а это радует), я подходил к окошку, смотрю, все милиционер к нам заглядывает... А потом оказалось, у него альянс с нашей домработницей... И много других несуразностей.

Раньше я расстраивался, когда слышал о себе небылицы, начинал объяснять, а сейчас я не объясняю, но возникает какая-то боль. Никогда я этого вслух не высказываю, но обиды бередят сердце, ранят. Я теряюсь, когда на меня нападает какая-то сила, против которой я не могу ничего сделать. И все же поверь, проходит несколько дней, и я забываю обиду, и по-новому начинается жизнь. И еще стараюсь видеть комизм ситуации, даже если смешон и сам. Вот как-то за границей — это были мои первые поездки, кажется в Англии, — мне сказали в посольстве: «Евгений Павлович, сегодня вы приглашаете гостей, ради вас устраивается вечер». Мы стояли у дверей, со всеми здоровались. А когда все пришли и занялись своим делом, я покрутился у дверей, деваться некуда, оставалось войти и тихо сесть. Потом ко мне подвели какого-то знаменитого деятеля, директора студии Би-би-си, что ли; меня представили: «Наш гранд-актер». Я не успел и зубы раздвинуть, чтоб что-то сказать, они стали говорить по-английски и через пять минут вообще забыли, что я стою рядом. И я подумал: «У них это работа, я им нужен для контактов, а вообще-то я не нужен никому... Хорошо бы вообще не ездить за границу». А с другой стороны, сам виноват, если б знал английский, сказал бы ему: «ноу», «иес».

Как видишь, малыш, тебе будет легче в некоторых ситуациях, в нужный момент ты по-английски скетч какой-нибудь и сообразишь из вашей школьной программы.

А вообще-то стыдно признаться, что ты обидчив, в народе недаром говорят: «На обидчивых воду возят». Так что учитывай!

К концу недели буду дома.

*Отец*

20.VIII.80

Андрей, ты не прав, у тебя из всех выпускных спектаклей самый лучший — водевили. Ты нашел интересную характерность, играл легко, хорошо, но вроде дурачка. Когда я играл Кристи, мне тоже казалось, что обязательно должна быть какая-то внешняя смешная деталь. Но перевоплощение становится убедительным только при внутренней работе, внешняя выразительность лишь помогает.

Теперь ты артист: диплом в кармане, принят в театр — твори! Но в том-то и фокус, что всего, что есть у тебя, недостаточно, стать артистом тебе еще предстоит. Только все и начинается... Вот я думаю и хочу ответить на твой вопрос: что от тебя зависит, а что, как говорится, в руках Божьих. Понимаешь, я в театре пропадал. И в студии, и в театре, вечером играл, днем что-то болтался, но это все внешние приметы... Я хотел стать актером, хотя это, может быть, общая фраза — все хотят кем-то стать, но не у всех у нас, к сожалению, это получается. Важно, чтобы хватило сил. И важно не то, что я получился народным, а получился актером. Правда, и я иногда думаю: что такое «Вор»? «Иванов»? Даже «Старший сын», по-моему, не всем нравится: один молодой актер сказал, что это, мол, спорная работа, многие в Ермоловском театре, где шел спектакль по пьесе Вампилова, не приняли ее. Я не стал выяснять, мне фильм и моя работа очень нравятся.

Вот я сказал, что стал актером, и не потому, что я народный артист СССР, — это приметы внешние и случайные, а вдруг забыли бы вообще подать мои документы... Мне рассказывали, что, когда обсуждали вопрос о звании, кто-то сказал: «А разве он не народный? Да что вы! Проверьте, он уже народный давно». Но в моей жизни и такое случалось: когда я был уже заслуженным, мы о чем-то поспорили с секретарем партбюро театра (а он был и остался моим другом), поссорились очень в его кабинете, и он сказал: «Жалею, что я тебе звание сделал». Я говорю: «Забери, если ты мне его сделал, я отказываюсь», — и начал топтать свой пиджак.

Я хотел бы, чтобы ты трудился, как я всю жизнь трудился. Правда, слова ни тебе, ни мне до конца ничего не открывают. Вот пришел я в театр, играл в массовках с упоением много лет... Важно выдержать марафонский ход актерского и человеческого становления. Я хотел бы, чтобы ты, Андрюша, воспринимал и плохое, и хорошее в свое сердце, чтобы замечал в людях не только заметное, но и спрятанное. Вот ты очень любишь животных, пожалел и привез собачку, значит, в тебе есть человеческое одиночество. Ты умеешь дружить, душу отдаешь, но вдруг замечаю, исчезает кто-то из друзей. Видно, произошло что-то такое, что тебя обидело, а может, и ты кого-то обидел. Важно научиться улавливать в людях и другую половину: бывает, что человек веселый от горя, от какой-то несостоятельности. И еще, важно научиться падать. Я в своей жизни больше падал, в моей актерской судьбе счастья было меньше, чем трудностей. Я научился так все воспринимать, что для меня нет понятия — бесспорно. Я только хочу верить, что есть люди, которым нравится, что я делаю, и я благодарен им, они меня очень поддерживают.

Делая первые шаги на сцене, будь готов к худшему — искусство жестоко. Бывает тяжело не потому, что тебя окружают плохие люди, без сердца, но потому, что кто-то искренне заблуждается. Ошибки, пробы, эксперимент в театре не случайность, которую хорошо бы избежать, а нормальный, естественный путь. Иногда ошибке надо отдаваться целиком, чтобы ее осознать, извлечь из нее урок. Театр отныне становится твоей жизнью. Слезы и радость, которые пошлет тебе судьба, принадлежат сцене. Все твое время — день и ночь, мысли и мечты, — все принадлежит сцене. Но и театр в долгу не останется. Как верный друг, он пройдет с тобой по жизни, поможет пересилить беду, испытать счастье. Счастье — это когда тебя понимают. Я желаю тебе этого счастья. Когда у незнакомого и родного человека — зрителя — блеснут на глазах слезы или у кого-то вырвется «браво», ты узнаешь, что такое театр и зачем связал с театром свою жизнь.

*Евг.*

# Письма артисту

Андрюшенька,
хотя ты бываешь у меня часто, чуть не каждый день, все же у меня чувство, что недоговорили, не выяснили, не успели. А время в больнице тянется медленно-медленно, или я не умею сидеть на одном месте и общая скованность действий так тяготит меня, что я просто изнемогаю от безделья. Кажется, целые сутки жду тебя, а только уйдешь, снова начинаю ждать. И вот решил в промежутках между встречами писать тебе обо всем, что приходит в голову, что хочется тебе отдать, если кажется полезным, обсудить, если сомнительно.

Надеюсь, в суматохе театральных будней найдется у тебя время читать эти письма.

Актерская школа, ты прав, Андрей, дело серьезное. Щукинское училище — это определенная школа, в традициях искусства Вахтангова, школа высокого артистизма, импровизационной свободы, но ты и сам знаешь, щукинцы работают в разных театрах, и до сих пор все считают, что ваше училище дает хорошую и разностороннюю подготовку. Но какова бы ни была школа, она должна помочь актеру найти себя.

Мои учителя в студии — Екатерина Михайловна Шереметьева, а позже Андрей Александрович Гончаров — относились ко мне с интересом и помогли мне нащупать свою дорогу. Считаю, мне повезло, я своей актерской школой доволен, во всяком случае, мне переучиваться не пришлось. Актер ведь учится всю жизнь, учится, ищет, познает себя. И хорошо, конечно, когда с самого начала путь определен верно.

И в кино первые серьезные задания я получил от замечательных режиссеров Александра Борисовича Столпера и Иосифа Ефимовича Хейфица (в фильмах «Дорога» и «Дело Румянцева»). Режиссеры добивались правды поведения, погружения в характер, естества... Не знаю, хорошо ли я выполнял их требования, но понимал я их очень хорошо — и тем самым радостно утверждался в правильности своих понятий и принципов в искусстве.

Оба персонажа, Пашка и Снегирев, — ты ведь помнишь фильмы — были прохвосты, внешним видом располагающие к доверию. Но при всей общности характеры это были разные: Пашка подл по неразумению, жизнь не научила его еще ничему, а Снегирев хитер, он сознательно скрывает свою сущность манерами и поведением компанейского парня.

Во всяком случае, эти роли были более сложными и интересными, так как на первых порах в кинематографе, да и в театре, меня признавали только как лирико-комедийного актера, и роли предлагали похожие одна на другую.

А когда вышел на экраны «Полосатый рейс», где я, к удовольствию зрителей, в мыльной пене бегал от тигров, многие решили, что теперь уже я прописан постоянно в цехе комиков и мне за его пределы шагу ступить не дадут. По правде сказать, я и не очень огорчался. Но как бывает в жизни иногда — самое интересное предложение получаешь там, где его совсем не ждешь. Когда раздался звонок из Ленинграда и родной голос режиссера Фетина, постановщика «Полосатого рейса», сообщил, что для меня есть роль в его новом фильме, я не без ужаса подумал: каких еще хищников придется мне укрощать? И вдруг слышу: по рассказам Шолохова... «Донская повесть»... Шибалок... Я замер: ну, думаю, это похуже хищников. А он продолжает: я вижу только тебя — это обычно говорят режиссеры. Я, конечно, не соглашаюсь, он обижается. «Ладно, говорю, приеду, поговорим», а сам думаю, худсовет не допустит. И, естественно, худсовет «Ленфильма» возражает: «Только что «Полосатый рейс» — и вдруг «Донская повесть», что же общего? Где логика?» И, представь, каков режиссер, и меня убедил, и худсовет.

В искусстве труден первый шаг, а потом откуда-то берется смелость или нахальство даже...

Когда режиссер Борис Александрович Львов-Анохин предложил мне сыграть Креона в пьесе Ануя «Антигона», я уже не стал отказываться. Хотя вокруг разговор был — Леонов в интеллектуальной драме! в трагической роли! — тут уже обсуждал не один худсовет, многие подключились. И как же я благодарен режиссеру за его талантливое упрямство.

Работа, конечно, была трудная. Пожалуй, к тому времени такой сложной, вызывающей сомнения роли у меня еще не было. Интеллектуальную драму недаром называют профессорским искусством — всем казалось, играть ее надо совсем не так, как мы привыкли. Дело, мол, не в эмоциях, а в мыслях. Мысль гипнотизирует зрителя, чувствовать не обязательно. Честно тебе скажу, разговорчики эти мне казались чепухой, но как быть, как играть — я не знал. Львов-Анохин ставить спектакль по французским образцам не собирался, это я сразу понял, иначе зачем бы он назначил меня и Лизу Никищихину. С ней, кстати, забот было не меньше, чем со мной. Вот еще Антигона, героиня! Щуплый воробей с золотистыми волосами; кишка тонка Антигону играть. Иначе как «анохинские штучки» распределение ролей не называли. Так, при общем сомнении, начали мы работать. Теперь только, спустя многие годы, я могу по-настоящему оценить режиссерскую дерзость Бориса и его прозрение. Наверное, он предвидел, как много такой эксперимент может дать искусству, а я, не скрою, шел по наитию. Но как оказалось, усилия наши были направлены в одно русло: соединить принципы реалистической психологической школы игры с драматургией интеллектуализма.

Я отнесся к работе без паники. Хотя было много причин паниковать. Знаешь, меня охватило какое-то страстное желание работать, меня даже стали раздражать бесконечные разговоры об эстетике, стилистике, специфике. Мне хотелось сказать: да бросьте вы все это, они же тоже люди, давайте попытаемся их понять, примерим их поступки на себя, поищем что-то отдаленно похожее по ситуации душевной в своей жизни.

«Антигона» была написана и поставлена в оккупированном фашистами Париже, и античный миф об Антигоне, которая перед лицом смерти не отказалась от своего долга похоронить брата, был отчасти прикрытием от цензуры. Ясно, дело тут не в античности, а в том, что наши по сути современники, люди, столкнувшиеся со звериным ликом фашизма, решали для себя те же проблемы — проблемы чести и долга, жизни и смерти. Почему же спустя еще полвека мы уже не можем войти в обстоятельства этих людей, пережить их беду вновь, а должны представить страдания и подвиги в виде изысканного интеллектуального ребуса? Какая проблема, естественно, волновала автора? Проблема порабощения человеческой личности и противостояния человека насилию. Разве эта проблема снята в современном мире, стала для нас исторической? Да ничуть. Каждый день мы должны защищать себя, свою личность от тысячи посягательств: глобальных — угрозы войны и мелкого, мерзкого чинопочитания, проникшего во все почти учреждения и организации. Видишь ли, сынок, сыграть по-настоящему можно только про нас. Остальное — приспособления, упаковка, способ, но суть — про нас — таков механизм живого искусства, ведь актерское искусство живое, оно не отделено от жизни человека. Персонаж, в какое бы платье его ни рядили, дышит твоей грудью и плачет твоими слезами... Поэтому я и на этот раз был убежден, что играть надо про нас.

На одной из репетиций я сказал режиссеру, что, пока мы с Антигоной не выясним полностью наши отношения и чувства друг к другу, мы с места не сдвинемся. Я предложил забыть имена Креона и Антигоны, оставить в покое стилистику Ануя и обратиться к той психологической ситуации, которая заложена в произведении. «Я буду дядя Федя, — сказал я, — а она Лиза. Вот когда мы разберемся, что происходит, мы скажем: «Креон», «Антигона» — и все будет в порядке».

А пока надо заставить эту молодую девчонку жить, любить, рожать детей, ведь ее любит мой сын Гемон.

Она хочет умереть, потому что думает: компромисс — это подлость, а я ей втолкую, что компромисс — это разумное понимание жизни.

Разумность, считаю я, состоит в том, чтобы видеть жизнь такой, какая она есть, и выбирать, если есть выбор. Зачем презирать стремление юной Антигоны к идеалу, пусть лучше она осмыслит свой идеал, пусть узнает правду о своих братцах-подонках.

И тут-то закрутилось. Борис, конечно, умница, очень тонкий режиссер, он мгновенно уловил, что я хочу его идеи упростить, снизить, поставить на землю, но он не испугался за философию, а решил, что проявит, прояснит ее на человеческих судьбах еще более сильно и определенно.

Много было всего. Если бы я восстановил для тебя всю работу над спектаклем по дням, по репетициям, шаг за шагом, ты бы убедился, что это были истинные актерские университеты, в которых я был и студент, и профессор, а режиссер — и партнер, и учитель!

Играть царя Фив Креона тираном, извергом — кому это интересно! А если это добрый человек, который не хочет смерти, но у него такая работа... Если он не хитрый, а искренний, если любит и Гемона и Антигону, если он хочет видеть их счастливыми, а не мертвыми, если, если... И все же потоки крови застилают глаза... Что тогда?

Мне хотелось заставить зрителя, которому уже в начале спектакля сообщили, чем все это кончится, заставить все же его переживать, сомневаться, надеяться. Хотелось, вопреки правилам, заданным пьесой, навести свои мосты, установить свои контакты, только об этом я никому не говорил и поэтому точно и не знаю, удалось ли... А успех был большой. Какой-то обвал газетно-журнальный, писали так много и хорошо, интересно, что мы удивлялись. Во всех городах, где Театр имени Станиславского побывал с гастролями, появлялись статьи, и не в том дело, что хвалили, а в том, что разные люди, критики, журналисты находили что-то свое, совсем неожиданное, и это было интересно читать.

Спектакль призывал зрителя думать, думать о жизни, о себе, о мире, о жестокости и о том, что же все-таки остается людям. И каждый думал по-своему, думал свое, и это в конечном счете самое важное, что может сделать искусство для людей.

*Евг. Леонов*

Андрей,

знаешь ли ты себя, как тебе кажется? Я не могу сказать, что знаю себя до конца. Я себе такие вопросы задавал: а знаю ли я себя в жизни, в творчестве? Жизнь каждый раз ставит нас перед какими-то неожиданностями, на которые реагируешь не всегда так, как решил бы, подумав заранее. Каков же тогда элемент истинности в каждом нашем поступке, действии? Это непросто определить...

Актер — человек со сдвинутой психикой. Меня учили включать свое нутро, я раньше этого не понимал, а сейчас легко отличаю артистов от людей, которые «тратятся» и которые «не тратятся», ценю тех, кто живет, себя не щадя, и в творчестве цепляет вглубь.

Я — фантазер, вот в чем дело. Подумаю: поздно, Андрюши нет — и уже сам себя включаю в ситуацию: вот он входит в арку, и если нападут, упадет, и я ударю... (я весь мокрый, как после драки), Андрюша отбежал, меня ударили... И в самолете так же: если упадем, успею ли я подумать, вспомнить что-то... И так каждый день. И начинаю давать указания Ванде и тебе... За последнее время я накопил столько историй по любому поводу и всех спасаю, оттаскиваю. Вытерпеть это, конечно, тяжело. Постоянно я с кем-то сражаюсь, например с шофером, который вез Ванду; я с ним разговаривал, обсуждал, говорил, что это мещанство, нельзя так к людям относиться, хотя ведь я с ним никогда в жизни не увижусь. Так же долго переживал по поводу статей.

Бывает, что я фильм не посмотрю — я ведь не смотрел некоторые свои фильмы, предполагал, что их не обязательно смотреть, особенно последние годы, почти точно зная, что может быть и что не получилось.

Честно говоря, иногда скрываю, что читал статью о премьере. «Вы читали?» — «Я? Нет. А что пишут про меня? Ругают? Ага, надо будет почитать...» А я ее уже читал, конечно, даже пытался в своей игре что-то поправить.

Больше я все-таки думаю не про свою жизнь, а про свою работу. Но и про жизнь тоже. Бывает так: что-то произошло, тут начинаю думать — «надо было в обход, а попер с левой стороны, надо было прямо, а я...». Нет, я иначе думаю: что было, то было, этого не исправить... Хотя, конечно, приходят мысли: почему со мной это случилось, а не с другим?

Молодым совсем, я хотел играть Робинзона в пьесе Островского «Бесприданница». И вот как-то на репетиции Яншин сказал: «Леонов, давайте на сцену». Я пошел, стал что-то делать, а он: «Нет, нет, не так». Я говорю, нервно очень: «Михаил Михайлович, я еще не умею, но, может быть, я научусь. Это жестоко, если вы...» Яншин сделал паузу. «Уйдите со сцены. Где Лифанов? Давайте обратно!» Вдруг вскочила одна актриса: «Это возмутительно! Как можно так разговаривать с Михаилом Михайловичем Яншиным!» Она была в месткоме, и тут же на другой день заседал местком, нас вызвали, а Михаил Михайлович сказал: «При чем тут местком?»

Через два месяца мы поехали в город Донецк на гастроли, и вдруг Лифанов заболел, директор театра Гвелесиани присылает машину — срочно играть Робинзона. (Это было задолго до Лариосика.) Что ни скажу — аплодисменты, я стал даже пугаться. Весь напряженный, в какой-то нелепой шляпе, в глазу монокль, что ни скажу — смех. Приходит Гвелесиани: «Вы очень смешно играете». Это меня скорей напугало, чем обрадовало, а уж поверить в то, что хорошо играю, я не мог. То ли зритель попался такой смешливый, то ли от испуга я был нелеп, сиюминутен — и от этого очень правдив.

Яншин ведь никогда меня не хвалил, ни в какой роли. И, быть может, поэтому во мне поселилось вечное сомнение — что я что-то делаю не до конца хорошо, и если мне кто-то говорил, к примеру: «Вы прекрасный Лариосик» — и меня это радовало, я все же понимал, что играю недостаточно хорошо. А ведь не было города, где мы гастролировали, чтобы не написали прекрасную рецензию на спектакль и самые восторженные слова обо мне. Когда хлопали, я всегда помнил, что меня Яншин поругал: «Нет, он прав, я слишком смешу...»

Вот как передать тебе этот опыт, Андрюша? Будут ругать, могут и несправедливо ругать — ты самолюбивый очень, я ведь тоже самолюбивый, судя по моим рассказам, но я через это перешагивал.

Работай, ну это понятно — все работают. Я никогда никуда не вмешивался, ни в какие интриги. Меня обижали — я обижался, но старался понять, что же нужно от меня в данный момент режиссеру, что он хочет: непонятно говорит, тихо, показывает, а копировать я не могу. Если ты артист, то все в твоей жизни — трудности, обиды, страдания, нервозность, — все решительно надо поставить на пользу искусству. Это трудно, но когда это произойдет, искусство станет помогать тебе в жизни, оно как бы уже помимо твоей воли будет гармонизировать жизнь. Ведь верно, что творчество дает и отбирает, и это вместе происходит чаще всего. Одним словом, больше смелости, сынок. Дело нашей жизни требует большой смелости, как ни странно.

*Отец*

Андрей,

ты спрашиваешь, боялся ли я режиссера, Яншина например.

Я боялся Яншина, потому что была очень большая разница возрастная, личностная между нами. Что он ни скажет, что ни покажет — и для меня, и для всех — гениально, и повторить невозможно, да и не нужно... Но желание сделать и неумение это сделать огорчали. Он подавлял меня тогда, может и других (не знаю), —

умением как-то повернуть образ, опираясь на жизнь так, что для тебя все становилось новым и неожиданным.

Взаимоотношения актера и режиссера — очень сложное дело.

Вот сейчас я репетирую, как ты знаешь, с Анатолием Васильевым «Виндзорских проказниц». Васильев, конечно, не Яншин, по-разному о нем говорят в нашей среде, но многие считают его одним из лучших режиссеров: Товстоногов после «Взрослой дочери молодого человека» сказал о нем — вот у кого надо сейчас учиться, а Гончаров сказал, что это самое современное искусство и мы от него отстали. А работать с Васильевым сложно. Когда я был подмастерьем, учеником, многого не умел и то, что требовал Яншин, не очень у меня получалось, я начинал нервничать, а когда нервничаешь, у тебя пропадает воля и ты не можешь соединить себя со словом, с литературой и действием. Вот у Гончарова тоже приход на репетицию обставлялся нервно: он как-то так входил в зал или влетал на сцену, что атмосфера становилась напряженной. Но я к этому времени уже научился использовать эту возникшую во мне нервность и направлять ее на репетицию — поэтому, кстати, я иной раз оказывался в лучшей форме, чем мои товарищи, — я успевал вскочить в этот трамвай, который он отправлял с определенной скоростью, а кто-то не успевал слова говорить в нужном ритме спектакля. Помню, мы работали над спектаклем «Человек из Ламанчи», репетировали-репетировали с молодым режиссером какую-то сцену, и наконец пришла пора показать определенный кусок Гончарову. В зале сидели какие-то люди, раздался шепот: «Идет, идет...» Входил

Гончаров, всех обводил острым глазом — наступала тишина. Я веду сцену Санчо с письмом: «Альдонса, письмишко тебе принес» — вдруг стали смеяться. В такой обстановке, так было и при Яншине, если актер что-то удачно скажет — вокруг возникает радость, и не столько в адрес этого актера, а вообще. Так и здесь было: хохот, смех и Гончаров, радостно потирающий руки...

А вот с Васильевым мне сложно и трудно — он не выражает эмоций, он весь в себе. Пауза, десять минут молчит, потом вдруг что-то скажет, опять пауза, потом начнет говорить, говорить, и уже конец репетиции... Вот мы с октября месяца все время говорим, то есть он в основном говорит про тему, ищет, находит (правда, подчеркивает, что мы вместе ищем), но я, репетируя уже полгода, стал побаиваться, потому что он нечетко выражает свое хотение, или, может быть, что-то разрушает придуманный образ, и до такой степени иной раз, что, хоть он и хвалит — «что-то мы нащупали», у меня складывается впечатление, что все это не туда... Что-то неуловимое мешает верить, а актер должен быть проводником — молниеносным, сиюминутным, сегодняшним проводником мысли режиссера. И пусть она будет такая или иная, но нужна четкость позиции, иначе начинаешь нервничать и ты, и он, хотя вида не показывает. И начинаешь про себя думать: а может, я уже отстал, может, я старомоден. Хотя и Яншин в свое время, и гончаровские репетиции потихоньку выковывали во мне борца за литературу, за слово. И чему-то научившись, я стараюсь учиться дальше, я привык ставить себя под сомнение — себя, роль, эпизод.

Когда-то я у Станиславского набрел на фразу, что из-под актера надо почаще выбивать стул, на котором он удобно расселся; в общем, актера надо ставить в новые обстоятельства и переучивать каждые десять лет. Я в это очень поверил, потому что был психологически подготовлен. И даже мой переход из Театра имени Маяковского в Театр имени Ленинского комсомола, вызванный другими обстоятельствами, я оправдывал тем, что попаду в руки современного режиссера, который будет мне предлагать неожиданные вещи...

Первые спектакли Захарова многих ошарашили. Марка Анатольевича знали как способного, ищущего режиссера по спектаклям Студенческого театра МГУ и в особенности Театра сатиры. И вот — «Тиль», «Звезда и смерть Хоакина Мурьетты»: шумные, красочные, с обилием музыки, танцев, пластики, движения... В одной из рецензий было написано, что, мол, Захаров использует в этих спектаклях приемы современной эстрады. То ли критик хвалил, то ли огорчался... А мне, как и многим, обращение театра к опыту кино, телевидения, эстрады и других видов массовой культуры представляется вполне закономерным. Кстати сказать, кино, телевидение и эстрада сами вовсю пользуются средствами театра. Захаров доказал правомерность такого театрального стиля хотя бы тем, что эти спектакли пользуются успехом вот уже несколько лет у самого разного зрителя, больше всего — у молодежи.

Пусть это направление в нашем театре живет и развивается. Я — за. Жаль только, что я — толстый и неуклюжий — не могу в этом участвовать. Но повторяю: я — за.

Хотя мне — не стану этого скрывать — ближе и дороже спектакли, где люди плачут, где тратят сердце. Такими я считаю в нашем театре «Иванова» и «Вора». И не потому, что я в них играю, а потому, что литература потребовала от нас и от режиссера психологической разработки, точного и подробного существования, эмоциональной отдачи.

Когда я репетировал «Иванова», тебя еще не было в театре, а мне хочется, чтобы ты знал, как проходила эта работа, поэтому расскажу тебе об этом чуть подробней.

*Евг.*

Андрей,

помнишь, ты сомневался, надо ли мне играть Иванова, Смоктуновский, мол, играет и ты — как это понять? Теперь уже, когда спектакль сделан, хочу объяснить тебе кое-что не про себя, конечно, про Иванова. Иванова чаще всего представляют этаким героем, непонятым гением. Как же! Такое бунтарское прошлое — впереди эпохи; женщины из-за него страдают, и наконец, отчаянный протест — сам себе пулю в лоб. Все складно, но... на поверхности. Когда Чехов написал пьесу, ее считали умной за то, что в ней угадана «физиономия поколения». Таких, как Иванов, много — вот в чем разгадка, ничего выдающегося здесь нет. И трагедия Иванова — трагедия внутреннего разлада — это не катастрофа одинокой личности, но беда целого поколения. Немирович-Данченко очень точно назвал Иванова «безвременным инвалидом».

Я за то, чтобы понять героя в его историческом контексте. Что же тогда было? О чем болело чеховское сердце? Восьмидесятые годы прошлого столетия — трудные годы безвременья, застоя. Как это выглядело в жизни: запрещения, ссылки, расправа — власти сурово отвечали на удары шестидесятников, закрутили все гайки, задушили все живое, мечты и надежды отменили, запугали, унизили, разобщили людей.

Теперь пойми психологию ивановых. Когда время и революционные ветры призывали их в строй, они были молодцы, но в удушливой атмосфере реакции, когда ясность действия ушла, они движутся по инерции на холостом ходу. Они говорят, обличают, они не приемлют действительности, но и ничего не делают, чтобы ее изменить.

Безвременье рождает «порядочного обывателя». Если ты вышел из игры, ты — обыватель. Ум не оставил тебя, способность критически видеть и мыслить сохранилась, взгляды не переменились, но время вышибло тебя из действия, невыносимо трудно стало сохранить себя. Чем, собственно, Иванов лучше этой пошлой публики в гостиной Лебедевых? Тем, что он видит их низость, и только-то? А что он им противопоставляет? Слова, слова, одни слова!..

Поэтому в спектакле мой Иванов стесняется слов, ощущает ложность этого словесного протеста. И я начинаю говорить неохотно, всякий раз думаю, а не помолчать ли мне, а то всюду свое мнение, свое слово — смешон, право. Мой Иванов явно избегает общений, придет к Лебедевым и стоит в стороне, отвечает односложно, стыдится болтовни, боится, что Шурочка что-то другое видит в нем, ошибается. Впрочем, иным, кто не пережил истины действия, и слова кажутся действием. Поговорили в гостиной смело, дерзко, умно — и довольно, по нынешним временам довольно. И горько видеть: то, что было идеей, становится развлечением. Перед Ивановым открывается эта перспектива: поправятся с новой женитьбой дела в имении, поправится настроение. Шурочка станет ловить каждое умное слово, а Иванов, мыслящий человек, станет заполнять пустоту словами. Кажется, он это себе представил: «Я подумал». Потому и пуля в лоб.

И тут очень важно «как», никакой эффектности, никакого вызова. Мы не подаем в спектакле выстрел Иванова как акт мужества, недоступный другим, всем. Мне кажется, что Иванов это делает для себя, не найдя выхода, он в смерти ищет освобождение от пошлости, обступившей его, от своего бессилия с ней бороться, от нелепостей и неумения объяснить себя людям.

Иванова блестяще играл Бабочкин, прекрасно играет Смоктуновский. Но наш Иванов — другой.

Если сыграть Иванова без веры в уникальность его натуры и достоинств, если не считать, что все женщины, а не только Сарра и Шурочка, должны страдать при виде такой шевелюры и стати, а допустить, что женщинам тоже душно, невыносимо в среде интеллектуальных и нравственных уродов и оттого они бросаются к Иванову, чувствуя, угадывая в нем свет иных времен, и им всего лишь предстоит понять его несостоятельность (конечно, Сарра другое, у нее были основания обмануться, а Шурочка по молодости, незрелости своих суждений о людях), то тогда, согласись, играть Иванова может не только Смоктуновский, но и любой другой артист, и я тоже. Убедил, нет? Окончательно, надеюсь, убеждает спектакль.

До встречи.

*Евг. Леонов*

Андрей,

теперь, когда ты играешь в «Иванове» эпизодическую роль и наблюдаешь Чурикову на сцене, как бы изнутри спектакля, ты, наверное, уже многое понял. Конечно, видеть актрису из зала даже профессиональным взглядом, — это не то что вместе играть, актерское партнерство почти что братство, во всяком случае, есть основание сказать: я был с ней в разведке, я ее знаю.

Инна Чурикова — большая актриса, поэтому комплиментарную часть опускаю. Видишь ли, эта женщина одарена природной гигантской артистической энергией, а это и есть подлинно театральное чудо. Она убедительна. Она не действует на сцене, она живет. Каждый жест ее, взгляд, каждое слово в такой мере насыщены чувственной энергией, что вся она на сцене обнаженное сердце, пульсация которого меня иногда пугает. И эта ее чрезмерная сердечность, ее особый, ни с кем не совпадающий сердечный ритм приковывают внимание, гипнотизируют, я думаю, зрителя. Рядом с ней никакой иной человеческой правде места нет, все оценивается в связи с ней. Это, я бы сказал, какой-то мощный центростремительный механизм. Играть с ней нелегко.

Теперь о Сарре. Думаю, что критика определит ее как выдающуюся роль Чуриковой. Все сильные стороны ее актерской индивидуальности — сосредоточенность на себе, на собственной внутренней жизни (а этой энергии так много, потому что она ее не выплескивает, не разменивает на других, на обстоятельства) — сказались здесь особенно. Как бы это пояснить? Допустим, в любви большинство людей, влюбленных, обретают дивную способность видеть и чувствовать другого человека, любимого. Ее в любви захватывает ее собственное чувство. Она точно зачарована собственной душой, она слышит самое себя, погружается в свое страдание, то есть в любви она открывает самое себя, а не другого.

Вот эта органичная погруженность в себя оказалась предельно важна в нашей центральной сцене — объяснения Иванова с Саррой. Дело в том, что по жестокости сцена доведена до абсурда и сделать ее психологически достоверной могло только это обстоятельство. Погруженность в себя решительно не дает возможности Сарре услышать Иванова. Первое, что должна подумать умная любящая женщина, что он сошел с ума, но тогда Сарра бросилась бы спасать Иванова. Но! Сарра всегда, и тут, видит только себя, чувствует только свою боль, и до Иванова ей дела нет. Как-то Чехов говорил, что мы, русские, ищем страдания, чтобы избежать скуки. Чурикова такую именно чеховскую героиню играет. Это, мне думается, придает всей сцене при абсурдистском характере психологическую конкретность и глубину, — получается впрямь приступ безумия. Впрочем, это я так чувствую.

Обнимаю.

*Твой Евг.*

Снова и снова встает перед тобой вопрос: режиссер или актер, кто определяет успех в конечном счете. «Режиссер!» — сказал бы я тебе, но тут же вспоминаю, сколько было в моей практике встреч с режиссером по должности, но не по художественному масштабу. Профессионал или художник — это так же существенно в режиссуре, как и в актерстве.

Яншин, когда кто-то плохо играл, говорил: «Это я виноват, может хорошо сыграть, что-то недоделали мы». А сейчас часто услышишь, что режиссер все свое дело сделал, но актеры, мол, оказались слабыми, их пришлось закрывать. Это и в театре, и в кино. Но в чем же дело? Смотришь иной спектакль: все сделано красиво, современно, все по высокому счету, и даже в зале пахнет чем-то, и это даже впечатляет. Но почему в моем сердце остались Москвин, Тарханов?..

Актер драматического театра проверяется умением создать характер, окрасить его своим сердцем, а не внешней моторностью. Этому надо учиться, а сейчас эти понятия стали улетучиваться. Зачем же я тогда много лет тому назад ходил по улице Горького и Васильевской взад-вперед и думал о Лариосике, и мучался от того, что Яншин такое показывал, что я не мог сделать, и по многу раз проверял в уме, что я не так делал. Я ходил, не замечая людей, натыкаясь на столбы. Может, это искусство ушло в прошлое? Нет, я думаю, искусство, связанное с сердцем, с правдой, с глубиной, — вечно. Мне интересней смотреть те спектакли, где есть настоящая литература и та истина, ради которой мы живем. Этот болевой момент может быть окрашен музыкой и другими современными средствами. Я видел это в фильме «Вестсайдская история» и плакал на американском мюзикле «Иисус Христос — суперстар», в фильме о балете, который видел в Англии, когда 17 молодых людей выступают перед режиссером, а нужны только двое, и это трогает до слез.

Один молодой режиссер сказал, что ему больше нравятся заграничные актеры, чем русские. А меня и среди зарубежных актеров поражают те, кто цепляет за сердце. Меня потряс Николсон в фильме «Полет над гнездом кукушки». Меня поражал Жан Габен в фильме «У стен Малапаги» и в других картинах, он меня хватал за сердце. Может, это было давно и я был еще неопытным зрителем, хотя таким и остался, но меня брали в плен именно такие актеры. Я и сам так стараюсь играть. Помню, как шли «Ванюшины» в Югославии: приходили актеры и говорили, что это интересно, но не нужно так тратиться.

Я ушел из Театра имени Маяковского — рухнул спектакль «Дети Ванюшина», не потому, что я талант, он был так выстроен, выстроен режиссером на актера. Я ушел из Театра имени Станиславского — рухнула «Антигона», потому что роль была выстроена, все было выстроено, а по-другому трудно. Наверное, надо и роль так же выстрадать, говорить со сцены о том, что мучает тебя.

Однажды спорил с режиссером, который сказал: «Я не воспитатель, я режиссер». Но ведь режиссер должен быть воспитателем. Я не о дисциплине сейчас говорю, а про актерское дело — он должен воспитать в актере желание заниматься человеческим духом, он должен заниматься воспитанием личности. А то может получиться так, что ограничиваются данными, которые есть: достаточно, мол, и этого. На какой срок? на жизнь? на мюзиклы? на роли?

Мне все больше кажется, что наши современные режиссеры хотят прежде всего выстроить спектакль, сотворить, выдумать, но не выстрадать его, не родить, оторвав пуповину, и конечно, вместе с актерами. А если ты вместе, то уже вроде бы не начальник, а педагог, соучастник.

Многим молодым режиссерам почему-то хочется блеска телевизионной «театральной гостиной», чтобы цветы, американцы. чтобы публика разбивала двери. Яншин был толстый и немолодой, и он этими делами не занимался, от него у меня осталось впечатление, что он не начальник, а соучастник моей жизни, моего труда, моих поисков, наших, вернее, поисков. В нашей с ним жизни всяко было — и он меня, конечно, не всегда принимал, и это в результате и прекрасно — я все время пытался что-то доказать. Как-то Гончаров сказал, что у Яншина я ухватил что-то современное.

Вот Данелия берет каждый раз одних и тех же актеров и каждый раз раскрывает их по-новому. Иногда начал повторяться актер, он сам, может быть, этого и не понимает, особенно в кино: снимают, без простоя и т. д. И тут Данелия вновь сумел в нем что-то отыскать, растормошить его сердце. Недавно у меня спросили о «Нахлебнике» — и мелькнула мысль: почему бы мне «Нахлебника» не сыграть, это было бы прекрасно — учитель мой играл, и я сыграю; но нужен тот, кто увидел бы это, кто заразил бы меня идеей и вложил бы в меня мысль, что это возможно. Но никто об этом не думает, а я сам не знаю, могу я это сыграть или нет — это проверяется только работой, репетицией.

Мне рассказывал Петр Петрович Глебов, с которым я проработал много лет в Театре имени Станиславского, что в «Тихом Доне» его пробовали на эпизодическую роль белого офицера, но его увидел Сергей Аполлинариевич Герасимов, увидел, как говорится, режиссерским глазом, что у Глебова есть удивительная простота и трагедийный накал — и судьба актерская состоялась.

Режиссер, если его не зря режиссером называют, видит больше и лучше, чем актер сам себя. Работа с режиссером, которому доверяешь, какой бы трудной она ни была, — это и есть счастье.

Я ценю режиссуру не за сочинительство в области формы, но за исследование человеческой сути характера, взаимодействия его с жизнью. Это сложнее, но только это приводит к истинному художественному результату и режиссера, и актера.

*Евг. Леонов*

Сегодня, Андрюша, я вспомнил, как был в Певеке на берегу океана. Зима, понимаешь, снег, и белое уходило в такую даль, что трудно и представить. Поэтому я не стал себе представлять, а спросил: «А там что — полюс?» Но ощущение необыкновенное. Напоминало мне впечатление от первой поездки по степи, когда ехал в станицу Раздорскую и видел степи, курганы до горизонта. Но степь я воспринимал через Григория Мелехова, через Аксинью, через Шолохова. А когда попал в Певек, на Ледовитый океан, такое чувство, вроде я последний, вроде я Амундсен. Потом на карту посмотрел — Америка рядом. А когда летел в Америку, то даже не понял — была под нами вода или нет.

Некоторые люди живут ради достижения цели, а что делать, когда наступит день и цель достигнута? Можешь себе представить, что цель будет достигнута? И тогда что? Может быть, правы те, кто считает, что цель — это жизнь, а всего дороже жизнь, и все нравственно, что служит жизни.

Как-то по жизни получается у меня, что цель — это жизнь, потому что одна цель кончается и начинается другая, и последнее время я ощущаю, что это бесконечное дело. Вот думаю, дачу куплю, а потом буду на даче жить, но тут же понимаю: когда жить, если сниматься буду? И я понял, что это надо от себя в такой степени оттолкнуть, чтобы это не мешало мне жить. Когда был молодым, хотелось в кино сниматься, хотелось актером стать. В жизни у меня всякое было, но всегда мне хотелось работать на сцене, и удивлялся, как это без меня какой-то спектакль обходится. Можно сказать — любовь, а можно — жадность к работе. Не могу сказать, что у меня была цель и я ее добивался. Просто работал, но это было для меня очень важно. И так получалось, что одна цель достигнута — встает новая. И все это и есть жизнь

А вообще, океан больше знает. И что же шепчет? Жизнь — это бесконечность.

*Обнимаю, сынок. Л.*

Опять ты, Андрей, за свое, когда это я тебя учил не обращать внимания на людей, на несправедливости и обиды? Я тебе говорил: не копи обиды, не надо нянчить свое самолюбие. Там тебе что-то чудится обидное — ты уже туда ни шагу, здесь подозреваешь чью-то недоброжелательность, недоверие — ты уже слова не вымолвишь. Но так в жизни нельзя, не то что в искусстве — вообще нельзя.

Мы дружили очень с Женей Урбанским — ты знаешь это, — он любил приходить к нам на Вторую Фрунзенскую, но мы с ним часто ссорились. Я думаю, что ощущение обиды, правды или неправды во мне было больше, чем в ком-то другом, хотя в чем-то я бываю несправедливым, особенно когда старше становлюсь: я сразу нервничаю, кричу, и так с Женей Урбанским.

Я его вводил в «Ученика дьявола», и однажды он мне сказал: «Ты актер трюковых приемов, трюкач, нам, героям, сложнее...» И меня это так обидело... Конечно, он это сказал в запале, он был отходчивый и потом все время ко мне приставал: «Что ты сердишься, за что ты сердишься?» А я не объяснял...

Когда я уходил из Театра имени Станиславского — мне это было очень трудно, столько лет, я душой прирос там, и все меня ранило — искренняя любовь одних и неискренность других. Я ушел, но продолжал играть там свои спектакли. А вскоре узнал, что артисты, с которыми я работал многие годы, пришли к директору и сказали: «Не надо приглашать Леонова играть, что, у нас своих актеров нет? И не такой он артист, чтобы быть гастролером». И после этого они стали играть мои роли, а я перестал играть. Из этого ясно, что я обидчивый человек, но скрываю это... Меня жизнь здорово колотила иной раз. Но не это страшно, страшно, если ты озлобишься. Злой человек, озлобившийся не может ничего сделать в искусстве, потому что пропадает, как бы это тебе сказать, высшая школа, высшая объективность, которая держится на добром отношении к человеку. Помнишь, я тебе говорил, что нужно в первую очередь художнику, — добрый глаз и доброе отношение к людям. Это точно. Природа артистизма вообще, как мне представляется, — даже если человек не артист, но чувствует игру, шутку, юмор, — в доброте. Подумай, ведь если ты умеешь снять напряжение, улыбнуться, обратить в шутку недоразумение, ты тем самым помогаешь кому-то, правда?

*Отец*

Говорят, что в детях надо воспитывать доверие к жизни. А ко встрече со злом, если ты уверен, что в жизни ему это придется испытать, тоже надо готовить? Вот чего не знаю, того не знаю. И все же специально готовиться ко встрече со злом, по-моему, неверно. Я так никогда не делал, никого к этому не готовил, тем более тебя. Я учил тебя не озлобляться, быть добрым. У нас в семье такие отношения, что можем и поругаться, и поплакать, но злобы это не несет, и ты у нас очень добрый, очень хороший. Ранимый, нервный, самолюбивый бесконечно, но все равно очень добрый. Я не помню, каким был я, но рассказывают, что я был тоже добрым мальчишкой.

Не раз мне друзья говорили, что моя доброта может принести сыну вред. Не боишься, мол, испортить ребенка добротой? Бывало, меня накрутят, и я начинаю кричать на тебя. Однажды был такой случай, не помнишь? Я говорю: «Одевайся, пойдем в приют, будешь там жить, а я буду к тебе приходить». Ты тогда совсем перестал учиться, в 4-м или 5-м классе. Спрашиваю: «Ты почему уроки не сделал?» — «Не успел». — «То есть, как — не успел? Ты что, на работу ходишь, обед готовишь?» — «Не успел», и точка. Я тебя никогда не бил, но иногда думал, надо бы. Я в театре пропадаю, репетиции, спектакли, да еще и концерты по вечерам, а тут — арифметика: «поезд вышел из пункта «А», а я ничего не соображаю, спать хочется, ты смотришь на меня, а я вычисляю, куда ехать машинисту...

Но доброта тоже ведь не однозначна. Вчера звонит актриса и просит о сыне, который должен пройти медкомиссию для поступления в институт. А сегодня звонок из отдела кадров: «Вы ходили насчет ее сына, не можете ли сходить по поводу моей дочери?» Я сказал, что занят, не могу отменить съемку... Доброта — это же не просто крик: «Кому нужна моя помощь?» Так не бывает. Зато бывает и так: сделаешь что-то доброе, а обернется Бог знает чем. И потом думаешь: и зачем я это сделал? Не надо было, не надо.

Если видишь человека с будущим, обязан помочь, как бы в будущем поучаствовать, потому что вообще все люди, каждый человек должны достичь в жизни максимума, то есть реализовать свои возможности полностью. Это, я считаю, наша общая задача. Понимаешь, есть доброта, которую можно назвать выспренне — гуманизм, а есть доброта, которая соседствует с душевной леностью. Ведь помочь человеку — это значит взять на себя ответственность перед кем-то за него, это ведь не просто пошел позвонил и к вечеру забыл. Есть, конечно, такие люди, которые всех «родненькими» называют, а на самом деле имени не запомнят. Я этого не терплю.

Доброжелательность может быть свойством души, а может быть хорошими манерами — и в этом не сразу разберешься, к сожалению. Были в моей жизни такие случаи, когда добрые дела не замечали люди, но чаще — ценили.

Когда умер Мартьянов, актер Театра имени Станиславского, и выносили гроб, ко мне подошла его жена, поцеловала меня и сказала: «Спасибо от всех нас и от него». Я понял, что она благодарит за квартиру, которую я помог получить; ему все отказывали, а я взял настырностью: в течение нескольких месяцев я звонил секретарю Моссовета из разных городов — и он помог Мартьянову. Эта благодарность на меня произвела впечатление.

В нашем театре часто слышу: «Леонов — наш хлопотун». И я стал замечать, что ко мне обращаются с просьбами, как бы считая это моей обязанностью. Не за спасибо человек помогает человеку, а просто потому, что проникается сочувствием, проявляет участие к судьбе другого человека. Это так естественно. Если ты сегодня еще не можешь никому помочь, ты хотя бы умей в душе своей вырастить и сберечь благодарность к тем, кто тебе помогает. Это не для того вовсе, чтобы вернуть человеку свой моральный долг. «Ты — мне, я — тебе», это грустное производит впечатление. Я полагаю, что благодарный человек захочет помочь другому, когда сможет, ибо благодарность делает его чувствительным к чужим заботам и бедам.

До завтра, сынок.

*Отец*

Память у мена прекрасная, особенно на мизансцены, я запоминаю их молниеносно. Одно время я сразу запоминал текст роли. Но я и раньше понимал, что не в словах дело, не в словах раскрывается человек — истина всем известная. Эфрос мизансцены выстраивает замечательно, и его актеры научились схватывать суть, а у меня так не получалось, хотя я это понимал, читал в книжках — чеховская «Чайка» — говоришь одно — думаешь другое, но я уже смотрел эти спектакли, когда запоминалось «тарам-там-там», а атмосфера была не такой.

Раньше я старался запомнить, куда меня поставили, и тотчас возникали вопросы: зачем? почему? «Ах, я плакал на улице, но это не написано, но можно сыграть — меня обидели, я выхожу и заплачу»... А последнее время, начиная с «Антигоны» и в особенности с «Ванюшиных», каждый переход, мизансцена для меня связаны с тем, что я делаю и что говорю. К сожалению, нельзя это запомнить. Если я пытаюсь вспомнить, чтобы понять, как я сыграл, ничего не получается. Начинаю думать, к примеру, о Ванюшине, почему я деньги там считал, интересно — почему, мизансцену помню, а слов — нет. Конечно, хорошо, когда в партитуре роли это все по отдельности, как в кино: эта дорожка — звук, это — изображение, так и в театре.

Я помню очень хорошо мизансцены всех спектаклей. Помню остроту своих ощущений, не только сценических, но и жизненных. Помню, например, как ты плакал, стоя у стены, — мать не пустила куда-то, в поход, что ли... Я помню все перепады в своей жизни. И знаешь, я думаю, актеру надо попадать в перепады.

Вот в детстве я какой-то одинокий был, что ли... Потом в театре, когда я еще на сцену не выходил, ничего не играл, бегал в массовках, тоже помню щемящее чувство тоски, неуверенности. Как-то шел из театра через площадь Маяковского, и вдруг мимо пролетела машина, сшибла девушку и умчалась, вслед ей даже стреляли... Я подошел к девушке, она лежала на лестнице метро и говорила: «Мама, мама...» Я пришел домой, руки тряслись, и был белого цвета. Я на всю жизнь запомнил, как она лежала...

А когда мы репетировали «На улице Счастливой», одна сцена никак не получалась. Яншин так выстроил, что за кулисами я кричал: «Стой! Стрелять буду!» — потом выбегал и говорил: «Дядя Петя, я человека убил». Этот случай, который произошел у метро, я вслух рассказывал на репетиции и играл сцену драматично.

Понимаешь, только в последние годы ощущаю по-настоящему (хотя складывалось это многие годы от Яншина, от Гончарова, от кино), что нашел ход, который позволяет мне на сцене существовать сиюминутно.

А вот для такого метода игры, для такого сиюминутного существования нужны крепкие нервы, но они у меня уже израсходованы, поэтому я каждый спектакль волнуюсь и, честно говоря, от этого побаиваюсь зрителя.

Иной раз рождается прямо страх перед зрителем. Откуда он? — я сам не знаю. То ли оттого, что ты не знаешь, как сыграешь спектакль, может, оттого, что эти спектакли не разобраны до конца по действию (к чему я привык всю жизнь, я находил в этом радость — найти действие, а потом его опрокинуть иначе потом еще как-то по-иному). Хотя понимаю, сейчас такое время, когда не надо говорить. «Я хочу сделать то-то» — делай; слово «хочу» сейчас в нашем искусстве отпало. «Хочу» можно выкинуть, а слово «делаю» выкинуть невозможно, потому что это каркас, на котором ты держишься. Хотя современная режиссура этого каркаса не выстраивает. Многие озабочены общим рисунком, своим ви́дением и вообще дальше этого не идут, обозначают только образ представления, и он, этот образ, иногда рожден западными фильмами. Но этого для актера недостаточно.

Был как-то на «Хромотроне», зрители говорили добрые слова, и до того дошло, что чуть ли не «наш народный герой», вроде я уже на каком-то постаменте, а ведь меня смущает многое-многое...

В прошлом году я купил книжку Виноградской о Станиславском, прочитал ее всю; потом увидел фильм-спектакль «Анна Каренина» с Тарасовой и удивился: может быть, это иначе воспринималось, когда мы моложе были. Сразу достал книжку о Тарасовой и увидел, что ее жизнь была непростой, были перерывы, и только к концу сложилось иначе. Стал расспрашивать — и оказалось, что в последние годы во МХАТе она мало работала, находила отдушину в том, что играла «Без вины виноватых» в областном театре и вроде бы говорила: «Сюда я прихожу как в свой дом, это моя любовь, мой настоящий театр». В книжке написано, что она стала преподавать в Школе-студии МХАТ и добивалась от учеников правды, органики, но я вспомнил, что ее ученицы — я знал нескольких из них в разных театрах — все работают «под Тарасову». И как случилось, что лучшая ученица Станиславского, пользуясь его передовым методом, все ее любили, восхищались, она — народная артистка СССР — не сумела все же передать то, чему ее учили? Ведь она прожила в этом театре полувековую жизнь, была самой талантливой, умной, передовой, ее любил Станиславский, — как же так?

Сложно в этом смысле в нашей профессии... На съемках фильма «И это все о нем» я фантазировал как всегда, а режиссер Шатров говорил, что Леонов «тянет одеяло на себя». А я подумал, что значит — тянуть одеяло на себя? Если так называется собственное творчество, всякая актерская инициатива — тяни одеяло на себя, а другие — на себя. Фантазируй, работай, решай сцену, а режиссер, который соображает, должен из этих лоскутков скроить то, что ему нужно.

Я быстро могу прийти в возбуждение, но сдерживался часто; раньше я вообще был спокойный — сегодня на съемках говорят мне: «Успокойтесь», а я вроде бы спокоен, но, оказывается, я так это объясняю, что прибегают посмотреть, что произошло с артистом Леоновым. А ведь актер обязан научиться управлять своей эмоциональностью.

Чувствительность, душевная щедрость для актера не просто черты его характера, но исходный материал труда. Впрочем, напрасно я тебе об этом пишу — ко всему ты придешь сам. Научить эмоциональности нельзя, а развивает ее только жизнь.

Скучаю.

*Отец*

Последние год-полтора у меня в кино не было настоящей работы: «За спичками», как я предполагал, —

мимо; «О бедном гусаре замолвите слово» — тоже полного удовлетворения не принес. Я старался хорошо сыграть, чувствовал трагикомическую ситуацию, но оказалось — уж не знаю, кто виноват, — что эта моя интонация не соединялась с другими сценами и я был в фильме сам по себе и не очень убедительным. Даже получил письмо из Ленинграда: «Доложите своему начальству: как это можно было под Новый год испортить застолье всему советскому люду, направив ружье на нашего любимого актера?! Пенсионер Иванов».

Этот мой персонаж в фильме Рязанова комик, а попадает в трагическую ситуацию и, главное, — не ощущает трагичности. Поэтому, как начнешь сцену ковырять — не понимаешь, как ее сделать, не клеится. Думаю, Рязанов это понимал, что-то менял в сценарии.

Рязанов очень талантливый человек, и у него на съемочной площадке мы увлечены игрой. А у Данелия совсем другое: у него ты в одном измерении — жизни, и он эту жизнь соединяет с тобой и растворяет тебя в ней. У Данелия ты становишься человеком, у Рязанова — образом. И то и другое правомерно, хотя разница есть. Вот в «Осеннем марафоне» бегает Бузыкин, а кто это: вроде и не Бузыкин и не Басилашвили — это просто человек...

Вообще, я думаю, эту роль Басилашвили вам, молодым актерам, следует изучать по кадрам, по эпизодам. Олег — прекрасный актер, но я его таким не видел. Это мастерство столь высокое, что требует какого-то нового слова.

Помнишь сцену, когда Бузыкин приходит к своей возлюбленной, машинистке Аллочке, а она юбку новую сшила... Идет как будто совсем незначительный житейский диалог, но — Боже мой! — сколько в нем всего. Вроде ничего особенного, танцуют слегка и бросают под музыку реплики друг другу; но весь человек насквозь просвечен, и нежность их отношений, и какая-то глубокая, не поддающаяся определению искренность проступает сквозь мелочи суетной их жизни и так же скрывается внезапно, как и появилась, точно прячется в панцирь, без которого не только черепахе, но и человеку в этой жизни никак нельзя. Каждое движение, каждый взгляд, поворот головы, интонация — непостижимое естество. У меня сердце застыло — никому не говори — от зависти. Смешно даже, что в Италии «Осенний марафон» принес премию за лучшее исполнение мужской роли мне, а не Басилашвили. Я-то там обыкновенный, какой я всегда у Данелия, — осмысленный чуть шире фабулы эпизод, и никакой новости. Мне всегда хорошо работается с Данелия. Атмосфера доброты и доверия, а главное, он работает, ощущая целое. Мы можем ошибиться и переснять, но он примечает то, что дает возможность копать глубже, хоть это и сложно. И мы опять и опять пробуем, но у меня никогда не было ощущения тупого угла — мол, это сделать невозможно. А у некоторых других режиссеров все время попадаешь в тупик — это не годится, то не нужно.

Я говорил тебе, что Данелия и Бондарчук предложили мне преподавать — и я, может быть, хорошим педагогом был бы, но для этого надо было бросить сниматься в кино, потому что театр, кино и ВГИК не потянуть. А я бы учил сиюминутности. Яншин учил правде, и это очень хорошо, но у него было чрезмерное увлечение методом физических действий; эти слова не понимают молодые, но их и учат, к сожалению, поверхностно. А я думаю об актерской неожиданности. Она возможна только при абсолютной свободе от технических задач. Это я у Гончарова понял. А значит, учить актера надо так, чтобы он мог присвоить твой опыт мастерства и считал бы его своим собственным достижением. Учить актерству — значит расковать, раскрепостить человека прежде всего. Но по-настоящему это редко удается.

Буду звонить иногда.

*Отец*

В моей жизни были разные периоды. Я много ездил по стране и по миру и хотел всю жизнь странствовать. Но сейчас, кажется, я бы предпочел посидеть дома, и чтобы все — и ты, и Ванда — были бы на месте, около меня. Старею, да?

Вспоминаю, как один мой приятель, актер, рассказывал мне про Германию. Он там работал в армейском театре, и это было славное время его жизни. И вот он вернулся и рассказывал мне про улицы, про людей, про магазины, про парк Сан-Суси и как какой-то актер с палкой ходит в этом парке... А мне тогда предлагали поехать художественным руководителем в армейский театр. И я, засыпая, представлял, как с палкой буду гулять по Сан-Суси, поставлю все спектакли, которые ставил у нас Яншин (я их хорошо помнил). Так у меня часто бывает — кто-то рассказывает о каком-то крае, как там интересно — и я думаю: «Хорошо бы поехать». И я обязательно связываю это с тем, что со мной поедете вы — ты и Ванда. Я бы представлял себе бродячую жизнь артиста, если бы со мной была моя семья. У меня было даже такое странное желание, чтобы ты и Ванда побывали в Сан-Суси. Бывали, правда, и такие моменты: поссорился — и мне сразу хотелось уехать куда-нибудь, чтобы начать жизнь сначала, но лучше бы, думаю, и их с собой взять... Я не представлял, что могу уехать один. Например, если бы сейчас были бродячие труппы, для меня это невозможно. Вспоминаю съемки фильма «Чайковский» — я первый раз был за границей — Англия и Франция, причем во Франции почти месяц. А я уже через 15 дней думал: «Скорей бы домой», меня заела такая тоска, немыслимо тянуло в Москву. Все мои командировки связаны именно с этим чувством — домой. Может, это для меня какая-то временная жизнь, или это зависит от профессии, или просто выяснилось, что я не рожден для бродячей жизни.

Скучаю.

*Отец*

Ты не прав, Андрей, натурализм в искусстве связан не только с жестокостью. Разве не может быть натурализма в идиллии? Вообще-то я не согласен, что есть материал, искусству благоприятный и искусству неблагоприятный, есть то, что подвластно искусству и что нет. Я считаю, что все ему подвластно — и высокое, и низменное, — все, что есть в человеке и вокруг него.

Когда смотришь в кино, как люди едят, пьют, как в «Рокко и его братьях» дерутся и течет кровь, когда тебя глубоко за душу хватает, то не думаешь о натурализме. И вообще не ясно, что такое натурализм. В «Первом учителе» тоже натурализм. В кино натурализм помогает втянуть тебя в какую-то правду, и если это сделано осмысленно, с сердцем, то и не воспринимается как натурализм. Но есть сила привычки, я имею в виду зрительское восприятие. Вот я посмотрел сейчас в ФРГ фильм «Жестяной барабан» — на меня картина произвела очень большое впечатление, но много сцен натуралистических (уродства фашистского сознания словами не передать и смотреть страшно). От такого фильма и умереть можно.

Там есть мальчик, который упал в детстве, когда ему было три года, и остался маленьким навсегда. Потрясающая сцена, как он, тринадцатилетний подросток, выступает с труппой лилипутов в фашистской форме. Натурализм в этом фильме производит ошеломляющее впечатление. Поэтому с натурализмом не просто. Я видел последнюю картину Пазолини «Сало, или 120 дней Содома» (картина, после которой его убили) — там показано, как фашисты издеваются над мальчиками и девочками, расстреливают их, а в это время в небе жужжат советские самолеты — конец войны, крах. По мысли здорово, и, наверное, это нравится, а меня потом тошнить стало, хотя это сделано крупным режиссером, но я такого ужаса насмотрелся, что не вынес. Потом я узнал, что картина не везде шла — Папа Римский не позволил ей идти в Италии.

Натурализм, он разный — натурализм может вызывать протест и даже отвращение. Но если ты услышишь, что в кинематографе без натурализма невозможно, — и это правда.

*Евг. Леонов*

Продолжаю наш разговор по телефону.

Конечно, в моей жизни бывало так, что меня обижали, и, как мне кажется, напрасно, незаслуженно. А у меня такая воля, что, если человек меня обидел, я его исключу из своей жизни, я могу с ним здороваться и разговаривать, но он для меня как человек уже не существует. Все-таки добрым быть проще, чем злым, и, может быть, это одна из граней доверчивости к жизни. Доверие, доверчивость — это ведь через людей передается, значит, в общении с другими; доверие не просто к жизни, а к людям, которые с тобой рядом. Я думаю, это, конечно, не значит быть всепрощающим; быть твердым, но и уметь прощать.

Завоевать доверие тяжело, но так легче жить, когда ты отвоевал кусочек пространства для того, чтобы и творилось легче, и жилось свободней. Человек расцветает, он становится умней, он хочет показать лучшее, что есть в нем, ему рассказывать легче. Я это по себе замечал, насколько приятней работать, когда на тебя смотрит не насупленный взгляд, а добрый — в тебе что-то раскрывается, и хочется отдать такому человеку во сто крат больше. Меня окружало в жизни много доверчивых людей. Я никогда не забуду доброе лицо, добрые глаза Виталия Доронина, с которым я снимался в фильме «Дорога». Я, наверное, как ты сейчас, чего-то не умел, но я там из себя выходил, фантазировал, а Доронин поддерживал, и действительно, иногда снимали, как я предлагал. И в «Деле Румянцева» была какая-то особая, дружеская атмосфера, когда хотелось сделать больше, чем ты умеешь. А это прекрасно, прекрасно не только на сцене, на съемочной площадке, но и в жизни. Всегда на ласку отвечают лаской, на доброе отвечают добром. И было бы прекрасно, если бы в человеке будили доброе, призывали к доброму, говорили о добром. Нет, я не готовил тебя к встрече со злом, я никогда не говорил тебе, что, мол, встретятся и злые люди. Но, Андрей, бывают разные люди, бывают люди, у которых что-то прошло в жизни мимо, может, они и сами виноваты, может, что-то так у них сложилось, не надо огорчаться, если они тебе скажут что-то резкое. Не надо и на того актера, который был с тобой высокомерен, обижаться, может, он не хотел, это родилось у него такое самомнение, и ему кажется, что он такой знаменитый, он и поет, и танцует, и вроде в Европе никто так не умеет, а ему трудно пережить этот момент, но пройдет некоторое время, и опять он будет таким же, как и был, нормальным, приличным человеком. Поверь мне.

*Отец*

Доверчивость в жизни — это еще умение не озлобиться, хотя много вокруг таких, кто может сказать или сделать больно. Я этого не замечал, когда был на гастролях, например, в Омске или Новосибирске, там люди чистые, открытые, там на улице в гости приглашают, даже смешно.

После пятидесяти лет я примирился с самим собой, я как-то перестал бороться со своими недостатками. У меня недостатков очень много: я страшно мнительный человек, а стеснительный был такой, что на радио не мог записываться. Только и думал, как все будут смотреть на меня, когда я приду. Там некогда репетировать.

Сейчас я прикрываюсь званием, а раньше, когда приходил и на месте только узнавал, кого буду играть, у меня пересыхало во рту, голос становился скрипучим, язык цеплялся за нёбо. Хотя были актеры, которые делали все с ходу. Пришла однажды актриса Театра Вахтангова, очень торопилась, энергично начала играть, а ей потом говорят, что она должна играть мужчину.

Есть во мне и подозрительность: если я не встречал открытой улыбки, то уже считал, что ко мне плохо относятся, хотя сейчас знаю, что улыбка ничего не означает. Жизнь у меня какая-то быстрая получилась — война, детство, юность, — голодные и одинокие, завод, потом немножко техникум, студия, и все это сутками, сутками, и как началось, так до сих пор и катится. У меня такое впечатление, что у меня выходных не было, толком и не отдыхал я. Жизнь развивала, видимо, во мне то, что было заложено моей мамой, то, что было главным — и осталось главным, — страсть работать.

В 7-м классе в моей характеристике писали: «Леонов добрый, хороший, но очень флегматичный». С тех пор прошло много лет, я уже давно живу в других ритмах, и трудно представить, глядя на этот пожелтевший листок, что так могло быть, что я был флегматичным и улыбчивым. В школе я даже этим раздражал учительницу: «Улыбается он все время, вроде у него что-то свое... Я ему двойку поставила, а он все улыбается». Но глаз у меня какой-то был лукавый, хитрый. Жизнь, она, конечно, создает человека, но не всегда это проявлено. А попав в определенные обстоятельства, человек вдруг раскрывается полностью. Я могу сказать, что обстоятельства меня проверяли, но не помню, чтобы они переворачивали мою жизнь. Мне так кажется, что жизнь меняла меня мало, меняла, конечно, но не так, чтобы я себя не узнал.

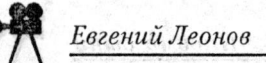

Были и такие потрясения, которые могли бы, пожалуй, уничтожить мою доверчивость, доброту. Но не случилось этого, я повторяю, сынок, не потому, что у меня не было таких событий и я жил счастливо и спокойно, ни с кем не ссорился: дескать, кому-то хлопотал квартиру, играл роли... Нет, нет, жизнь у меня тоже была всякой. Но ведь и человеческая натура что-то значит.

Обнимаю.

*Отец*

Последнее время все чаще думаю, Андрюша, что самое ценное из жизненного богатства передать тебе не смогу. Это люди, с которыми меня свела жизнь, такие удивительные, редкие люди, как тебе о них рассказать? Встречал ли ты человека, о котором говорят: «человек с радостной душой»?

Обстоятельства жизни делают человека радостным или печальным, а что если есть такое свойство человеческое? Вот таких людей ты встречал? Я встречал. У человека это откладывается в глазах — и вдруг видишь, что перед тобой человек другой внутренней жизни. Бывало, я узнавал, что он болен серьезно и знает об этом, но не озлобленный, не подавленный. Я встречал много таких людей. Это не значит — хорошее настроение или плохое, это суть человеческая.

Таким был мой дядя, мамин брат, Николай Ильич Родионов, добрая душа. Когда-то он работал в радиокомитете, потом долгое время был парторгом в Союзе писателей, всю войну воевал, после войны работал в Комитете по делам искусств, а последние годы — на студии «Союзмультфильм». Друзей у него было много, в особенности писателей. Его любили; когда он умер, вся студия пришла проводить его.

Из таких людей Александр Борисович Столпер. Он был полусогнутый, очень нездоровый человек, но был внутренне обаятельным, душевным, умеющим отдавать. Для меня это имело и имеет большое значение — не хватать все себе от другого человека: его время, его мысли, а взамен ничего не отдавать, а наоборот. Столпер отдавал и своим ученикам, и всем и свое мастерство, и умение. Он на все откликался. Он и в искусстве своем дерзал. Я тебе рассказывал, кажется, как он утвердил на роль Серпилина Папанова, хотя все были против. Папанов ведь, знаешь, был комик, он еще не был тогда знаменитым артистом ни в театре, ни в кино. И вдруг Серпилин — главная роль в фильме «Живые и мертвые». А на съемках фильма «Дорога» Столпер мог выслушать и мои сомнения, и мой совет и приобщить их к делу. Несмотря на разницу в возрасте и положении, я успел с ним подружиться. И спустя много лет Александр Борисович звонил мне по телефону: «Ну, как дела, почему в театр не зовешь?» И на это у него хватало времени. Он человек с радостной душой, хотя жизнь его была непростой.

А Доронин и Андрей Попов, я с ними тоже в «Дороге» снимался, вообще там подобралась удивительная компания, что для меня, молодого актера, для мальчишки, имело большое значение: на свете есть такие хорошие, такие доброжелательные люди.

В Подмосковье живет Евгений Гончаров, директор животноводческого совхоза, у него настоящая фабрика мяса. Но он и скульптор, любит искусство — неунывающий человек, хотя жизнь у него, я думаю, непростая: руководить таким огромным совхозом, иметь дело со многими людьми и заниматься еще искусством... У него даже выставки свои были. Времени у нас мало, редко видимся. Но такой удивительный человек, ясный. Он тебе здорово понравится.

У него волевое лицо, седая голова, а с тех пор, как я с ним познакомился, она совсем стала седая. Знакомы мы просто по жизни. В течение многих лет приходилось бывать у него, что-то хлопотали по линии театра, он всегда выслушает и, если сможет, — поможет и никогда не обманет.

Я тебе, кажется, рассказывал о директоре «Мосфильма» Николае Трофимовиче Сизове. Такой медвежистого вида человек, но сколько же в нем добра к людям. Бывало, совсем потеряв надежду, отчаявшись, можно сказать, шли к нему за помощью, и он находил выход, помогал, всегда сохраняя трезвость, не впадая в сиюминутные суетные страсти, не боялся быть не понятым начальством или художниками. За твердую позицию все научились его уважать.

Прошло очень много лет, целая жизнь, а я все вспоминаю режиссера Владимира Викторовича Немоляева, у которого я снимался в «Морском охотнике», он душа-человек, с юмором, умеющий все невзгоды, все неприятности перекрыть. От него исходит душевная энергия, и дети у него такие. Когда я с ним познакомился, был совсем молодым человеком, я у него снимался в эпизоде, и в моей жизни могло не остаться от этой встречи никакого следа, это ведь не «Белорусский вокзал», не «Премия», не «Тридцать три», это скромный фильм, в котором я играл какого-то Кока. Но так не случилось, потому что он другой человек. Когда снимали «Морского охотника», в 1951 году, его дети были маленькими, Светлана училась в 7—8-м классе, и я не знал, что судьба столкнет нас в одном театре и мы будем играть в одном спектакле. Во время съемок эта девочка ходила со мной по набережной и говорила, как мечтает стать актрисой. И через много лет она сказала, что Евгений Леонов своей добротой, отзывчивостью, рассказами еще более укрепил ее желание стать актрисой и даже помог чем-то. А сын Немоляева прекрасный оператор, я с ним тоже встретился в работе — он снимал «Обыкновенное чудо». И в детях ощущаются качества Немоляева-отца. Светлана — добрая и отзывчивая, с юмором, с заразительным отцовским жизнелюбием.

Понимаешь, какое-то тепло исходит от этих людей, многих они обогрели своей сердечностью. И мне досталось. Вот я и думаю: как же это сохранить для других и для тебя?..

*Отец*

Чаще меня не отпускали из театра, чем я отказывался от съемок. Сейчас наоборот — я отказываюсь. И все-таки основной причиной является не только занятость в театре, усталость, но и литература, которая мне кажется неинтересной в той мере, в какой я разбираюсь. Вот Студия Довженко прислала сценарий; вот сценарий про Анну Павлову, коммерческий, связанный со множеством зарубежных поездок — Мексика, Америка и т. д., но, пожалуй, не стоит... еще и потому, что запускается фильм Данелия, а это серьезное дело.

Со временем, конечно, меняется и взгляд актерский, и привыкаешь, кажется, к тому, что за два-три часа надо успеть загримироваться и сняться, а вечером сыграть спектакль. Кинематограф ценен тем, что он может поймать сиюминутность, слитность актера с образом, такое актерское исполнение, как будто снимали скрытой камерой, важно подтянуться к такому моменту, когда ты в образе, в обстоятельствах чужих и выдуманных ведешь себя так, точно живешь этой жизнью. Необходимо, конечно, чувствовать актера и многое другое, но я говорю сейчас о системе работы и об отношении к этому актера. Оно меняется у меня. Начинаешь понимать, что нужно время, чтобы освоить материал, скажем, гоголевский текст в «Женитьбе» с ходу не получается. Время нужно, работа, труд. Конечно, и сейчас осталось — съемки, полеты, поезда, сжатые сроки, и надо успевать за короткое время влезть в этот эпизод, в этот образ. Меняется отношение к профессии в целом: вначале было желание сняться в кино, сняться во что бы то ни стало; для чего? — для самоутверждения, наверное. Только сейчас я могу сказать, что этот сценарий понравился, а тот — нет; в «Осеннем марафоне» роль вроде бы и небольшая, но интересная, я там ухватил, мне кажется, истину этого человека — сытого, хоть и доброго и приличного, но сытого хозяина. Что получится — время покажет, конечно, пока только планы и надежды.

Все начинают репетировать с нуля, а кто-то и нет, что, по-моему, хуже; все начинают ковырять, спотыкаясь; и режиссер ищет, еще не очень точно говорит, а если точно говорит — тоже плохо, потому что, если режиссер говорит: «Замри тут, застынь здесь», он не очень понимает актерскую кухню, он процесс совершенно нарушает. Я ценю снисходительность, но это слово надо расшифровать. Можно спорить, но уважительно друг к другу, занимаясь общим делом, не считая, что кто-то тащит одеяло на себя. В работе пусть все тащат. Было бы хуже, если бы только ждали указаний; необходима фантазия и еще раз фантазия. Хотя некоторые современные режиссеры любят, чтобы артисты были как послушное орудие, но это в спектакле всегда заметно. Режиссер кроме всего еще должен найти в актере единомышленника хотя бы на ту работу, которой они связаны. Я вспоминаю «Белорусский вокзал»: Андрей Смирнов сумел организовать нашу четверку, и под наше влияние попадали и другие исполнители — и Ургант, и Терехова; была атмосфера дружеского поиска, мы не стеснялись сказать друг другу — «что-то не получилось, попробуем еще раз». Но не всегда так получалось — я не мог, например, найти общий язык с прекрасной актрисой Таней Васильевой в «Дуэнье»: «Ну что там разговаривать, я улечу скоро, давайте снимать». — «Как снимать, надо разобраться». А в результате мы оказались несостоятельны. Я помню, как первоклассно играл эту роль в Театре имени Станиславского Борис Левинсон, может, в кино нельзя играть так, как он играл в театре, но я мог бы ее прилично сыграть. А здесь я недоволен собой. Смешно, но я иногда как бы унижаюсь: «Ну давайте так попробуем, давайте иначе», чтобы вызвать возможность поговорить, попробовать, поискать. Когда партнер или партнерша понимали, что я никого не критикую, а хочу поискать, они хорошо работали. Есть режиссеры, которые на это идут, а есть режиссеры, которые на это не идут. «Какие поиски? Мне кажется, я подумал...» — удивляется такой режиссер и начинает рассказывать то, что написано в сценарии. А Данелия идет навстречу актерской фантазии, потом ему покажется, что не туда, и тогда он предлагает попробовать иначе — это и называется поиски. Так было в фильме «Тридцать три» — мы от гротескового фильма пришли к серьезной позиции, рассказали гротесковую историю серьезным языком, и от этого она стала смешнее, злее, умнее. Не всегда, возможно, так бывает.

Каждое произведение имеет свой ключ, и до него надо добраться, и не только режиссеру, но и артистам.

В силу своей незначительности, как мне казалось, я никогда резко не ставил вопрос: «Снимайте или я уеду, вы этот кадр не повторите никогда». Или: «Мне некогда». Я могу только сказать: «Я опаздываю на спектакль, я не могу». Но не в том смысле, что, мол, я уже знаю, как играть, все тут понятно, только вы, дураки, одни не понимаете, а я готов уже давно... От работы с Яншиным, с Гончаровым засело во мне сомнение — в самом себе, в эпизоде, в сцене, в обстоятельствах. Может, для всех это понятно, а вот для меня каждый раз являлось откровением.

Вспоминается работа на «Старшем сыне». Сиюминутность до конца — могу слово вставить, мне дали такую возможность, никто не делал замечаний, что ты, мол, слово вставил; режиссер на это шел. Бывает, знаешь, там, где отточено, отрепетировано — с экрана так и читается как сделанное, холодное; а там, где неожиданный поворот, запутавшаяся, забытая сцена снималась единым куском и ты повернулся не в той мизансцене, оказался в полупрофиль или спиной — и думаешь: «До чего же хорошо получилось, оставьте этот кадр!» — а режиссер: «Нет, зачем же, тут вас не видно». — «Ну и хорошо, что не видно». Мне это нравится, такие моменты мне кажутся творческим счастьем, радостью, и, уставший, я в этот вечер играл спектакль лучше: мне кино подсказало, что можно на сцене резко ответить, не обязательно выслушал — ответил, где-то можно сделать паузу и т. д., при всем том, что в театре все срепетировано, такая неожиданность дорога.

Я, кажется, уже рассказывал, как однажды приехал в Минск на гастроли сильно простуженный, а на открытии шли «Дни Турбиных». Я не мог играть, надо было отменять спектакль, но этого было сделать нельзя, к тому же прилетел Яншин.

Завтра допишу, устал...

И вот пошел спектакль — Яншин в зале, перепуганный, а я-то всех больше. Яншин меня всегда поругивал за «плюсики». Однажды даже сам спросил режиссера Елагина: «Правда, что ли, что я к Леонову придираюсь?», а Елагин ответил: «Придираетесь». — «Ну, может быть, может быть...» И вот я играю, хрипатый, никаких забот, кроме как пробиться через связки, чтобы меня услышали только. Пришел Яншин в антракте: «Прекрасно сыграл, первый раз в жизни, по-моему, хорошо сыграл». Думаю: «Я болен, а он иронизирует», а потом, став постарше, понял — а, может быть, он и не иронизировал, а правду сказал — я, хриплый, едва слышимый, нервный, внес тревогу войны, ощущение мороза, то есть такую правду, которая что-то уточняла. И по другим спектаклям («Ученик дьявола», «Винченцо») я замечал: температура, еле ноги волочишь (а мне 5 раз в своей жизни пришлось играть с воспалением легких, на «Турбиных» однажды даже камфору вводили, чтоб не упал) — и вдруг чувствуешь, что ты хоть и больной, а что-то новое, неожиданное — тебя пошатнуло на сцене, выбивает из привычной колеи, осмысленной в голове, как проторенная дорога, и когда неожиданно что-то скажешь в такой органике, даже забываешь, что дальше говорить.

Я ценю умение создать творческую атмосферу, когда, вроде бы балуясь, творчески балуясь, можно попробовать и так и эдак, но чтоб никто не бурчал. Микроклимат на репетиции создается молниеносно; актеры, люди очень нервные, сразу ощущают неблагополучие вокруг себя, нервозность; они впечатлительны очень — тебе начинает казаться, что ты бездарен, режиссер с тобой бьется, а теперь вообще моментально могут сменить исполнителя даже главной роли; а раньше — если режиссер работает с актером, значит, он видит в нем нужные данные; Яншин со мной задерживался и сотни раз репетировал первый выход Лариосика: «Ну вот, я и приехал», и он все спрашивал: «А где труба? А где паровоз? А где санитарный поезд, в котором ехал мой герой? Ты не вынес атмосферы пережитого». Уже казалось, что он издевается, а может, это и стало моей школой? Вот я за эту снисходительность, за органичную, завоеванную трудом атмосферу на репетиции, где можно фантазировать.

*Евг.*

Я все-таки, наверное, не очень разбираюсь, что скрывается под словом талантливый — неталантливый, когда касается молодого человека. Как-то — это было давно — режиссеры Аронов и Елагин попросили меня участвовать в просмотре молодых людей, поступавших в студию, организованную ими при Театре имени Станиславского. Студия проводила занятия в нерабочее время, и принимали восьми-девятиклассников — там, кстати, были Инна Чурикова и Лиза Никищихина. Все они очень интересно читали. Ну, вот Никищихина: девочка худенькая, остроносенькая, маленькая. Она что-то прочитала, и мне понравилось. Я стал с ней говорить: «Ты хочешь стать актрисой; у тебя будет очень трудная дорога». Наверное, я говорил не так нахально, но смысл был такой. Она кончила студию и стала актрисой; студия, правда, была полусамодеятельной, не давала образования. Меня в моей жизни это мучило, я тоже кончил студию, и хоть там были свои интересные педагоги, я чего-то не знал, чего-то недочитал, чего-то не успел раскрыть, чего-то совершить, хотя творчески в студии у меня шли дела хорошо; я был толстый и круглый, значит, ярко выраженный по индивидуальности, и так уж считалось, что я комик. И то, что я сразу стал комедийным актером, мешало мне как человеку, как актеру. Смешной — и от меня все ждали всю жизнь смешного, а на самом деле выяснилось, что я серьезнее и мрачнее.

Но вернемся к Лизе Никищихиной — она стала актрисой с трудной судьбой, что-то хорошо играла, а что-то не очень. Лиза Никищихина сыграла Антигону в спектакле Львова-Анохина, потом в Театре имени Станиславского большой период ничего не делала, хотя эту роль можно назвать актерским свершением и она должна была открыть перед актрисой значительные перспективы. Многое, конечно, в руках режиссера. Борис Александрович Львов-Анохин сумел создать такую атмосферу и так неожиданно прочитать пьесу, что в его спектакле социальный герой был простой, обыкновенный Леонов, а героическая Антигона — маленькая девчонка с Тишинской улицы. Но, как видишь, даже после такого большого успеха жизнь много требовала от актрисы. Дело в том, что актер учится всю жизнь; это очень условно: годы учебы, годы творчества.

Наверное, мне повезло: Яншин ко мне относился беспощадно, иронично, дикция у меня была неважная — скороговорка, и вообще, требования на уровне МХАТа времен Станиславского не так легко выдержать. А теперь вот молодой режиссер похвалил меня, сказав, что я «наел фактуру», стал «правдивым, органичным актером с глубиной, наел фактуру».

А что именно было моей пищей, и не перечислить.

Вот я в Театре Вахтангова в 1949 году, когда в театр никто не ходил (он был тогда в Мамоновском переулке), посмотрел все спектакли и на всю жизнь запомнил Гриценко, Алексееву и других актеров того поколения; потом я узнал, что все они были педагогами, преподавали в Щукинском училище.

Что меня всегда на сцене поражало, что жило всегда рядом со мной — это правда. А при хорошей литературе это всегда в сердце попадало. Мальчишкой я видел во МХАТе «На дне» с Москвиным и Тархановым, а чуть позже Тарханова в роли булочника Семенова в спектакле «В людях» по Горькому — и я этого никогда не забуду.

Эта школа учила вызывать в человеке эмоции, которые задерживаются в сердце надолго. Наверное, это прописные истины. На «Днях Турбиных» во МХАТе воспитывалось целое поколение.

С юности, когда я смотрел мастеров МХАТа и Вахтанговского, я научился ценить чувство правды на сцене и стараюсь быть верным ему всегда. Даже не то что стараюсь — это стало потребностью, вошло в мою актерскую кровь. Правда чувств, правда обстоятельств и в конечном счете — правда жизни.

Как-то на репетиции спектакля «Синие кони на красной траве» произошел такой инцидент. Я вошел в спектакль незадолго до его выпуска. Роль крестьянина-ходока небольшая, всего один эпизод, но я хотел в ней разобраться, вникнуть, а меня стали торопить. Одна девушка с курносым носиком, может быть, она хорошая девушка, но вот на репетиции она мне говорит: «Евгений Павлович, вы стоите здесь, я здесь. Затем я прохожу, потом вы переходите сюда». Я говорю: «Подождите, подождите, я сам». Она: «Почему сам, когда это все уже найдено?» Я говорю: «Отойди, не мешай, — я сразу разозлился. — Будешь учить кого другого, я старый». И Захаров тоже: «Евгений Павлович, не надо отходить, вот здесь и оставайтесь». Я говорю.

«Мне же надо тайну сыграть: я не могу впереди что-то говорить Ленину, ведь я напуган репрессиями в деревне, — мне хочется уйти вглубь». А девчонка все фыркает: я, мол, хотела его научить играть, а он еще брыкается. Я, конечно, сыграл по-своему, и Захаров это принял.

Маленькая роль, эпизод, но чтобы поговорить о самой сути существования актера на сцене, не обязательно вспоминать главную роль. Ты знаешь хорошо этот спектакль и помнишь мой эпизод — вот и поговорим.

Итак, я — актер, погружаюсь в образ. Я думаю о своем персонаже, я надеваю его одежды, я осознаю его линию поведения, я проникаюсь его тревогой, я смотрю вокруг его глазами, хитрю и примериваюсь, я задаю свой вопрос — надо выяснить поточнее, чего мужику ждать от этой жизни. Все я делаю хорошо и точно, но... Но оживает это только в контакте со зрителем... Каждый вечер я иду на сцену — не на Олимп, не на Голгофу — я иду к людям, и я ни на секунду не покидаю их...

Вот я, крестьянский ходок, либо втягиваю их в свои делишки, надеясь, что они со мной заодно, либо, подозревая, что они могут быть против, я их хоронюсь. Но я с ними контактирую, я их учитываю, я с ними взаимодействую. По мизансцене глупо в кабинете от одной стены переходить к другой — но запомни! — между мной и зрителем нет никакой стены: ни четвертой, ни прозрачной, и если надо сказать тайно от людских ушей, хотя и на глазах у всех, на виду, то я и увожу партнера от рампы в глубь сцены, подальше от ушей. И тогда они, зрители, понимают, что тайно и важно мне спросить кое-что у главного самого человека, и они напрягаются, и ловят каждое слово, и доигрывают мою сцену, потому что я их втянул. Вот почему, дружочек, играть надо было только так, как я это делал. Терпеть не могу, когда говорят, можно так, а можно и не так. Почему так? почему не так? Понимать надо, знать надо, чувствовать театр.

...Театр — это не кино, не эстрада, не телевидение. Театр — это не рассказ о любви, это она сама — любовь. И значит, вас двое: ты и зритель... Это моя вера, а там как знаешь...

Андрюша, я не берусь судить о нынешнем поколении актерской молодежи, которое я, к сожалению, мало знаю. Но чаще всего резко бросается в глаза несовпадение органики и слов, которые произносит актер. Меня удивляет в молодежи желание быстро что-то получить и способность легко поверить в успех, в свой результат. И завертелось — концерты, бюро пропаганды, автографы, не важно, какие фильмы, — важно, что открытки, успех и т. д. Молодежи созданы все условия, даже постановление партии о работе с молодежью, наставничество, критики сразу поднимают того или иного актера, достаточно сыграть две роли — и уже статья. Я вовсе не хочу вас обижать, и, может быть, я в чем-то ошибаюсь, но в сердце входят только те, кто при хорошей литературе шел не по поверхности, а в глубину.

*Евг. Леонов*

Было это в Ленинграде уже очень давно, на съемках фильма «Дело Румянцева». Кончились гастроли в нашем театре, а меня и не снимали, и со съемок не отпускали. У меня тоска, так у меня часто бывает, начинаю себя бередить. На съемку ехать вроде бы ни к чему, я там не нужен. Так продолжалось дней 10—12, я весь Ленинград исходил — все осмотрел, но помнится, что думал все время о своей жизни, о своей профессии; я только начинал, жизнь только складывалась. Пришел в гостиницу, включил телевизор — и вдруг показывают фильм Хуциева «Весна на Заречной улице». Меня так потрясла игра Рыбникова, что я расстроился — я понял, что я никогда так не смогу. Он так попал в этого рабочего парня, что я подумал: «Как же можно так играть!» — таким простым-простым, таким вот органичным никогда я не стану. Ну, думаю, Яншин прав, когда придирается ко мне, что-то во мне есть, что я не прост, игрунчик, как Яншин иногда называл меня «мышиным жеребчиком».

Ошеломляющее впечатление произвели на меня «Похитители велосипедов». Не забыть, как мальчишка ел макароны. У меня какая-то такая память, что я помню, о чем другие не вспоминают. В этом фильме — мальчишка с макаронами, посматривающий на богатого... Прекрасных актеров много, но я чаще думаю, что кто-то из наших актеров с такими режиссерами, как Хуциев и Данелия, мог бы так сыграть. А сейчас я говорю о том, чего нельзя сыграть, что не получится. Нельзя сыграть «Похитителей велосипедов». Я все итальянские фильмы видел, но почему-то «Похитители велосипедов» произвели такое впечатление. Репетируя потом пьесу Эдуардо Де Филиппо «Де Преторе Винченцо», я подумал: не надо мне итальянца играть, надо вдохнуть в него хулиганскую молодость, играть по-русски, но через виденное в этих фильмах передать зрителю им знакомое, потому что не меня одного потрясли эти фильмы итальянского неореализма, а всех, кто их видел. И я играл Винченцо по-русски, но через эти итальянские фильмы, я использовал что-то из того задора: и речь, и руки, и как я падал и катился по лестнице. Там, кстати, было такое обилие текста, что рассиживаться нельзя было, и вообще, как мне казалось, уже менялась эстетика театра. И менялась не без влияния экрана.

Я удивляюсь людям, которые помнят факты. Я запоминаю ощущения. От Мазины, например, — маленькая женщина... Мне говорят: как она играет! А я этого не помню. Я помню ощущение, как от соприкосновения с каким-то глубоким искусством, а вот не помню подробностей. Так же как не помню подробностей про Тарханова — булочника Семенова, помню только, что вышел толстый человек, подвязанный веревкой, в каких-то портках, со странной дикцией — слова его прыгали то вверх, то вниз. Это было явление, и оно в меня вошло. Так же, как и Мазина.

Когда я смотрел фильм Феллини «Сладкая жизнь», я понял, что Феллини потрясающий режиссер, все было для меня непривычно, удар молнии. Сюжет — не поймешь, есть или нет, мелькают белые лица, какая-то карусель распада человеческого рода. И эти ощущения во мне глобальные, а не через подробности! И знаешь, я думаю, в искусстве это самое сложное и самое важное — не щипать зрителя, не дергать его нервы по частностям, а обрушить на него некое впечатление, огромное, цельное, которое не расчленяется на звенья и потому так сильно.

Когда я смотрел фильм «Ночи Кабирии», я не хотел разбираться в мизансценах, меня поразило необыкновенное чувство, которое создалось после просмотра, чувство необыкновенной жалости к этой женщине. Для меня все там было каким-то неожиданным, каким-то прекрасным. А в «Сладкой жизни» меня больше теребила мысль, что-то цепляло внутри не за сердце, а в голове: смотри, как это сделано, это, а это; и все это поражало, очевидно, как актера, здесь я замечал искусство. В «Ночах Кабирии» я ничего не замечал, только потом возникало — «как она посмотрела, эта маленькая женщина».

Простая фраза, рожденная поколениями актеров, — физкультура души. Яншин как-то сказал: «Физкультура тела — это прекрасно, но актер обязан заниматься физкультурой своей души». Эти слова сейчас вообще, по-моему, ушли в далекое прошлое. «Физкультура души» — это что такое? Актер богат самым главным — своим внутренним обаянием, сердечностью, умением тратить человеческую сердечную энергию, которая переплавляется во что-то такое, что может у другого дух захватить. Только поэтому и можно считать искусство высшей формой общения людей, это путь истинный — от сердца к сердцу.

*Евг. Леонов*

В моей жизни доверие всегда много значило; когда что-то хорошее происходит, ты и другому хочешь сделать доброе. Даже когда узнаю, что обо мне хорошо написали, хоть это уже после пятидесяти не очень волнует, а все-таки какая-то клавиша нажимается, и поднимается настроение. А когда тебе говорят: хотел бы с тобой сделать какую-либо роль, сразу фантазия разыгрывается, и становится хорошо на душе. К сожалению, последнее время у меня такого самочувствия нет.

Я помню, как один совсем еще молодой режиссер обидел известного артиста, сказав ему, что он старомодный. И я сейчас думаю, может, и я занял позицию и какой-нибудь парнишка мне скажет: «Да вы же постарели...» А я обижусь: почему это я постарел — ведь я ставлю свою личность, индивидуальность под сомнение...

Трудности и сложности разные. Поэтому очень важно завоевать право на доброту, на снисходительную чуткость, терпение, на жестокую, но не оскорбительно жестокую интонацию в работе. Это для меня очень важно, потому что меня это окрыляет, делает работоспособным — хочется еще и еще фантазировать.

Чаще боишься, что нет взаимопонимания, а не того, что не выполнишь задания, хотя это все взаимосвязано.

Вот один режиссер говорит: «Все артисты друг на друга похожи и все играют одно и то же — самого себя. Назовите мне такого актера, который был разным в ролях». А я подумал, разве похожи у меня «Донская повесть» и «Белорусский вокзал», но он, может быть, «Донскую повесть» вообще не принимает, а про «Белорусский вокзал» он уже как-то сказал, что хорошая атмосфера, а про актерские работы — ничего. Значит, решил я, не следует о себе думать больше, чем о тебе может подумать другой, лучше не ставить себя под удар. И я промолчал.

*Евг. Леонов*

Еще в студии понял, что я — комик. И всегда любил комедии и хотел играть в веселых фильмах и спектаклях. Интересную драму я предпочту плохой комедии. Но хорошей комедии буду верен всю жизнь.

Раньше меня журналисты одолевали вопросом: «Почему вы стали комиком», а я отвечал: «Потому что у меня лицо круглое». Тебе скажу серьезнее. На самом деле я не уверен, что каждый артист с круглым лицом должен стать комиком. Нужно еще умение посмотреть на себя со стороны, с чувством юмора отнестись к собственной персоне. И еще, на мой взгляд, комику нужны доброе сердце, способность сострадать, жалеть. Комик — не только самый веселый человек...

Зритель любит комедию не потому, что смеяться приятнее, чем плакать. Как зритель и как актер, я люблю комедию за демократичность, за стремление и возможность врачевать пороки общества и человека; за то, что комедия вселяет в человека веру в нравственный идеал, ибо, высмеяв зло, мы открываем в себе силу преодолеть его.

Комедия многообразна: комедия положений и комедия характеров, бытовая комедия и лирическая, музыкальная, эксцентрическая, сатирическая, памфлет, водевиль, фарс и, наконец, трагикомедия. Я бы не стал говорить о пристрастии к какому-то одному комедийному жанру — в каждом есть сила притяжения. Одно, конечно, ясно: у комедии отнять ее сатирические функции — это значит обеднить ее. Русской комедии всегда была присуща гражданская направленность.

Я работал, как ты знаешь, с талантливыми режиссерами-комедиографами — Георгием Данелия и Эльдаром Рязановым; задачи они передо мной ставили разные, но всегда серьезные, содержательные. В комедии, как и в драматическом произведении, для художника самое главное знать, что ты хочешь сказать людям.

Я мало видел заграничных комедий, в Англии как-то смотрел комедию с известным комиком, смешно, все рядом хохотали, а я в меру, хотя понимал, что это смешно (один актер под Рузвельта загримировался, другой под Черчилля, и между ними происходит какая-то смешная история). Но что-то это меня не трогает. Вот «Полицейские и воры» с гениальным итальянцем Тото я могу сто раз смотреть, и меня сто раз потрясает.

Может, у них техника съемок лучше, может, и актеры играют лучше, но мне никогда не нравились актеры техничные. Кстати, когда приехал английский театр и Гамлета играл Пол Скофилд — меня это совсем не тронуло. Он играл Гамлета подряд десять дней и совершенно не уставал. А я вспомнил Хораву — все клокотало; потом ходил в ВТО Папазяна смотреть — на меня это произвело сильное впечатление, это захватывало. В Шекспире трудно поразить, но там, где есть страсть, где есть чувства, это захватывает. Все-таки я за чувственный театр, за театр, который старается пробиться к сердцу другого человека и вызвать в нем радость или боль. Этот театр мне больше нравится, потому я любил очень, когда был молодым, сидеть на ступеньках во МХАТе, смотреть «Трех сестер» и плакать вместе с ними. Я помню Тарасову, Еланскую.

Но вернемся к комедии. Если составить список и сравнить наши комедии с зарубежными, то я все-таки отдал бы предпочтение нашим, хотя таких, которые мне очень нравятся, мало.

Если говорить о фильме «Тридцать три» — мне нравится эта комедия. Если говорить о «Карнавальной ночи» — мне нравится и эта комедия, хотя она не несет особой нагрузки, но сделана чисто; она осталась в памяти надолго. Если говорить о «Девушке с гитарой» — не очень, «Неподдающиеся», «Девчата» хотя и пользовались успехом, но все какое-то проходное.

Я понимаю, что у нас комедий мало и на безрыбье и рак рыба, а средний уровень ее поэтому невысок. Мне больше нравится грустная комедия «Осенний марафон». А вообще-то я особенно ощущал, что занимаюсь полезным делом, когда приходилось работать в сатирической комедии. Спектакль или фильм... Вот, думаешь, увидят люди, и поймут, и осудят, и победят. Помнишь, как у Зощенко в «Голубой книге» о профессии сатирика... Я иногда читаю в концертах очень серьезно, даже стараюсь бесстрастно, как сам Зощенко, говорят, читал, а зал покатывается.

«Профессия сатирика довольно, в сущности, грубая, крикливая и малосимпатичная.

Постоянно приходится говорить окружающим какие-то пакости, какие-то грубые слова — «дураки», «шантрапа», «подхалим», «заелись» и так далее.

Действительно, подобная профессия в другой раз даже озадачивает современников. Некоторые думают: «Да что это такое? Не может быть! Да нужно ли это, вообще-то говоря?»

И верно — на первый, поверхностный взгляд все другие профессии кажутся значительно милей и доступней человеческой душе. Бухгалтер, например...»

Ты тоже попробуй это читать...

Я много ездил по стране и по миру и хотел всю жизнь странствовать. Но сейчас, кажется, я бы предпочёл посидеть дома, и чтобы все были бы на месте, около меня.

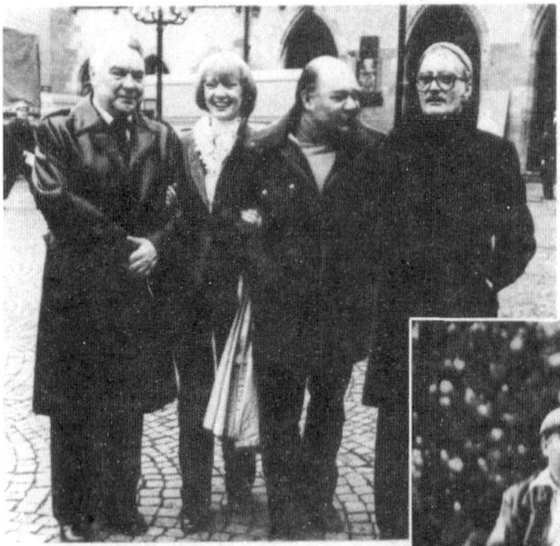
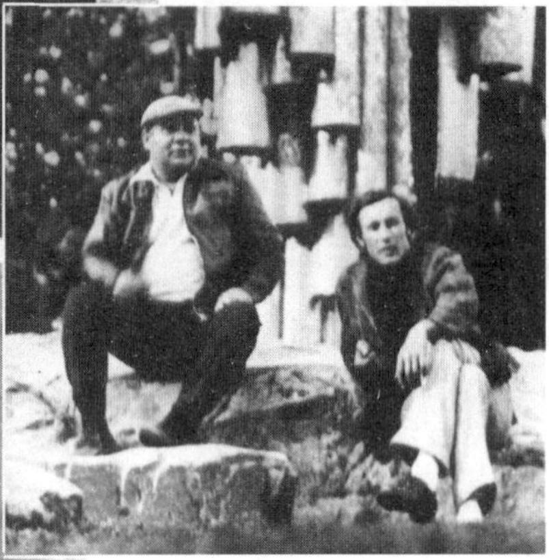
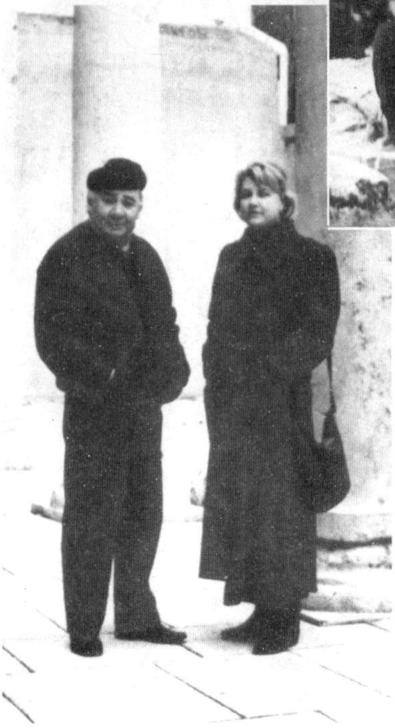

Хозяин в нашем доме Тимоша, пес хоть и не породистый, но мы его очень любим.

Некоторые думают: сын народного артиста, фамилия та же, одно это уже поможет... Мне кажется, это только помешать может. Вдруг его будут воспринимать как сына Леонова — и все? Он это тоже понимает и вовсю рвется к самостоятельности. Сейчас вот в армии служит.

Дослужился до командира танка. Я приехал к нему, залез в танк и никак не мог там уместиться: обо что-то цеплялся то задом, то головой.

После армии Андрей вернулся в театр. Но выйти на сцену — еще не значит утвердиться на ней. Главные роли ни к кому, и к Андрею в том числе, не приходят автоматически. Сначала придется, да и приходится поработать в массовках.

В нашем обществе скоро начнется Кин-дза-дза из нашего фильма «Кин-дза-дза»: воду выпили; все съели и язык потеряли; ракеты есть, а соли нет. Несчастные.

Популярность — дело хорошее. Это то, чего добиваешься своей профессией. Главное в популярности — умение ее завоевать. К сожалению, я уже не молод. И моя популярность стареет вместе со мной. Она уже не такая ярко выраженная, как раньше.

Марк Захаров ставит
«Тевье-молочника» Шолом-
Алейхема в интерпретации
Григория Горина.
Мне поручена главная роль.
Очень хочется раскрыть
перед зрителями всю глубину обаяния души простого
и доброго человека.

Я давно думал о Тевье — персонаже, в котором сочетаются драматизм, личность, юмор. Премьера намечалась на 1 сентября 1988 года. Но летом на гастролях в ФРГ у меня случился тяжелейший инфаркт, на несколько секунд остановилось сердце.

Когда я десять дней лежал в гамбургской больнице в состоянии клинической смерти после двух инфарктов, а потом еще девять дней после уникальной операции на сердце, и никто не знал, жив я или умер, врачи сказали Андрею и моей жене: пойте песни, читайте стихи, неизвестно, услышит ли он вас, но сделайте так, чтобы он знал: его ждут в этом мире.

Ведь Тевье-молочник — это еврейский Лир.

Когда я заканчиваю спектакль, зрители бегут к сцене, плачут, цветы бросают, кричат: «Живите долго! Здоровья вам и счастья».

Глаз у меня не то что потускнел, не такой хохочущий стал. Это уже от жизни, от старости, наверное, от недовостребованности.

Может, это хорошо, что
я озабочен, что я работаю:
снялся у Данелия в фильме
«Настя».

Мои не такой уж длинный жизненный путь, вместивший в себя и хорошее, и плохое, и даже смерть и возвращение на Землю, постоянно что-то менял внутри и вокруг меня.

Я живу полнокровной, нормальной жизнью — работаю, воспитываю внука и считаю, что проживу не больше и не меньше, чем мне отпущено судьбой.

Мне нравится, что придет другая жизнь, может быть, и хорошая. Но другая нравственность, духовность не придет, если не опираться на старую.

Понимаешь, Андрей, суть актера для театра и для кино едина, различны условия труда, различно отношение к актеру.

Театр — это испытание творчеством каждый день.

Кино ищет, находит, открывает артиста, дарит ему известность...

А театр... Театр делает артиста, учит, растит, создает.

Главные истины актерского мастерства, да что мастерства — искусства открылись мне в театре. Без театра я не стал бы артистом. Театр для меня, как говорил Маяковский, «та земля, с которой страдал». Настоящие творческие мучения, муки сомнения, неуверенности я испытал в театре: на репетициях, которые казались мне бесконечными, и на уроках, которые дает актеру живой зал.

Кино я любил когда-то еще и за то, что можно было сказать: не клеятся дела в театре — я в кино снимаюсь, и наоборот. Раньше было так, что, если актер быстро снимается, — все довольны. А вот в «Чайковском» эпизод с тремя словами Таланкин долго выстраивал, Смоктуновский долго пристраивался, и мы в течение целого дня так и не сняли — меня это страшно удивило. Значит, раз-два, быстренько — это не доблесть. Но как было со мной — всегда стремились снять, ухватить солнце, освещение и т. д., хвалили актера, подготовившегося дома. Конечно, это оттачивает актерскую технику. К примеру, ты пришел сытый, довольный, а там танк стоит, надо ползти рядом с гусеницей, на танк плеснули краской, осветили, танк наклонился набок, подсунули бревна, что-то подожгли, на тебя плеснули краской — и ползи, и чтобы это было сиюминутно, и чтоб ты сросся с этим танком и этим окопом, с этой травой.

К сожалению, я никогда не попадал к Райзману или к Юткевичу, которые имеют право ставить один кадр полсмены. А в мои времена в кровь впитывалось, что надо быстро, четко, железно, скорее-скорее, фантазируй, работай. И тем не менее кинематограф давал мне тогда возможность экспериментировать; то ли режиссеры к этому призывали, но все время они ставили под сомнение — и текст, и мизансцены, и решения.

Творчество. В театре или кино творчество — одна истина.

*Евг. Леонов*

Наверное, у каждого артиста есть роли, о которых говорят, что они созданы для него или он создан для этих ролей. Санчо в «Человеке из Ламанчи» и Ламме из «Легенды о Тиле» — такие вот «мои роли». Хорошо ли это для артиста, когда все заранее знают, что он должен играть эту роль? Остается ли право внести что-то новое в образ, изменить его? Я всегда вдвойне волнуюсь, получая такую «законную» роль.

Во-первых, пугает легкость, пугает не потому, что мне нравится, когда все измучены работой, а тут что ни сделай — всеобщий восторг, все этого именно от тебя и ждут. Пугает потому, что я обнаружил или открыл за свою жизнь в искусстве одну истину: все, что рождается без больших душевных затрат, оказывается ерундой. Если роль такая ясная, такая твоя, что ты как бы и не должен в нее ничего вложить, а только вот быть собой, для всех узнаваемым, неуклюжим добряком, чуть более наивным, чем можно, и потому смешным, — смотришь потом на экран и думаешь: и зачем тебе это надо было, сидел бы дома, отдыхал, и скучно так делается на душе от мысли, что ты остановился, стоишь на месте, а кто-то думает, что ты еще в пути. И ты уже вроде даже виноватый, обманываешь людей. Каждую роль надо «строить изнутри», а это значит, своих душевных силенок порастратить, попереживать нутром, принадлежать роли, и убеждать кого-то, и самому утверждаться в мысли, что это ты, ты все можешь и все роли твои. Сопротивление необходимо. Сопротивление металла — это ведь важное его свойство, так и в искусстве сопротивление материала: камень сопротивляется скульптору, но он это сопротивление преодолевает, и тогда мы видим нечто нас поражающее. Так ведь? Яншин, например, всегда радовался, если актер мог внутренне перешагнуть грань своих данных и привычек и дать жизнь образу, считал это результатом большой внутренней работы. И ведь Михаил Михайлович был прав, только в этих случаях зал по-настоящему верит актеру.

Вот ты снова пристаешь, можно ли считать актера автором роли или это просто выдумки критиков, красоты стиля? Как тебе сказать: какой актер? какая роль? — иногда и выдумать могут, мало ли и про меня выдумывали. Но в принципе вопрос может быть так поставлен.

Некоторые, понимаешь, думают, что хороший актер спасает плохой фильм. Так ли это, хотя подчас схематичный образ обретает плотность человеческого характера благодаря актеру? Плохим я называю не тот фильм, в котором не все получилось; плохой, значит, пустой, лишенный смысла, не имеющий отношения к жизни и заботам людей; такой фильм актерское авторство не спасает.

Фильм и спектакль — результат сотворчества писателя, режиссера, артистов. Я много раз говорил тебе, что убежден: трудно, даже невозможно сделать роль вопреки замыслу режиссера, и никогда не будет игра убедительна без помощи партнеров. Но способность актера к самостоятельному творчеству — это другое. На базе взаимопонимания, художественного единения с режиссером актер может быть автором роли. Я стараюсь играть то, что мне интересно, и во всем оставляю частицу себя. Браться можно за то, в чем открываешь для себя природу человеческих отношений, правду жизни человеческого духа. Работая над ролью, актер пользуется не только материалом сценария, пьесы, но опирается и на собственные жизненные наблюдения, переживания, мысли.

Я никогда не отождествляю себя с персонажем, но соотнести свой мир с миром героя, осознать его как индивидуальность и личность считаю необходимым.

В. И. Немирович-Данченко делил роли на сыгранные и созданные. Очевидно, он имел в виду актерское авторство...

*Евг. Леонов*

Андрей,
конечно, актер не всегда волен влиять на свою экранную и сценическую судьбу. Актер, как «девица на выданье», ждет своего часа, своего принца, режиссера

своего. Но и возможность выбора у нас никто не отнимает. Признаюсь, я проявлял неразборчивость, бывало, потом жалел: и зачем согласился? В нашем деле, к сожалению, количество ролей не переходит в качество. Заметь, некоторые молодые актеры уже примелькались на экране, их знают, узнают, но ничего определенного никто не скажет. Тебе сейчас хочется сниматься, и предложений у тебя, естественно, не так много, как у меня. Не спеши, читай сценарии, ориентируйся не по объему роли, а по смыслу произведения и характера. Вот написал тебе это и сам испугался. Откажешь раз, другой, третий, а потом вдруг и вовсе предложений не будет. А ведь работать надо. Актерский аппарат требует постоянной нагрузки. Одним словом, Андрюша, как отец я делаю, что могу, от погони за заработками ты свободен, свои творческие проблемы не смешивай с бытовыми, а как актер я могу советовать только в конкретном случае. Давай вместе читать сценарии, которые тебе присылают, вместе обсудим. Ты ведь, кстати, знаешь, Ванда читает мои сценарии и пьесы раньше меня. Вот чего бы я тебе желал действительно, это счастья работать с настоящим режиссером. Хотя в кино все быстро, не как в театре, и многое приходится самому делать, но один фильм с Михаилом Швейцером или с Гией Данелия — это неоценимая школа. Я, когда у них снимаюсь, сам себе завидую, а последний съемочный день — самый грустный для меня. Это при загруженности моей! Казалось бы, сняли — радуйся, что свободен, а меня тоска берет. С Гией мы друзья, конечно, он и сам, по-моему, грустит, когда работа близится к завершению. И ведь интересно не только когда они с тобой репетируют, интересно следить за чужими репетициями, потому что видишь, как оживает текст, очеловечивается характер, возникает движение.

Поверь, я до сих пор считаю редкой удачей своей жизни, что моя первая чеховская роль была сделана со Швейцером — монолог Нюхина «О вреде табака» в фильме «Карусель», по чеховским рассказам и дневникам.

Чехов, этот великий открыватель добра в человеческих душах, этот «человек с молоточком», который всем счастливым и довольным хотел напомнить о несчастных, — мой любимый писатель. Человек создан для больших трудов и больших радостей, считал Чехов, и потому так важно было писателю показать несообразность жизни, которая мешает человеку реализовать богатство своих возможностей. Он любил человека горькой, но верной любовью. Гуманизм — не декларация чеховской литературы, а самая ее суть.

Пристально вглядываясь в будничное течение жизни, подмечая пошлость, глупость и мелочность житейских страстей человека, Чехов умел выявить сокровенное существо характера. И, по Чехову, всегда выходило, что и самый плохой, никчемный человек — не вовсе плох, есть в нем человеческое. Потому и горевал Чехов, потому и жалел своих персонажей.

Не все современники понимали, что Чехов писал о мелочах жизни не потому, что не видел ничего крупнее, а потому, что ставил себе задачу изучить и показать Россию всю как она есть.

Внимательность к мелочам быта, житейского поведения, доверие к правде жизни, вера в выразительность детали — вот что особенно дорого и близко мне у Чехова. Его персонажи крепко-накрепко привязаны к земле, земным делам и эмоциям. Перемешанность высокого и низкого.

Многие чеховские герои, погрязшие в житейской тине, окутанные мелочами, сами чувствовали скуку и нелепость своей жизни. Это-то ощущение «трагизма мелочей» Швейцер хотел передать в своем, в моем Нюхине. Я его понял. Как мы работали! Кинематографически монолог Нюхина был задумал аскетично. Большой мастер создания атмосферы, красноречивого антуража, Швейцер оставлял меня одного перед камерой. В павильоне изобразили сцену провинциального клуба, заставили ее столами, завесили диаграммами, на столах какие-то пробирки, спиртовки, колбочки, и среди всего этого хлама мечется, топчется, суетится Нюхин. Тех, кто пришел слушать его лекцию о табаке, на экране нет, а для меня единственным слушателем был сам Михаил Швейцер. И так мы с ним сыграли эту сцену. «Учтите, — говорил мне режиссер, — Иван Иванович Нюхин, муж своей жены, содержательницы музыкальной школы и женского пансиона, вовсе не клоуничает и не думает собственной персоной развлекать людей, просто с непосредственностью недалекого человека он рассказывает незнакомым людям кое-что о себе и своей жизни».

Смех и слезы, натуральность и гротеск — отсюда и рождается трагикомедия.

Нюхин — одна из немногих ролей, которые мне самому интересно было смотреть.

И ты посмотри ее еще раз, Андрей, если будет возможность.

*Отец*

## Евгений Леонов

В молодости мне казалось, что я куда-то езжу, какие-то города вижу. Помню, как первый раз на Кавказ попал. Мы с одним актером на грузовике куда-то ехали и купили арбуз... Но теперь, по мне, я не только бы не ездил, но не выходил бы из квартиры... может, это от усталости или от ощущения, что пора переваривать впечатления. Хотя я не могу сказать про себя, что накопил, мол, сколько... Может, вот поэт, выступающий по телевизору, довольный стихами, собой, премией, олимпиадой, космосом... может, он накопил уже, но я что-то не верю. Всегда неизведанное остается...

Мне всегда казалось и кажется до сих пор, что я в чем-то несостоятелен. Поэтому я всегда говорю: понимаете? Видно, я не могу объяснить до конца, вот и спрашиваю, надеюсь, что кто-то понял то, что я недоговорил.

Смотрел на днях на экране Ульянова в роли маршала Жукова. Ульянов — хороший актер, глубокий, мучающийся. У меня нет таких качеств, он живет убежденно, работает сдержанно, точно. Но я сыграл бы Жукова по-другому. Я шучу, конечно, не я, а тот же Ульянов, но в других обстоятельствах, с другой художественной задачей. Дело в том, что я видел Жукова другим. Он к нам на «Дни Турбиных» пришел в белой рубашке, в белых брюках, в белых ботинках, с молодой женой; рассказывал что-то, хохотал — ему спектакль понравился. И вот теперь я смотрю на экране на этого легендарного генерала и думаю: почему нам хочется человека попроще себе представить, а настоящий объем личности даже лучшим из нас не дается?.. А это лучшее — человеческое обаяние — ведь не только в полководческом даре и стойкости. Улыбка одна чего стоит! Любовь к жизни, может быть, жадность к жизни и бесстрашие, с которым он смотрел в глаза смерти, — все это вместе, сразу, в том человеке. Такая личность несет в себе столько истины о нашем времени. Искусство, я думаю, обратится к этому герою еще не раз. И я бы желал Ульянову этого труднейшего счастья.

То ли оттого, что меня учили конкретности — хотя сейчас вроде бы конкретность в искусстве не нужна, — но я не такой упорный, как Яншин или Грибов: «Это наша правда, и все!» — я впустил в себя беса сомнения — может, она не единственная правда, пусть больше будет разных течений в искусстве. Кажется, у Михоэлса я прочитал: «Нас заставляют учиться у МХАТа, а МХАТ учится у жизни, почему мы должны учиться через МХАТ, а не напрямую у жизни». Он мудро и правильно говорил в то время, когда все театры были похожи на МХАТ, и это требовало своего объяснения.

Вообще, зачем сравнивать одного исполнителя с другим, большую роль надо примерять к жизни.

Существует мнение, что мы, актеры, должны как-то специально изучать жизнь. Я так не думаю. Конечно, когда мы снимали «Премию», я бывал на стройке, я присматривался к рабочим, к их манерам, привычкам. Я удивлялся, как они ходят, не замечая всей этой массы, движущейся по земле, по воздуху, навстречу человеку, вдогонку... Мне казалось, сейчас вот-вот что-то опустится мне на голову, я уступал дорогу то машине, то крану; а строитель шел рядом, не глядя, точно всякой железке было известно, что он здесь свой. Я смотрел на него, я учился, я обживал его жизненное пространство. Но самого Потапова я узнал не на стройке. Я знал и ценил его по своей жизни.

Наблюдения позволяют точнее сделать роль, и такая работа «по изучению» обязательна, многого требует простая профессиональная добросовестность. А чтобы знать жизнь — надо жить. Не беречь себя от конфликтов своих и чужих, не бояться опасности, риска, не искать пути полегче, не бежать от ответственности, не думать, что твоя хата с краю и что ветры времени тебя не коснутся.

Евг. Леонов

## Письма солдату

*Москва. 10.XII.81*

Сынок, вот я и решился на мужской разговор, не знаю, что получится, но чувствую, что сказать надо все.

Я знаю твою болезнь. Твое имя не Андрей Леонов, а Сын Леонова.

Я понял это теперь, когда ты пошел в армию. На выпуске был молодежный спектакль — ты разве не знаешь, что такое ввод перед премьерой? Мы могли вместе играть в спектакле «Вор»; было сразу два интересных предложения сниматься. Ты знал, конечно, что театр собирался просить военкома об отсрочке на год, и ты явился в военкомат и написал заявление: хочу служить в танковых войсках. Заметь, я не вмешивался.

Служить в армии — гражданский долг, Андрюша, я не сомневался, что ты, как все, его исполнишь. Но почему в такой момент, когда это мешало всем, нарушало творческие планы, почему так нервно и даже остервенело? Молодым актерам дают отсрочку, но сын Леонова пошел служить — так? Неразумно по отношению к своей профессии, но если ты только так пока утверждаешься, пусть будет так. Это хорошо. Ты сам не подозреваешь, что откроется тебе в жизни, это твой опыт, самый огромный, собственный. Теперь держись! А то, что я понял, это — правда, и ты признаешься. Только позже, потом когда-нибудь. А теперь расскажи: как в танке? тяжело очень? Я-то, наверное, не влез бы в танк, а влез бы, так и задохнуться мог. Дышу что-то плохо: или сердечная недостаточность, или устал чертовски. Ночами теперь вовсе не сплю, все о тебе думаю. И знаешь, все же мне кажется, что неглубоко ты берешь, парень. Суть тебе не дается. Давай разберемся: отчего гордятся семейными профессиями шахтеры, отчего артистов смущает семейственность? Кому-то кажется легкой жизнь артиста. А мой друг Женя Урбанский погиб в тридцать три года... Ты ведь помнишь его? — он тебя как зашвырнет под потолок, у меня сердце в пятки, а он поймает, посадит на шею и говорит: «Пацан смелым должен быть». Какой смелости, какого бескорыстия, какой мужской силы характер и какое актерское обаяние! Вот кому путь предстоял в искусстве. И ведь все на съемках случилось, на работе то есть. Погиб он, потому что всегда хотел лучше, лучше, еще лучше, один дубль, второй, третий, ему все мало. Он себя не берег, он о себе не думал, он только дело свое видел...

А помнишь, когда ты в школе учился, я тебе читал про Пушкина. Пушкин умер, и Белинский в газете написал: «Солнце русской поэзии закатилось... он ушел в середине своего великого поприща...» И как власти взъярились: «что это такое — солнце русской поэзии? и какое такое великое поприще? Разве Пушкин был полководец? военачальник? разве он на государственной службе состоял?.. стишки писать — не великое дело»... и т. д. Помнишь ли, как ты плакал: Пушкина убили, а они продолжают...

Теперь не то, теперь поэтов хоронят, как полководцев. Но и теперь многие не понимают, что такое Поэт, Артист среди людей. Это извечно для мещанства.

Иной уверен, что в очереди выстоять, а потом какие-нибудь джинсы втридорога продать куда труднее, чем музыку сочинять. Композитор, тот вообще дома сидит, на службу не ходит, даже и на машинке не печатает, так только, точечки да крючочки рисует или вовсе песни поет.

Я вот как вспомню лицо Дмитрия Дмитриевича Шостаковича, так думаю, видно, этому человеку действительно все страдания человеческие известны были, оттого и музыка такая.

В народе русском никогда этого пренебрежения к художеству не было, это грязь наносная какая-то. Я вот все хочу тебе достать книгу Белова — Василий Белов написал очерки о народной эстетике, — «Лад» называется. Я в журналах читал, но потом книга вышла. Будь моя воля, я бы ввел ее в вузовские и школьные программы как обязательную литературу. Это не знаю даже с чем сравнить, в наши дни-то точно ничего рядом не поставишь. Там нравственное сознание определяет систему ценностных ориентаций в жизни и в искусстве — и никаких ошибок, и все так ладно, естественно, убедительно. Так вот, как беловский мужик, скажу тебе, в чем суть. Если у мастера-шахтера сын пьяница и не выдерживает смены в забое, разве не позорно закрывать его своей спиной? То же и в театре, точно так. Проблемы, которая так тебя волнует, просто нет. Ее, кстати, со свойственным ему сарказмом снял с повестки дня Гончаров: «Можно по блату получить роль, но нельзя ее по блату хорошо сыграть». Выбрось все это из головы. Вернешься из армии через два года в театр — и играй, играй хорошо. Люби в искусстве труд, а не славу. И будешь ты Андрей Леонов, а я согласен быть твоим отцом.

*Леонов*

*Москва. 24.XII.81*

Здравствуй, Андрюша,

как ты там, не грустишь? Решил тебя повеселить накануне Нового года. Я тебе, кажется, говорил, что фирма «Мелодия» пригласила меня записаться на пластинку и я спел раз пять или десять песенку Марка Карминского «Из чего только сделаны мальчики». Конечно, композитор был на записи, бледнел, холодел, но по дружбе, я думаю, вида не подавал, когда я ошибался. И представь мое удивление, когда я услышал сегодня на пластинке вполне приличное, правильное исполнение, так ловко подмонтировали фонограмму, что люди и впрямь подумают, что Леонов поет. Но чтобы ты, сыночек, не думал, что я пою от наглости, решил рассказать тебе одну давнишнюю историю, из которой следует, что я пою с разрешения Дмитрия Дмитриевича Шостаковича. Так что имею полное право — и пою.

Это было в 60-е годы, я готовился сниматься в фильме «Москва — Черемушки». Это была оперетта Шостаковича. И вот в один прекрасный день слышу: придет Дмитрий Дмитриевич слушать, как мы поем. Одним словом, мы все поем, как можем, а композитор все это терпит. Наконец он говорит, что поют все плохо, но одного актера утвердить можно — тут Дмитрий Дмитриевич указывает на меня, — он, говорит, ни в одну ноту не попал, но все спел — такого я еще никогда не слышал.

В Театре имени Ленинского комсомола теперь, по-моему, все поют. И правильно делают. Некоторые ребята, конечно, очень музыкальные и поют обаятельно, но и те, кто не умеет, тоже втягиваются. Так что ты времени не теряй, тренируйся на походных песнях и дудку свою не бросай. Раньше твоя дудка смешила меня и даже немного раздражала, а сейчас думаю: вполне возможно, что она тебе и на сцене понадобится. Так что дуй! И голос тренируй! И поскорее возвращайся — вместе на радостях запоем.

*Отец*

*Москва. 8.I.82*

Здравствуй, Андрей,
если берешь в руки хорошую современную пьесу или сценарий, чувствуешь себя счастливчиком. Не сомневаюсь, что в каждом из нас, в каждом искреннем художнике живет потребность сыграть своего современника, получить возможность открытого и прямого разговора о жизни, о трудных вопросах времени и о себе. Таким материалом для меня стали фильмы «Бе-

лорусский вокзал» и «Премия». Мои герои — слесарь Приходько и бригадир Потапов, — хотя и не в чинах, но люди большие, настоящие. В театре, к сожалению, такой роли пока нет.

На днях была читка на худсовете: читали пьесу «Три девушки в голубом» Людмилы Петрушевской. Я слушал затаив дыхание. Пьеса интересная, острая, злая. Автор — молодая женщина с потрясающим слухом на современные ритмы, слова, эмоции. Все говорят о новой волне в драматургии, о поколениях молодых писателей, пришедших в театр, но что-то туго пробираются они к свету рампы. А по-настоящему надо бы дать им дорогу и серьезно обсудить, что они принесли, что утверждают. Это люди думающие и способные, их суждения, если даже не всегда верные и убедительные, все же интересны и полезны обществу.

Больше всего в людях я ценю доброту, душевность. Доброта, по-моему, начало всех начал, отличительный признак человека. В героях я тоже прежде всего ищу способность к добру, стремление делать добро, и если это есть, я уже верю, что роль получится. Вообще-то, я думаю, совсем неспособных к добру людей нет. Бывает, что человек ожесточился и ему кажется, что в душе его нет места для доброты, но это ошибка, это временно: не совершая добрых дел, человек чувствует себя неуютно в этом мире.

В пьесе Петрушевской я вижу это нервное утверждение, что без света доброты — человек пустой сосуд. И вся неприглядность жизни, несостоятельность героев пьесы от того, что они забывают в суете, в сутолоке будней, что этот свет в них есть. А когда он пробивается, когда чувствуешь его приближение, восстанавливается равновесие, и у меня лично не осталось ощущения мрака.

Пьесу постараюсь тебе прислать.

*Отец*

*Москва. 25.I.82*

Андрюша,
сегодня был в Театре имени Станиславского, снимали сцену из спектакля для телевизионной передачи. Когда вошел, почувствовал какое-то волнение, даже грудь сдавило, ведь здесь прошла моя молодость. Здесь, под этой крышей, началась моя трудно-счастливая дружба с Яншиным.

Работа над образом Лариосика в спектакле «Дни Турбиных»... Я и сейчас помню, как тридцать раз выходил на эту сцену, чтобы сказать: «Вот я и приехал», но Яншин качал головой. Надо было осознать, кто ты и как приехал, что творится в твоей душе и какой у тебя голос и манера говорить, ведь манера говорить идет от самоощущения человека... В самом деле, скромный человек говорит иначе, он больше видит и слышит окружение... Надо было осознать, куда ты пришел, кто эти люди, ощутить беспокойство, как будешь принят этими людьми. Столько тонкостей, едва уловимых, не знающих словесного выражения нюансов поведения отражают психологический климат каждой сценической минуты. Собственно, тогда я понял, что Яншин все пропускал через правду. И еще я понял, что искусство простоты — самое трудное искусство. Яншин не признавал «работы на публику», он учил нас, молодых актеров своего театра, жить в образе, не заботясь о том, как сорвать аплодисменты. Он требовал, чтобы актеры думали, додумывали характер и находили его проявление в себе.

Театр стал наряднее, мне показалось, просторнее. А помнят ли эти стены Яншина, и вообще хранят ли стены воспоминания?..

По-моему, ничего этого нет. Все было по-деловому, и мои ностальгические настроения не с кем было разделить. А театр этот я любил, очень любил. И не только в молодости, с Яншиным, но и позже, когда главным режиссером был Борис Александрович Львов-Анохин, когда ставил «Антигону», «Шестое июля», «Палубу», когда шумела-гремела яркая, театральная «Трехгрошовая опера» Брехта, на мой взгляд, лихо поставленная Семеном Тумановым, и когда зритель у этого театра был свой, умный и требовательный.

Вот видишь, как получилось, я уже в третьем московском театре работаю, а думал я раньше, что никогда не смогу уйти из этого театра, что это мой дом и все его радости и беды мои собственные и от меня неотделимы. Жизнь так многое меняет вокруг, и в нас самих тоже.

*Обнимаю. Отец*

*Москва*

Андрей,

думаю, писать тебе сейчас надо не только о театре, что да как тут у нас происходит, но и обо всем, что мне удается увидеть, узнать, прочитать, чтобы ты не очень отрывался от наших с тобой забот. Я хочу, **чтобы** по-прежнему у нас были общие художественные впечатления, чтобы у тебя не стало их меньше оттого, что ты солдат, а мы все-таки штатские...

Был в Переделкине в писательском доме, навещали с режиссером нашего автора, и случилось там замечательное знакомство — с переводчицей Сент-Экзюпери Норой Яковлевной Галь. Это такая удивительная женщина, что ее в самом деле можно назвать мамой Маленького принца. Я начал говорить что-то вроде того, что «Маленький принц» — не книга и не то, что хочется определить как явление искусства, это событие в жизни людей и т. п. И хотя, конечно, путался в словах, но был искренен, заслужил доверие писательницы и получил в награду рукопись, которую прочитал не отрываясь и о которой спешу тебе рассказать.

Это роман англо-австралийского писателя Невила Шюта «Крысолов», который будет скоро напечатан, и ты и все его прочитают. Автор—личность весьма примечательная, значительная: окончил Оксфордский университет, участник двух мировых войн, авиаконструктор, был бортинженером в перелете Лондон — Монреаль 1930 года, написал несколько романов, реалистических, приключенческих, фантастических, в 1960 году он умер. Я смотрел фильм Стенли Крамера «На берегу», кажется, тебе рассказывал или писал — страшный фильм, об атомной катастрофе и падении человека, сделанный по другому роману Невила Шюта. «Крысолов» у нас не издавался раньше и не переводился, написан был в начале второй мировой войны (еще до 22 июня сорок первого года), действие его происходит в оккупированной фашистами Франции. Это одно из сильнейших антифашистских произведений, я бы сказал, даже вообще антимилитаристских, антивоенных. Название и отчасти сюжет навеяны средневековой немецкой легендой, в которой говорится, как бродячий музыкант предложил избавить город от наводнивших его крыс. Звуками флейты он выманил крыс из домов и амбаров, завел в реку и утопил. Но жители города обманули его, и, не получив обещанной платы, Крысолов, пока взрослые были в церкви, при помощи той же флейты увел из города всех детей... В романе, я бы сказал, можно обнаружить намек на сюжетный мотив легенды, и только, потому что это произведение — настоящее свидетельство очевидца. Роман писался по свежим следам нашествия фашистских крыс и написан с такой достоверностью, конкретностью деталей и переживаний, что сердце сжимается.

Герой этого романа, англичанин старик Хоуард, старается увезти из Европы, от войны и пожарищ, от страха и ненависти, детей. Детей не своих, это дети разных национальностей, которые случайно оказываются на его попечении, там двое маленьких англичан — Рони и Шейла, их родители отправляют к тетке в Оксфорд, бедная маленькая Роза и Пьер — французы, польский еврей Маркан и немка Анна, которую гестаповцы тайно отправляют к брату.

С детьми старик попадает в бомбежку. Они шли по дороге, машины тянулись медленно, за ними обозы с беженцами и нескончаемый поток людей. Самолеты летели низко над дорогой, раздался треск — и от самолета отделилось пять бомб. И началось безумие. Старик видел стрелка в задней кабине, это был совсем молодой немец, юнец лет двадцати. На нем было желтое кепи какого-то студенческого союза, он стрелял в них и смеялся. Бомба попала в машину, а когда старик с детьми подошли поближе, они увидели недалеко от машины мальчугана лет пяти. В машине были его родители, он стоял не шевелясь, будто окаменел, лицо застывшее, почти что серое... Никогда за свои 70 лет Хоуард не видел такого выражения лица у ребенка. Он подошел и молча взял его за руку. Мальчик все время молчал, и старик думал, что его новый подопечный немой...

Поскольку в романе большое место занимают дети, то война возникает как воплощенное безумие, бездарность и тупость, как звериная вакханалия. И так как старик понимает, что в мир детства война никак не укладывается, он все время озабочен тем, чтобы дети не испугались. Должен тебе сказать, что отношение старика к детям для меня лично явилось открытием истины всей педагогики. Какую деликатность проявляет старик не то чтобы к каждому ребенку, а они, естественно, очень разные, а к тому, что вообще в нашей жизни обозначается словом «детство». Иногда, представляешь, он, старик Хоуард, не смеет даже предупредить их об опасности, ему, например, надо было сказать детям, чтобы они не говорили по-французски, но как же им это сказать, как объяснить, что могут услышать взрослые люди и убить их за это... В самом деле, безумие какое-то.

Давно уже, кажется, я не плакал над книгами. Ах, Боже мой, неужели не все мы, люди, живущие на земле, — люди.

Роман как будто написан для экрана, вот бы догадались сделать фильм, я бы с радостью сыграл роль старика. Впрочем, такую роль каждый захотел бы сыграть. Рон Моуди сыграл бы ее гениально — помнишь, старик, главарь нищих из «Оливер!», — а вообще каждый мужчина хотел бы быть в роли человека, который спасает детей от войны.

Вот этих чужих детей старик хотел переправить в Англию, а оттуда в Америку, к своей дочери. Если бы я был американцем, я бы гордился, что в ту войну детей, спасая от фашистской чумы, отправляли в Америку.

Роман будут печатать в журнале «Урал» в трех номерах, как только выйдет, я тебе его пришлю обязательно. А пока на прощание вот тебе рисунок Маленького принца. Узнаешь?

*Обнимаю. Отец*

*Москва*

Здравствуй, Андрей!

Благодаря семейным связям попал вчера на выставку «Ученые рисуют» в новом здании Третьяковки на набережной — огромная красивая выставка. Шел туда, стыдно признаться, как на концерт самодеятельности, вроде визита вежливости и акта дружеского расположения, мол, отцы науки на досуге искусством забавляются. Какая ошибка, какое позорное самомнение! Такого интеллектуального напора, такой мощи индивидуального сознания давно не встречал не то что на выставках, но и в театре. Уникально. Блестящий симпозиум мнений о двадцатом веке, о человеке в масштабах мироздания, о Земле и Космосе — философская выставка.

Здесь было большое собрание нежных акварелей одного из основоположников космического естествознания, Александра Леонидовича Чижевского. Здесь были работы академиков Петрова, Юрьева, Блохинцева... Физики, летчики, филологи и врачи — самостоятельное и неожиданное творчество.

Очень понравились мне картины Бориса Алексеевича Смирнова-Русецкого. В живописи — поэт, в жизни, как я узнал, — специалист в области металловедения, кандидат технических наук. Надо сказать, что его работы — циклы «Космос», «Прозрачность», «Алтай» — и холсты инженера-конструктора Марины Дмитриевны Стерлиговой — «Виноград», «Яблоки», «Розовый восход» — вызывали особенно жаркие дискуссии посетителей. Пейзажи едва ли написаны с натуры, но, рожденные фантазией художника, его внутренним ви́дением, они тем не менее доведены до реальности... А яблоки и виноградины (кстати, Стерлиговой) — точно в увеличительном стекле — сверхнатуральное чудо природы...

За внешне простыми живописными работами ощущается целостное восприятие мира — вот это главное. И знаешь, что я подумал: для людей искусства все их эмоциональное поле, весь внутренний заряд уходят в творчество, а для ученых, очевидно, их эмоции, их внутренний мир полностью не раскрываются через науку, а ведь эти скрытые потенциальные возможности тоже ищут выхода... Помнишь, я говорил, что был потрясен в Новосибирске, сколько прекрасных музыкантов среди ученых... Сейчас почему-то особенно отчетливо понял некоторые общие закономерности творчества.

Процесс творчества, по существу, не только фиксация внешнего мира, не только его отражение, но в большей степени самовыражение, поэтому такое значение имеет сама личность человека и художника. Чем богаче, чем полноценнее человек, тем богаче и для зрителя интереснее его творческие проявления — это же так естественно. Профессиональные навыки, которые дает нам школа, конечно, помогают, но они ничего не определяют; если художник мало развит, личность его бедна, то и творчество его будет в большинстве случаев однобоким, ограниченным. И опыт, и история показывают, что все великие художники были широко развитыми, духовно необыденными личностями. Такая крупная и сильная в духовном отношении личность способна глубоко и сильно воздействовать на людей и в жизни, и в искусстве.

Скажем, художник пишет природу; для одного художника природа — это совокупность цветовых пятен, совокупность каких-то внешних форм, и он трудится очень долго, внимательно, чтобы эти внешние формы отобразить. В этом есть, конечно, некоторая ценность, но в пейзаже можно выразить и свое внутреннее «я», выразить те эмоции, которые владеют художником, выразить внутреннее состояние, может быть, драматическое или лирическое. В такой ограниченной, казалось бы, сфере творчества, как пейзажная живопись, можно выразить чрезвычайно много. Как видно по выставке, у ученых в чести сейчас философский пейзаж, пейзаж, в котором отражены представления о мире. Наша эпоха, по выражению академика Вернадского, эпоха космизации сознания. «Космизация сознания» — это тот новый путь, тот шаг вперед, который XX век принес человечеству. «Космизация сознания» — только и слышалось на выставке — выражается, как я понял, в стремлении выйти за пределы Земли, в стремлении хотя бы мысленно перенестись на иные планеты и хотя бы мысленно представить себе величие мироздания и почувствовать относительную малость той планеты, на которой мы живем. Многие очень интересно об этом говорили, но я пишу, что запомнил. Так вот в чем смысл: новое сознание по-новому воспринимает и все то, что мы встречаем на поверхности нашей планеты, так что здесь вопрос не только в том, чтобы видеть нечто за пределами планеты, но чтобы по-новому воспринимать все то, что нас окружает. Это, вероятно, всегда даже важнее, чем какой-то выход в космическое пространство, потому что можно выйти в космическое пространство и не почувствовать в этом ничего нового.

Ужасно страдал, что тебя не было с нами на выставке. Смирнов-Русецкий, представляешь, был лично знаком с Рерихом, по совету Николая Константиновича и поступил в Художественный институт. Рерих оказал влияние на него не только в искусстве, но и на отношение к жизни, как мне кажется. Когда ты вернешься из армии, мы обязательно поедем к нему в гости, посмотрим новые работы и послушаем его рассказы о Рерихе. Одно только высказывание Рериха, похожее на заповедь, повторю: «Через искусство имейте свет». Я думаю, Рерих был прав: духовный свет приходит к человеку через искусство.

Андрей, тебе еще взвод не завидует, ты ведь, наверное, больше всех писем получаешь, кое-кто подумает, что у тебя невеста такая хорошая, а это я.

Обнимаю, скучаю.

*Отец*

*Москва*

Андрей!
Не удивляйся, что хочется пофилософствовать, со всеми это когда-нибудь начинается. А чаще всего, когда в жизнь входит что-то новое, что не удается подвести под планку уже сложившихся представлений. Это просто и ясно было: школа — училище — театр; мама — папа — обед — отпуск. Я, правда, не в курсе твоих лирических переживаний, но и они, мне кажется, были пока радостными и легкими — не сомневайся, и тут мучения впереди.

Ты говоришь, «сунуться в конфликт, который тебя не касался», и «старшина тобой недоволен». Он рассуждает здраво: если бы можно было изменить положение, он первый и другие тоже пошли бы на все, но уж когда очевидно, что сделать ничего нельзя, — так сложились обстоятельства, и сам Пашка-механик понимает это, что же тогда лезть — себя показать? Вот это — «себя показать» — и обидно. А почему все засмеялись, когда ты сказал: «И у меня нет доказательств, но я верю, что он не виноват», — не знаю, мне вообще-то не кажется смешным.

Но знаешь, Андрей, мы, может быть, в этом разберемся, если ты сможешь мне все подробнее рассказать и объяснить. Пашка твой получил, и ты тоже свое получил — приходится иногда и несправедливости сносить. Важно, как мне кажется, осознать, что поступки твои должен определять не результат — реально-нереально (это какая-то военная стратегия, пожалуй, без надежды на победу кидаться в бой, не жалея себя и других, не следует), а в нашей обыкновенной жизни иной принцип. Я должен сделать все, что могу, если даже уверен, что результата не добьюсь. Если же высчитывать вероятность успеха, ты слишком часто будешь ошибаться. Смотри в себя и поступай по правде. Даже если неудач будет больше, чем хотелось бы. Так что я склоняюсь к тому, что ты поступил правильно. Увольнительная — тоже не медаль, пережить можно. Вдруг меня пригласят опять в часть на концерт какой-нибудь, так и увидимся...

Репетиции идут полным ходом. Интересно, мне кажется, совсем необычно, без романтизма и пафоса. Такой «Оптимистической» я еще не видел.

*Отец*

*Москва*

Андрей,
я очень рад, что тебе удалось посмотреть по телевидению фильм «Неизвестный Чаплин». Больше всего меня поразили не сами кадры, не вошедшие в фильм, а работа над ними: варианты. варианты, поиски — титанический труд.

Решил тебе написать о трюковой комедии, об эксцентрике и сразу подумал, что как-то неловко, неточно в прошлый раз сказал: меня, мол, не занимает эта беготня по экранам. Пустая комедия положений — нет, не интересует, но эксцентричным может быть поведение персонажа, эксцентричным может быть взгляд на вещи, на обстоятельства — разве это неинтересно? Трюк трюку рознь, тем более в кино. Режиссеры всего мира, например, изучали технику трюка у Чаплина, даже те, кто никогда в своем творчестве не обращался к трюку, чтобы понять его эстетические качества. Трюк родился в цирке, в мюзик-холле, а Чаплин сделал его кинематографическим. В чем же эта кинематографическая особенность, что именно понял Чаплин? Главное: в кино нет надобности в клоунских грубостях, трюк может быть и должен быть тонким, нет надобности формировать эффект, эффект здесь более длительного свойства.

Ты замечал, наверное, что фильмы Чаплина можно смотреть по нескольку раз и даже подряд, но удовольствие не уменьшается. В природе комедийности неожиданность, непривычность, а тут большинство зрителей знают наперед, что он сейчас сделает (дети даже кричат заранее от восторга: сейчас он будет ботинки кушать), а все равно все смеются. Как взрослый и сознательный зритель, скажу, что удовольствие не только не уменьшается, но возрастает. А дело в том (только это не я сам догадался, это у французского критика Андре Базена), что «удивление зрителя, эффект неожиданности при повторных просмотрах уступает место более тонкому наслаждению, состоящему в ожидании и узнавании совершенства». Вот тебе и трюк! Совершенство!

Вообще, знаешь, наши суждения (и я хоть и злюсь на себя, но тоже часто срываюсь) о жанрах примитивны, поверхностны и отдают высокомерием, а на самом-то деле мы просто не имеем точки отсчета. Увидел три-четыре плохие комедии и решил уже, что комедия — не дело для серьезного артиста. Мелодраму в свое время оболгали так, что самого слова в кинематографе стали бояться. А собственно, почему, чем это так мелодрама нехороша, кому не угодила? Остерегись высокомерия и чистоплюйства, нет искусства высокого и низкого, есть мысли большие и мелкие, и авторы Поэты и карлики. А искусство — всего лишь средство для каждого из нас обнаружить свой истинный рост.

Жаль расставаться, но спешу, через полчаса машина. Вернемся к этому! Начальство ваше приглашает выступить на концерте для воинов. Может, увидимся...

*Отец*

...Не понимаю, Андрей, почему тебя обижает, что меня называют комиком. Отнюдь это не умаляет моих достоинств. Вот Феллини, например, великую Джульетту Мазину считает «настоящей клоунессой». Клоунский дар главный режиссер кинематографа считает высшим актерским даром. И я с ним согласен. Имеется в виду погружение в характер и одновременно владение идеей, которая может быть не только внутри характера, но и над ним, более того, возможны и переменчивые, драматичные отношения между идеей и персонажем. Неспроста Феллини считает клоунский дар самым утонченным и подлинным выражением актерского темперамента. У меня есть одна душевная актерская тайна: я придумал сюжет для себя и для Мазины. Слушай!

Муж и жена, немолодые, как раз нашего возраста, он русский, она итальянка. Встретились в Сопротивлении, поженились. Венчались дважды — в католической церкви и в православной. Он — ей назло, хотя не религиозен, как она. Два характера. Всю жизнь решают и не могут решить один вопрос: где жить, в России или в Италии? После войны заспорили по дороге и так с того места не сдвинулись. Построили нечто вроде трактирчика или заезжего двора, где намешаны русские и итальянские привычки, кушанья, песни. Все русские, побывав у них, возвращаются в Россию. Все итальянцы — в Италию. С каждым они собираются в путь. И остаются. Комедия. Любовь.

Два клоуна, два нежных существа в мире, не приспособленном для них, не имеющем в своем вселенском уставе пункта о любви. Тут, знаешь ли, настоящий автор многое бы вместил — и заботы, и мир, и способность людей понимать друг друга, и необходимость людского согласия.

Ну как? Что скажешь, сын комика?

*Евг.*

Здравствуй, Андрей!
Вчера был первый просмотр «Оптимистической», народу набежало видимо-невидимо, как раз для большого скандала — спектакль еще не дали, а толпа как на премьеру. Я протолкался кое-как и подумал: странно — меня это и злит, и греет как-то одновременно.

Вспомнил сегодня наш с тобой разговор об успехе. Ты, конечно, прав, что упоение успехом мешает актерам сколько-нибудь критически относиться к своей работе. Но не поверю, что кому-либо из артистов успех не нужен, не в нем, дескать, дело. Это тоже снобизм навыворот. Как это не нужен? Очень нужен! Успех открывает второе дыхание. Был такой знаменитый пианист, профессор Московской консерватории, учитель Рихтера и Гилельса, настоящий мудрец Генрих Густавович Нейгауз. Помню, прочитал в газете «Известия» его рассуждения о пользе конкурсов и премий. Большой успех молодому исполнителю дает крылья, считал он, и я с ним согласен. Только успех делает робкого артиста смелым, рождает дерзкие планы, без которых творчество невозможно. Успех обнаруживает твою связь со зрителем, обнажает чувственную природу этого контакта, помогает артисту понять зрителя как партнера. В настоящем театре, где жизнь, а не скука, артист и зритель — партнеры, впрочем, в этом мы с тобой будем еще специально разбираться.

Успех — это признание, подтверждение твоих возможностей и прав в искусстве, но не индульгенция от ошибок и провалов. Даже увенчанный однажды лавровым венком не может всегда и всюду таскать его за собой, потому что, знаешь ведь, лавровые листики в суп идут, и можно весь лавровый венок в бульоне сварить. Успех — дело ответственное. Понимаешь, стремиться к успеху в искусстве — не то же, что стремиться к богатству в жизни. Успех нельзя накопить, он артиста не только не освобождает от труда, но, напротив, заставляет на себя без конца работать и работать. И если ты способен вершить над собой свой суд, то никакой успех, серьезный или временный, не нанесет тебе вреда, а, напротив, даст возможность проверить, осознать, соотнести свои взгляды с другими, понять иные позиции, принять или отвергнуть их, но не по незнанию или легкомыслию, а благодаря тому, что увидел себя рядом с другими, увидел со стороны. Не знаю, читал ли ты статью в журнале «Советский экран» драматурга Алешина, он однажды обо мне написал, статья называлась «Испытание успехом». Я когда увидел это название, подумал, тут какая-то каверза, но этого не оказалось. Конечно, я вспоминаю эту статью не потому, что для меня лестно отношение такого человека, писателя, а потому, что ход его мысли интересен и серьезен. Действительно, артисту необходимо пройти и это испытание, испытание успехом.

Коварство популярности заключается в том, что зритель, а за ним, к сожалению, и режиссеры желают видеть тебя таким, каким ты им полюбился, похожим на себя, а точнее, конечно, на тот образ, в котором ты оказался убедительным. Так, не по злому умыслу создается для актера западня. Попадает в нее каждый обязательно, но некоторым удается вырваться, а другие поздно начинают сознавать свое положение и вырваться уже не могут. На плоскости актерского быта это выглядит так: актер Н. неразборчив в выборе ролей, а другой разборчив, он не играет все подряд, он читает сценарии и выбирает материал посерьезнее. Ему постоянно твердят: «Роль на вас написана», «Кто же, как не вы», «Кто лучше вас может?» и т. п. веские аргументы. Я вспомнил статью Алешина потому именно, что в ней четко и точно об этом сказано. Нужно быть разборчивым не только в выборе ролей, но надо быть разборчивым в отношении цели, которую перед собой ставишь, я подчеркиваю — в отношении цели, в отношении творческих задач, какой ценой, какими методами ты их решаешь. Очень распространенная беда — наша неспособность видеть частность в контексте общего, одна роль — в плане творческой судьбы, конкретный поступок — в масштабе всей жизни. Требовать этого от молодого человека, наверное, даже нелепо, но я хочу, чтобы ты имел в виду эти высшие задачи и хотя бы изредка сверял свои дела с целями, которые сам себе определил.

Кажется, Ромм Михаил Ильич сравнивал взгляд художника с микроскопом и телескопом. Это ведь принципиально разные приборы, хотя и тот и другой система зеркал, но одно дело рассматривать в микроскоп жизнь в капле воды, другое — наблюдать за движением небесных светил или рукотворных спутников. Взгляд же художника должен быть пристальным, видеть жизнь конкретно, подробно и вместе с тем в масштабе больших пространств и временных отрезков. А это, на мой взгляд, означает быть «внутри» и одновременно «над» ситуацией.

Сегодня ночью или завтра напишу об «Оптимистической», пока у меня нет уверенности, что мой Вожак вполне убедителен. Много смеялись на первом просмотре, а это совсем не нужно, ведь мой папашка — Вожак скорее ужас должен внушать... А вообще спектакль интересный и неожиданный.

Если не допишу письмо до утра, так отправлю. А ты не забывай нам писать, я ведь выяснил, у вас специальное время есть для писем... и самостоятельных занятий.

Пока!

*Отец*

*Москва. 20.I.83*

Сынок,
мы уже не раз с тобой приступали к разговору о таланте, но всегда у меня оставалось ощущение поверхностного, облегченного толкования. Ты вот считаешь, что человек не может сам о себе сказать: я, мол, талант, и извольте это учитывать... Получается что-то вроде того, что талантливый человек, сознающий это, нескромен и посему уже не достоин симпатии. Талант — это большая редкость, кричать о нем на каждом перекрестке не следует, конечно. Кроме того, есть известное пушкинское: «Ты, Моцарт, Бог и сам того не знаешь». Поэтому я не склонен был тебя переубеждать, но все-таки хотелось бы подойти к этой проблеме с другой стороны. И вот, представь, как я рад, что наткнулся на подтверждение своим мыслям... На днях купил замечательную книгу (большая удача, потому что ее не достать) «Фальк. Беседы об искусстве. Письма. Воспоминания о художнике» (издательство «Советский художник» издает такую великолепную серию о мастерах). Разумеется, это первое издание литературного наследия художника, и я прочитал не отрываясь. Кроме того, что это был величайший художник, это редкий человек, чистый, мудрый, светлой души. И у него-то я наткнулся на рассуждения о таланте. В письме к матери он писал (сейчас возьму книгу, чтобы точно было): «Талант — это счастье, но и непомерная тяжесть, которую на тебя нагрузили и заставляют тебя всю жизнь на гору таскать, а хуже всего, что не таскать ты уже никак не можешь, если перестанешь, то превра-

тишься в духовного урода! Где-то сказано, что человек должен проявлять свои способности, чтобы ощущать, что он живет». И дальше: «Только тогда, когда я неплохо пишу, я чувствую себя приличным человеком...» И действительно, он умел игнорировать любые внешние обстоятельства, за всю жизнь так и не научился быть «купцом» своего искусства, но был счастлив оттого, что много работал. Фальк был, между прочим, профессором Вхутемаса, так что к его словам рекомендую прислушаться. Каждый за талант в ответе...

*Евг.*

*Москва. 6.II.83*

Андрей,

не знаю, что за лекцию вам читали о реализме в кино, может быть, она и была наивной. Не забывай все же, ее читали для солдат, а не для студентов театрального училища. А что касается основного тезиса — «реализм есть самая большая сила в искусстве современности», — так это точно. Даже если ты станешь считать меня устаревшим, никому не нужным сегодня артистом, я все равно буду это утверждать.

Времена меняются, представления людей о мире и о себе тоже, естественно, не могут быть неизменны: вкусы, стили, методы — все в движении, это так. И все же, сколько помню себя, никогда я не получал удовольствия от «эстетического баловства», как говорил Козинцев о всяких штучках и фокусах. Что касается кино, то вообще существует мнение, что доверие к жизни, к подлинности — в природе этого искусства. Реализм в кино, а точнее сказать, реалистические формы кино известны со времен господ Люмьеров, и сколько бы ни опровергали их правомочность, невозможно отрицать, что подлинные художники всегда стремились к тому, чтобы люди узнавали в их фильмах себя. Конечно, есть основания говорить о наивных формах реализма и о зрелом искусстве. И не сочти мое письмо уроком марксистско-ленинской эстетики, но рассуждать о реализме как творческом методе вне мировоззрения нельзя, как, впрочем, вообще о серьезном искусстве, ибо позиция художника по отношению к миру людей и его ответственность перед историей определяют горизонты творчества. И так было всегда.

Я понимаю, Андрей, что и в училище, и за кулисами театра, и во время ваших ночных бдений и страстных дискуссий, подогретых сухим мокреньким топливом, таких слов не говорят. И не надо! Отрицайте, шумите, бунтуйте! Мы тоже легко не сдадимся. Но вот что меня беспокоит — как бы частное, промежуточное, поисковое не заслонило самую суть. Помни взятый у поэта свой тезис: «Во всем мне хочется дойти до самой сути». Если это не забыто, то все не страшно.

Возьмем, например, классический для кино пример — неореализм, величайшее достижение итальянского кинематографа. Разве на протяжении десятилетий неореализм оставался для всех абсолютной истиной? Да, чтобы ты знал, сами итальянцы нападали на свое искусство, а защищали его более успешно французские и советские критики. Неореалистов обвиняли в натурализме, были к тому основания? — были, даже фильм Росселлини «Рим — открытый город». А потом, представь, один критик придумал: «кричащий реализм», и все успокоились.

Правда может быть натуралистична, потому что правда имеет право на беспощадность, но если это правда, а не болезненные упражнения человека, желающего нас пугать и унижать непристойностью. В последние десятилетия на западном экране — я, конечно, видел много больше тебя, в поездках, могу судить — все чаще появляется человек, теряющий веру в жизнь, духовно бесприютный. Мир страшен, и художник должен смотреть правде в глаза (я, кстати, не разделяю точки зрения нашего проката, который оберегает зрителя от жестокостей, мы в результате не видим выдающихся фильмов, а это обидно), но, глядя правде в глаза, настоящий художник, на мой взгляд, всегда утверждает, что зло не может быть нормой. Таково мое мнение.

*Евг. Леонов*

*Москва. 10.IV.83*

Андрюша, как ты там? здоровье? настроение?

Давно не виделись. Невообразимо медленно тянутся месяцы, а ночи такие длинные. Я теперь часто остаюсь один, мама наша каждую неделю почти, как свободный день, мчится в Белгород — бабушка болеет. Вот и сегодня один я как сыч. Ну, конечно, с Донечкой твоей, но тоже, скажу, собачина твоя без человечности. Как пришел я, так она и визжит, и хвостом виляет, и лижется, а погуляли, поели — и, пожалуйте, дрыхнет без задних ног, никакого участия в моей внутренней жизни не принимает.

Я сегодня, Андрюша, тишину слушал, перепугался даже. Транспорт уже не ходит, затихла улица, угомонились соседи, исчерпало свои развлечения телевидение, и, представь, трубы даже не гудят, ну просто тишина полная. Ты, конечно, думаешь, как я раньше думал, что тишина — покой для человека. Все-то мы неправильно понимаем. Если на душе у человека покойно, он тишину слышит и радуется, а если волнение в нем, то тишина его только усиливает. Расселось мое беспокойство передо мной в кресле: давай, говорит, поволнуемся вместе, чего уж тут прятаться, от него не уйдешь.

Вот она — тишина одиночества.

Не хочу тебя волновать, но врачи опять пристали: в больницу, в больницу. Может, лягу ненадолго, устал отбиваться. Съемки у Данелия закончили, несколько дней еще озвучивания, и все. Что за фильм получился — не знаю, грусть какая-то в нем сидит, хотя и комедия. Назвали — «Слезы капали».

Гия всегда о тебе спрашивает, привет передает. Когда начинаешь работу с ним, думаешь, сколько мучений! А когда закончили — пустота. Вот бы тебе такого друга, такого режиссера. Впрочем, все будет, все еще впереди. Скоро вернешься, может быть, нам предстоит сниматься в одном фильме. Или спектакль сведет нас на одной сцене. Я стану за твоей спиной, как живой лес вместо рисованного задника; как старый дуб раскину руки; как орел подставлю крылья тебе — ничего не бойся, сынок!

Андрюша, комик произносит патетические слова, что делают зрители? Они хохочут!

*Отец*

# Последняя глава

Нинель ИСМАИЛОВА

## *Последняя глава*

Что-то случилось в театре! Люди стояли на улице и не расходились. В Ленкоме отменили «Поминальную молитву».

Умер Леонов! — понеслось по вечерней январской Москве. Он собирался на спектакль играть своего Тевье и внезапно скончался.

Зрителям объявили, предложили сдавать билеты. Но люди не уходили, никто не сдавал билеты, все оставались на местах. Принесли свечи, зажгли. Театр погрузился в молчание. Или в молитву. Должно быть, все напряженно ждали чуда. В доме артиста врачи еще бились за его жизнь. Но он покинул нас навсегда.

Как это тяжело сознавать, что за последние годы общее у нас было только горе. Его хоронила поистине вся Москва. Он был дорогим человеком для многих тысяч и миллионов людей. Артисты, писатели, музыканты, ученые, члены правительства, бизнесмены и бомжи,

## Последняя глава

дети и старики — все считали его своим. Часами стояли люди на морозе, медленно двигалась к театру по улице Чехова печальная очередь, замерзали гвоздики в руках, застывали слезы на лицах. Народная любовь была ему наградой при жизни и стала памятником после смерти.

А теперь от этого печального дня отсчитайте ровно пять лет. Страна дышала весной перестройки. В Ленкоме шел спектакль-диспут «Диктатура совести». У Леонова был небольшой эпизод — монолог осужденного. Начавший жизнь как воин справедливости, герой кончал ее как преступник — что же это за движение вспять? Почему возможно такое предательство самого себя? Его слушали, потому что и сам артист хотел понять, искал объяснение, но не оправдание.

Работы в театре и в кино становилось все больше и больше: спектакли, поездки, съемки...

На гастролях в Гамбурге сердце Леонова не выдержало нагрузки: инфаркт усугубили другие болезни, слишком долго не замечал он усталости. И больше месяца страна жила в тревоге. В Москву, в Театр имени Ленинского комсомола, шли письма и телеграммы, звонки на радио и в газеты, требовали сообщать бюллетень...

Или немецкие врачи — Боги, или они знали, как много этот человек значит для русских, и сделали невозможное. Они вернули нам Леонова, любимого человека, искусству — артиста, Андрею — отца и маленькому Женечке — деда. У него была клиническая смерть, и последняя глава его жизни — это действительно чудо, дарованное и артисту, и нам. Последняя глава — это страх за семью, за людей, за жизнь; это любимая роль — завещание сыну, коллегам, москвичам. Он не цеплялся за жизнь, он жил, сознавая, что отпущено мало. Изменилось ли в нем хоть что-то? Нет, всегда он был серьезен к жизни, к искусству, к людям. Он веровал, что искусство и есть то место, где ощущается «соседство с Богом». Он опасался об этом говорить впрямую — в «пастыри не навязываюсь семье своей, не то что людям». И однако этот период жизни, короткий — всего пять лет, — он ощущал как итоговый, мыслил ясно, чувствовал сильно.

Вынужденная передышка длилась год. А потом началось все, как было прежде: театр, съемки, концерты, заботы, тревоги, мечты.

Но самое главное, триумф Леонова, артиста и человека, — премьера «Поминальной молитвы» в Ленкоме. Событие и праздник для москвичей. Шолом-Алейхем, Горин, Захаров, но сердце спектакля — Леонов — Тевье.

В стране в это время было много слез, межнациональные распри ужаснули людей. Война, в которой человек воюет с человеком, не знает ни тактики, ни стратегии, она сжигает мосты, уничтожает дороги, она отрицает будущее.

Кажется, люди не слышат ни доброго слова, ни окрика. Как тут быть? И тогда он выходит на самую середину, в центр, чтобы все видели, и, объясняя, что «в деревне Анатовка с давних пор жили русские, украинцы и евреи; жили вместе, работали вместе, только умирать уходили каждый на свое кладбище...» и что, «здороваясь, русские снимали шапки, а евреи шапок не снимали никогда», достает из кармана дорожных джинсов черную шапочку, надевает на лысину — и все понимают, что русский человек Евгений Леонов, наш знаменитый веселый артист, берет на себя бремя тех, кто унижен, кто бедствует, кто надеется и ждет помощи... Люди! помогите же людям!

И Тевье-молочник ведет нас в свой дом, в свою жизнь и беду, и мы узнаем, что его легендарная мудрость — это только юмор и доброта и что никакой другой мудрости человеку не требуется: пожалей, поделись, пойми другого.

Когда Леонов, начиная спектакль, опускался на колени и просил Господа вдохновить артистов на «Поминальную молитву», он просил и за нас всех. Как он хотел излечить людей от жестокосердия! Он делал это вместе со своим лукавым и мудрым Тевье самоотверженно, истово. Несмотря на опасные перегрузки, часто играл спектакль. Его актерское мастерство, достигшее в этой работе совершенства, было неуловимо для зрителя, но его сердечная работа была у всех перед глазами.

Он не играл, он действовал как человек в обстоятельствах горькой судьбы. Вот, получив от Тевля голову сыра, урядник говорит: «Хороший ты человек, Тевль, хотя и еврей». Молочник виновато кивает, и в тот же миг острый леоновский глаз из-под мохнатых бровей измеряет всю глубину сказанного и с обычной своей хитрецой примиряет: «Кому-то надо быть евреем, ваше благородие. Уж лучше я, чем вы...»

Без каких бы то ни было притязаний на значительность своих высказываний, роняя мысли-реплики по ходу дела, Леонов явил мудрость своего героя каким-то природным свойством. Вот Тевль с Перчиком тянут телегу вместо лошади. И киевский студент дает старику урок политграмоты: когда восторжествует свобода, не будет ни бедных, ни богатых. Тевье соглашается, «только куда ж их богатство денется?» — «Поделим поровну». И тут Леонов — легкий кивок в зал: «я так и думал» — и далее по тексту: «Умный вы человек, Перчик, многому, видно, в университетах научились... Только я вам так скажу: чужое поделить — невелика премудрость! Попробуй свое отдать...»

Он ведет диалог как бы на двух регистрах одновременно, он заставляет зал смеяться почти без пауз. И он разбрасывает мысли, точно сеятель, который уже не раз видел всходы, — легким, добрым движением.

Мне кажется, по этому спектаклю можно составить энциклопедию леоновских находок.

Сцена сватовства в трактире идет под неумолчный хохот: тут и Лейзер — Ларионов хорош, и Менахем — Абдулов великолепен. Но ни с чем не сравнить молитву Тевье, его совет с небом: как быть, принять ли предложение мясника? Хмель спадает с него по мере размышления: он точно сражается с искушением внутри самого себя — и уморительно все это, и жалко его до слез. Торгуется с Богом: не возьмет ли Бог или, в крайнем случае, умершая бабушка на себя ответственность за эту свадьбу, ведь понимает Тевье — счастье сомнительное — он старик, необразованный, что скажет дочь? И затем разговор с дочерью через дверь сарая: слова Писания, просьбы, угрозы, крики — и все без ответа; наконец высадил дверь плечом и влетел в темноту... А в конце концов дает благословение дочери, пусть живет по любви. «Я против, но я согласен» — это и звучит парадоксом, но ведь это все сыграно, сыграно и протест, и возмущение, и мольбы, и смирение.

И когда Тевье после богословских споров с попом, пережив, быть может, самый страшный удар судьбы, — он сам отказался от дочери своей — скажет: «Я, батюшка, русский человек еврейского происхождения, иудейской веры. Вот она моя троица. И ни от чего я не отступлюсь, ни от земли родной, ни от веры предков...», — трагедия обозначится в полном объеме. После этого уже и выселение за черту оседлости, и погромы — «Бог наших слов не слышит» — принимает Тевье как неизбежный ход событий, но от веры в жизнь все же он не отступится, все круги ада пройдет, но все не склонит свою голову перед злом. Жизнелюбие Тевье — наследство Леонова.

В «Поминальной молитве» снова Леоновы, старший и младший, вместе на сцене. Конечно, они играли в фильмах, в спектаклях, и в этом уже ничего нового, ничего чрезвычайного нет. Но тут действительно особый случай — спектакль-поступок, который стоит не на мастерстве только, не талантом и профессионализмом питается, но требует неподдельной чисто нравственной позиции.

Андрей Леонов играет деревенского писаря Федю, жениха, мужа Хавы. Мы видим скромного юношу, с душой поэта, которому известны главные истины жизни — любовь, верность, страдание, противоборство. Удивительная деликатность во всем облике, в манерах, в интонации.

Из незначительных конкретных деталей, нюансов поведения, из прямых взглядов — глаза в глаза, — так выглядит бесстрашие и постоянство, — сделана Андреем эта роль.

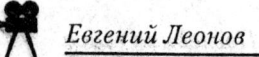

Душевная стойкость, достоинство, человечность — эти качества трудно наиграть, это свойства натуры, особенности личности. И такое счастье видеть, что все лучшее, главное Леонов передал сыну, — вошел в жизнь и в искусство человек серьезный, глубокий, надежный. Так, в музыкальном произведении основную тему выводит одинокий голос инструмента, и кажется, это всего лишь мгновение, — так скромно и коротко прозвучит, но так важно. Тевье и Федя в спектакле «Поминальная молитва» — это воплощенная сила доброты и веры в людей.

У Захарова всегда новый спектакль — это новое художественное пространство. Артистичность во всем — в пьесе, в сценографии, в костюмах, в превосходно поставленных танцах, но самое главное — артистичность в восприятии жизни. Есть такие сложные проблемы, в решении которых любое в лоб сказанное слово оказывается ложным, обоюдоострым, и надо найти контекст, чтобы возникло иное восприятие, надо найти тон, пронзительный и чистый.

Лукавый и трогательный, как-то по-особому глубоко расположенный к страданию, но и обладающий чудесной энергией жизнелюбия, леоновский Тевье воплощает идею человечности сполна. Как художник Леонов развивает в людях душевную восприимчивость, воздействует не прямым путем, но путем ассоциаций: люди смеются, хохочут и вдруг замирают, а кто-то украдкой смахнет слезу. Привычное действует на нас поверхностно, но знакомое, ограненное юмором производит глубокое впечатление. Зачем делить людей на урядников и студентов? Зачем поставили всех этих молочников, плотников, портных и табачников перед незримой, но грозной силой... Леонов ведет зрителя к размышлению о том, что болит, тревожит.

Кто живет на земле «неправильно»? И откуда берутся такие правила — человека с могилами разлучать? Предписания, указания с печатями и гербами: один унижен тем, что гонят его из собственного дома, другой — тем, что погонщик. Что же это за сила, которой все повинуются, которая заставляет одного человека конвоировать другого?..

Покоряюще убедительно звучит в спектакле мысль о попранной человечности. Люди все — молочники, урядники, студенты — способны жалеть, помогать, сочувствовать. Смешно и грустно, что до сих пор не удается в этом разобраться до конца. Ложные идеи, национальные догматы, ошибки политиков... А может быть, нас давно взяли в плен предрассудки и цепи, которыми человек опутал себя добровольно, сбросить еще труднее? Но ведь есть люди без этих цепей...

Мы вспоминаем Леонова, мы убеждаемся: есть!

Я держу в руках пьесу Григория Горина, отпечатанный на машинке актерский экземпляр. Листы ободрались, помялись, испещрены заметками. Он работал над готовой ролью, играл, играл, потом вдруг что-то менял, какие-то мелочи прирастали, и он их записывал для памяти. Он переписывал своей рукой завещание Шолом-Алейхема: «...и пусть мое имя будет помянуто лучше со смехом, нежели вообще не помянуто». Лучше со смехом, со смехом... В прологе вставлял свои слова, свои тексты. И все время точно подгонял себя: легче, легче... «Половина Анатовки справляла субботу, половина — воскресенье. Одни думали, что Бог отдыхал на шестой день, другие — на седьмой. А я думаю, Бог никогда не отдыхал, столько дел — не переделаешь». Это рождалось из импровизации, вписывалось карандашом, правилось автором... Казалось, Леонов говорил своими словами, он умел так соединить текст с характером, что не было сомнений: только Тевье, он один так думает и так говорит.

Некоторые страницы пьесы разбиты как ноты, пестрят только ему понятными знаками. Иногда он записывает свои ощущения между строк, поток сознания. Он думал и страдал, как Тевье, принимал удары его судьбы, как собственные испытания.

Он явно себя перегружал, и нельзя было даже слова сказать, мол, играй хотя бы не так часто. Но однажды у нас дома на Таганке, глотая таблетки, признался, что «Тевье» не только большая физическая нагрузка, но и прямая нагрузка на сердце: «жмет здорово». И, кажется, единственный раз в жизни, забыв свои шуточки и ужимки, всегда ведь прятал боли, боясь напугать Андрея и Ванду, сказал серьезно: знаешь сама — «страдать пора». Вот это «страдать пора», от Лобанова через Гончарова долетевшее до наших дней, Леонов считал истиной. И вполне серьезно полагал, что, страдая сам, уменьшает общую долю страдания, предназначенную другим. Вообще, когда он был серьезным, хотелось плакать, в такой мере дотла отдавал он себя служению. А служил всю жизнь до последнего вздоха в Храме, имя которому Театр. И прожил он в эти пять последних лет две жизни: свою и Тевье.

## Последняя глава

В своей жизни были съемки — эпизоды в фильмах Данелия «Паспорт» и «Настя», фильм «Американский дедушка» и работа с Марком Захаровым в кино — «Убить дракона» (по пьесе Е. Шварца «Дракон»); его Бургомистр, большой демократ, напоминал моментами Хрущева, моментами Брежнева, какая-то универсальная пародия на власть!

Была и еще одна роль, в которой его никто не видел, — Керубино в «Фигаро». Захаров отдал этот спектакль молодым, они работали и до сих пор играют с увлечением, а роль получил Андрей Леонов. Леонов-старший был очень доволен: Андрей пошел играть мои роли... И он репетировал с сыном, был весел, изобретателен и очень помог Андрею сделать роль выразительной и легкой. Откуда в этом толстом, с одышкой человеке была такая воздушность, нельзя понять. Но стоило ему взять в руки роль и начать читать, как звуки голоса точно отрывали его от пола. Керубино — этот пылкий ребенок, постоянно влюбленный, обаятельный, смешной и наивный, в исполнении Андрея действительно напомнил молодого Леонова.

Все друзья и близкие видели, что Евгений Павлович постепенно забывал о своей болезни. Это было и радостно, и тревожно. И я думаю, силы давал ему Тевье, тот самый Тевье, который и забирал их. В синей папке, в тексте «Поминальной молитвы», меж страниц остались записки и письма зрителей. Некоторые приезжали из других городов, специально чтобы увидеть Тевье, смотрели не один раз. «Вы любимы всеми поколениями нашей семьи», «Моя мечта сбылась — я вас видел. Спасибо!», «Артист с душою больше, чем артист...»

335

Странно, эта записка, на которой мне так и не удалось разобрать фамилию — «больше, чем артист» — не отличалась от других, явно написана под аплодисменты, наспех, от переизбытка чувств. Но мысль об искусстве, которое несет в себе совершенно особенные жизненные силы, нередко приходила мне в голову, когда я наблюдала общение Леонова со зрителями. Здесь не одна только сила таланта, но и свойство личности. Это был человек — для всех, всем в радость, всем в помощь. Если бы я не боялась, что он рассердится — он мессианства не признавал, — я бы сказала, что думаю: у него была миссия — помогать людям быть людьми.

Борис ЛЬВОВ-АНОХИН

# Евгений Леонов — мой великий Креон

Леонов как актерская личность был настолько противоречив и, как ни странно, при его простодушии настолько сложен, что не знаешь, с какого конца подобраться, чтобы как-то эту индивидуальность для себя охарактеризовать. И эмоции, режиссерские и даже зрительские, он у меня вызывал самые различные — от восхищения, естественной благодарности человеку за обаяние, за правду, за то, что смеешься, — до злости и раздражения иногда.

Сценический дар Леонова был природен, естествен, он не был выработан, не был придуман. (Есть актеры придуманные, которые вырабатывают свою индивидуальность, мастерство, даже свою органичность.)

Вспоминаю легенды о великих комедийных актерах, скажем, о Варламове, который мог выйти, сесть у суфлерской будки, улыбнуться в зрительный зал, и все были счастливы и покатывались со смеху — неизвестно почему: даже книжка о нем называлась «Царь русского смеха». Этот человек был просто неотразим, и он сам не понимал, и никто не понимал почему, но факт оставался фактом.

Мне кажется, что в Леонове была эта Богом данная неотразимость, и прежде всего неотразимость комедийная, от этого никуда не денешься. И то, что он был наделен даром абсолютной органики и что он мог делать на сцене все что угодно, и это всегда казалось естественным и почему-то неуловимо смешным. Бывало, улыбнется, задумается, почешется, повернется, чихнет — и все это было смешно.

Когда я пришел в Московский драматический театр имени К. С. Станиславского, мне сразу же пришлось включиться в репетиции пьесы Л. Зорина «Палуба», которую ставил молодой режиссер М. Карклялис. Леонов репетировал там совсем небольшую, эпизодическую роль. «Репетировал» не совсем точное слово в данном случае. Вместе со своим напарником — дружком — попутчиком Л. Сатановским он слонялся по сцене-палубе, бормотал, бурчал какие-то реплики, на кого-то смотрел, кого-то приглашал с собой, кому-то подмигивал, в какие-то минуты деликатно «смывался»...

По-моему, я не делал ему никаких замечаний, потому что в том, как он слонялся, мыкался по сцене, было все — нескончаемая маета речного путешествия, вынужденность и приятность дорожного безделья, и сон «невпроворот», и частые трапезы — яйца крутые, рыба копченая, пиво... — все это возникало в воображении с возникновением его круглой фигуры и круглого лица, которое, как казалось, он еще не успел ополоснуть после долгого, тяжелого сна. И пол, казалось, покачивался у него под ногами, потому что стоял он на палубе, и река текла за бортом, и на эту прохладную палубу приносил он духоту своей маленькой каюты в виде нескольких капель пота на лбу. И ноги его были не совсем уж тверды, ибо частые посещения корабельного ресторана не могли не сказаться на самочувствии его несомненно закаленного организма.

Одним словом, он не репетировал, не играл, он «плыл», бродил, засунув руки в карманы, колесил между каютой, палубой, рестораном, гальюном. Можно было оставить его одного на сцене, оставить только одни его почти безмолвные проходы, и возникла бы вся нужная атмосфера. Он не просто жил, как принято говорить об актерах, он существовал — как растение в цветочном горшке, как рыба в садке, именно существовал, ибо путешествие на пароходе — это был как бы перерыв в его обыденной трудовой жизни, вынужденная, может быть и блаженная, остановка, командировочная праздность, когда можно ничего не делать, а совесть при этом чиста, как стеклышко. И ясно было, глядя на этого человека, что существовал он не на белоснежном заграничном лайнере, а именно на плохоньком российском суденышке с весьма относительным комфортом и с полным отсутствием каких-либо развлечений. Так что прелестная легкая сонная одурь леоновского персонажа была абсолютно оправдана и убедительна.

На сцене была изобретательно построена палуба, но думается, что можно было бы обойтись и без нее, что Леонов мог служить не только персонажем, но и декорацией, прекрасно обозначавшей место, время и атмосферу действия.

Какие уж тут замечания! Я просто радостно смеялся при каждом его появлении, вот и все. Причем смеялся не потому, что он делал что-то особенно смешное, а просто тому, как все это было достоверно, похоже, узнаваемо. Смеялся от неотразимой правды его поведения, походки, взгляда, негромких слов.

У Леонова было два редчайших дара — умение заставить себе верить, верить всему, что ему доводилось придумывать и вытворять на сцене, и второй дар — заставлять улыбаться и смеяться при одном своем появлении. Абсолютно натуральный комизм, какое-то теплое благодушие, лукавое, детское простодушие Леонова моментально просветляли темноту зрительного зала, согревали самые черствые сердца, оживляли самые хмурые души.

У него и внешность была большого ребенка — складочки на шее и на руках, пухлые щеки, пухлые губы и малое количество волос, напоминавших пушок на невинном темечке дитяти. А ведь ребенок всегда смешной, что бы он ни делал — все смеются.

Казалось, в Леонове оживала легенда о великих русских комиках-буфф — Живокини, Варламове. Об их ясном, безмятежном, лучезарном искусстве. У Леонова не было такой эпической толщины, как у Варламова, Медведева или Давыдова, — время было другое и продукты тоже. Но посмотрите на более ранние портреты Варламова и Давыдова, когда они были еще пухлыми, а не полными, и вы найдете в них явное сходство с Леоновым — та же природа, фактура, то же национальное обаяние.

Но есть огромное отличие, почти трагический парадокс, который заключал в себе Леонов.

Его очень любил М. М. Яншин, передал ему свою любимую роль — Лариосика в «Днях Турбиных». Он свирепо преследовал своего ученика за малейшие пережимы и приучил к комизму тончайшему, воздушному, лиричному. Не только в Лариосике, но даже в сатирической роли самодеятельного композитора в «Энциклопедистах» Зорина он играл нежно, пастельно. В его изображении плут и ханжа, делающий карьеру на своей псевдонародности, «почвенности», выглядел этаким играющим на свирели, слегка располневшим Лелем с веночком из васильков на сильно поредевших кудрях. Наглость представлена в обличии розовеющей от смущения робости, всегда под рукой были обезоруживающая приветливость, приторная доброжелательность, словно туесок с патокой и обрывочек белоснежной овечьей шкурки, стыдливо прикрывающей бесстыжие мохнатые волчьи чресла. Все приспособления, находки Леонова в этой роли, при всей их буффонности, были чрезвычайно изящны, бисерны, ловки — он словно в бирюльки играл, то и дело вытаскивая из неистощимого запасника искусно выточенные «коленца».

Обладая таким счастливым комедийным даром, он мог бы жить в искусстве не очень тратя себя, радуя людей и греясь в лучах их естественной благодарности. Согласно легендам о Живокини и Варламове, они могли на сцене «ничего не делать»: любой их жест, слово вызывали бурную реакцию зала. Таким же был и Леонов, он мог спокойно почивать на лаврах несравненного комедийного актера.

Я невольно боялся в нем этой всесокрушающей комической магии, видя безусловность дара Леонова, его неотразимость; тем не менее часто злился, потому что этот дар мог приносить очень большие художественные радости, и наоборот — этот же дар мог, к сожалению, примирять зрителя с пошлостью фильма, спектакля или текста, режиссерской задачи, а это уже было неприятно и больно. Сам Леонов никогда, ни на секунду не был пошлым, но, случалось, попадал в обстоятельства пошлости и жил в них «возмутительно» органично — вот это меня иногда злило; возможно, поэтому и наши отношения сначала строились сложно.

Я считал, что Леонову нужны новые трудные, высокие задачи. И он ко мне относился несколько настороженно, чувствовал какие-то к себе претензии. Помог тот парадокс, о котором я упомянул выше. Леонов, несмотря на свое варламовско-олимпийское добродушие, был актером очень нервным, что, может быть, и отличало его от комиков прошлого столетия. От них у него была прелесть фактуры, заразительность, но это уже сочеталось с большой сложностью, болью. Он, если можно так сказать, являл резко современное преломление той линии русского театра, которая шла от Варламова, Давыдова, наверное, от Щепкина, от того амплуа, которое величалось «первый комический актер».

Но патриархальная традиция крупного, спокойного и ясного русского комизма сочеталась в нем с мятущимся духом измученного, гневного, издерганного жизнью современного актера. В нем парадоксально соединились традиции, идущие от знаменитых русских комиков-буфф, с нервной природой умного, глубоко ранимого, горько размышляющего о жизни современного человека.

У него была фактура, располагающая к покою, к созерцательной позиции, к благословенной лени, а он был великий труженик, работал сверх меры и во многих своих ролях терзал, сжигал себя не меньше, чем стройные, худые О. Даль, А. Миронов, В. Высоцкий.

Это были люди, сжигавшие себя на костре искусства. Леонов прожил дольше, чем они, но и его смерть была преждевременной.

Работал он с потрясающей яростью, самоотдачей. Иногда я просил его поберечь себя, угомониться, чтобы кровь так не хлестала. В гневной сцене с Антигоной он так страшно багровел, что я выскакивал из зала, — это было какое-то невозможное самосожжение. Лиза Никищихина уверяет, что первые вызовы «скорой помощи» к Леонову начались на прогонах «Антигоны». Они репетировали по двадцать часов, Евгений Павлович работал так, что, казалось, у него рвется сердце.

Он вообще не щадил своего сердца. И другим не советовал беречься. Считал, что это непременное условие профессии. Ведь водолаз не должен остерегаться воды, пожарник — огня, строитель — высоты, летчик — полета.

Когда Н. Коржавин при горячем содействии Ст. Рассадина отдал в Театр имени К. С. Станиславского пьесу под названием «Однажды в двадцатом», мы с заведующим литературной частью В. Дубровским пришли в некоторое замешательство. У нас в руках оказался огромный драматургический эпос, который никак не мог бы уместиться в один вечер спектакля. Но эпос этот был так талантливо парадоксален (причем парадоксы заключались и в сюжетных поворотах, и в идейных столкновениях, и в неожиданности психологической логики ярчайших и в то же время крупно обобщенных характеров), что не ставить его было невозможно. Боже мой, с какими стонами, с каким скрежетом зубовным сокращали мы эту пьесу! Зато с каким наслаждением репетировали и играли ее. Играли недолго, ибо спектакль был сразу же снят после отъезда Коржавина за рубеж.

В спектакле, который я ставил вместе с М. Резниковичем, было замечательное оформление Д. Боровского — он построил на сцене беленые стены южной мазанки и опалил их, словно недавно здесь разорвался снаряд, прислонил к стене тележное колесо, поставил какое-то продавленное, ободранное кресло, ржавую железную кровать — и все это каким-то непостижимым образом создавало атмосферу «двадцатых», опять-таки парадоксальную сумятицу революционного времени. В спектакле хорошо играли все — Ю. Гребенщиков, А. Глазырин, П. Глебов, Н. Веселовская, В. Анисько, В. Бочкарев, но особенно интересны были Казачка — Р. Быкова и профессор Ключицкий — Е. Леонов. Нетрудно догадаться, что Ключицкий — прообраз великого русского историка Ключевского. Леонов вдохновенно воплощал какую-то недосягаемую, непостижимую неуязвимость интеллигентности, мудрости этого человека. Насмешливый фаталист, он с юмористическим хладнокровием относился к любому хамству, угрозам, опасностям. Восхищала и поражала его способность философствовать в кутузке, шутить под дулом винтовки, требовать у разбойных «товарищей» вернуть принадлежащую ему собственность — купленное для дочери сало. Он был выше всех крутых трагикомических обстоятельств, ослепительный юмор делал его олимпийски недосягаемым, величественно спокойным перед всеми комиссарами и командирами, перед всеми, кто мог выхватить оружие из кобуры и уложить профессора на месте. Он был невозмутим, как Архимед перед римским воином. Прибавьте к этому очаровательное лукавство, ребячество, чудачество, множество умных и изящных комедийных «трюков», находок, и вы поймете, что едва ли не каждая реплика Ключицкого — Леонова вызывала какой-то восторженно ликующий отклик в зрительном зале.

Об этом исполнении очень хорошо написал Ю. Айхенвальд, и я позволю себе процитировать его описание:

«В романе Анатоля Франса «Боги жаждут» есть весьма характерный персонаж, старик Бротто, скептик, читающий перед казнью латинские стихи, влюбленный в жизнь не за то, что в ней кто-то побеждает кого-то, а просто потому, что она — жизнь и в ней существует человеческий разум, беспощадная честность которого демонстрирует желающим парадоксы жизни, не разрешимые, как она сама. В исполнении Е. Леонова Ключицкий напомнил мне именно франсовских жизнелюбивых скептиков, отличающихся несокрушимым душевным здоровьем при всей разрушительности их парадоксов. Впрочем, профессор русской истории гораздо активнее своих заграничных родственников: он пытается понять все события. Однако если роденовский «Мыслитель» имеет возможность красиво замереть в своей позе раздумья, то для мыслителя, отправившегося в 20-м году в деревню за салом, такая возможность исключена. Профессору слишком часто приходится поднимать руки вверх. Профессор на это не в претензии. Хотя фраза «Руки вверх!» и заменила прежние приветствия при встречах, но, по его мнению, человек с поднятыми вверх руками не может увеличить количество зла в мире, что делает саму эту позицию человека исторически плодотворной.

Последовательный гуманизм в соединении с определенной исторической концепцией наверняка привел бы Ключицкого в один из «двух» станов. Но у него нет концепции, цельной картины истории, как справедливо говорит Казачка. А так как действительность противоречива — профессор же этих противоречий охватить не может, ибо, по собственному его признанию, сделать это в силах только Господь Бог, с которым он «в доверительных отношениях не состоит», — то основой научного мышления профессора оказывается не столько вывод, сколько парадокс; свои парадоксы он и сообщает окружающим, что при отсутствии чувства юмора и при наличии оружия у собеседника требует, естественно, большого мужества.

Ключицкий заявляет, что наилучший, с его точки зрения, строй — это «просвещенный абсолютизм». В такой же своей несколько шутовской манере он объясняет Виктории Томми, что женщина может стать рабой любимого человека, только если ей очень повезет в любви. Качество этого парадокса, вызывающего дружный и довольный смех зрителей, отчасти объяснимо тем, что профессор навеселе. На сей счет у него тоже есть оправдание: русская история — море бурное, а пьяному — и море по колено» («Театр», 1968, № 4, с. 15—16).

Леонов в гриме Ключицкого был поразительно похож на Коржавина — такой же коротенький, кругленький, очаровательно смешной. Я заставил их выходить на поклоны вместе, вдвоем, и выход этот вызывал целую веселую бурю в зрительном зале.

Это было замечательное время Театра имени К. С. Станиславского — время «Палубы», «Материнского поля», «Антигоны». Пьеса Коржавина шла недолго, но триумфально. После премьеры Коржавин пригласил всех нас в ресторан «Арагви». У меня хранится его стихотворное приглашение, и я хочу наконец обнародовать эти неопубликованные шутливые стихи замечательного поэта:

> Однажды в шестьдесят седьмом
> (двадцать шестого — помним дату)
> За рюмкой вместе помянем
> Однажды бывшее в двадцатом.
>
> Придите, будьте же добры.
> Я верю: будет все отлично.
> Сольются, словно две сестры,
> Струи «Арагви» и «Столичной».
>
> *Н. Коржавин*

Памятен этот банкет, памятен и трагический отъезд Коржавина и снятие спектакля, где Леонов создал фигуру столь обстоятельную и масштабную, что я могу сравнить его исполнение с такими работами, как Креон, Ванюшин и Тевье. Позже Леонов работал в Театре имени Вл. Маяковского, в Ленкоме, но я смею утверждать, что его деятельность была наиболее плодотворной в Театре Станиславского, этот театр его творческая родина, остальное — эмиграция, довольно благополучная, но все-таки эмиграция. Правда, на «родине» жить стало невозможно — менялись главные режиссеры, уходили актеры, театр становился ремесленно безликим.

Когда я начал ставить в Театре Станиславского «Антигону», от распределения ролей ахнула вся Москва и в театре оно вызвало целую бурю. Меня называли сумасшедшим. Но я стоял на своем: Креон — Леонов, Антигона — Никищихина.

Почему у меня была абсолютная уверенность, что Леонов может и должен играть Креона? Может быть, потому, что я пьесу эту, которая сильно меня интересовала, ставил в невольной полемике со спектаклем французского театра, который был строг, культурен, очень во французской риторической традиции, но, как мне показалось, холоден и далек от сегодняшних волнений и проблем. Мне представилось, что все это может быть переведено на язык жизненный и даже житейский, и не важно, что действие происходит во дворце, — такая ситуация может быть в любой, самой заурядной, квартире.

Поэтому в этой концепции мне понадобился, с одной стороны, Леонов, а с другой стороны — Никищихина для Антигоны. Для меня было непреложно, что они должны играть эти роли, потому что зерном образа Креона, существом его жизненной сферы, а не риторическим тезисом было ощущение, что это житейская мудрость спорит с нетерпимостью и пылкостью юности, которая, как всегда, эту мудрость категорически и яростно отвергает. Поэтому не риторика, не злодейство, не царственность Креона нужны были мне, а именно его житейская неопровержимость, опыт и оснащенность. Именно то, что называется житейской мудростью, и должен был сыграть Леонов — с горьким и убедительным юмором и даже добротой и теплотой, с тем, что этот человек манит к какому-то житейскому уюту, прочности, защищенности и даже к большему — к счастью, к радостям человеческим.

В спектакле, в сущности, решался спор юношеского максимализма и житейского здравого смысла. Креон — Леонов призывал жить разумно, соблазняя Антигону житейски очень смачно, «вкусно».

Уже через сравнительно небольшое количество репетиций Леонов путем этюдов импровизационно прекрасно играл всю действенную линию роли. В этих этюдах, импровизациях были и сюжет пьесы, и ее внутренний смысл, и ее юмор, драматизм, усталость этого человека, его измученность, ярость, и одиночество, и хитрость — роль рождалась.

Но на этом этапе Леонов еще боялся текста Ануя, его красноречия, риторических периодов, патетических взлетов. Он даже говорил Никищихиной: «Не называй меня Креоном, это мне пока мешает. Пусть я буду дядя Петя, а ты просто Лизка».

Но наконец неизбежно наступило время освоения очень сложного текста Ануя. Я стал «издеваться» над актерами — «это Ануй не театра «Одеон» или «Комеди Франсэз», а родных Тетюшей».

У Креона огромные монологи, да и один диалог его с Антигоной идет минут сорок, а эта технология в нашем театре вообще потеряна, мы разучились говорить. Леонову было трудно, началась борьба с его «косноязычием», отсутствием речевой кантилены, с неумением произнести великолепный, но длинный и сложный монолог. Логика, непрерывность мысли, дыхание... Леонов не привык к таким монологам, долго бился, но потом мастерски освоил эту технику владения цельностью, протяженностью мысли интеллектуальной драмы.

Сначала говорил: «Я же привык играть дурачков, придурков, изъясняться междометиями, мне эти длиннющие речи никогда не одолеть». Но одолел, опять-таки путем упорной работы. Он говорил огромные куски текста на единой мысли, не упуская ни одного ее нюанса. Леонов проделал в этой роли (новой для него в смысле напряженного драматизма и трагических звучаний), помимо внутренней и огромную техническую работу, овладел далеким для него сценическим стилем, ничего не потеряв из своей простоты, органики, импровизационности. И это соединение мудрой логики, философского красноречия с леоновской задушевной непосредственностью производило огромное впечатление. Все время казалось, что он заговорит, заворожит, убедит Антигону. Он безупречно передавал мысли Ануя и в то же время вызывал какие-то неожиданные, современные ассоциации. Так, многие находили, что он чем-то напоминал Хрущева, хотя мы об этом никогда не думали в процессе работы.

Леонов сумел показать, как страшен, сокрушителен может быть Здравый Смысл, когда он гневается, и как он безнадежно трагичен, когда убеждается в своем бессилии.

Роль Креона — великое создание Леонова. Он заявил о себе как о трагическом артисте. Я помню, как Г. Н. Бояджиев пришел к нему за кулисы после спектакля и твердил: «Он все может играть: и Лира, и Льва Толстого, и Сократа!»

Эта способность овладеть новой для себя технологией, что совсем не просто, убедила меня в очень больших возможностях Леонова, и я уверен, что они не были до конца раскрыты, хотя он сыграл и драматические роли, и трагикомические.

Мне очень хотелось сделать с ним Лира, не говоря уж о Фальстафе. К сожалению, обстоятельства распорядились по-другому, и мы уже ничего вместе не делали. Но в моей душе живет чувство гордости, что мне первому удалось раскрыть новые, неожиданные возможности Леонова. Ванюшин, Тевье-молочник были уже потом...

Андрей ГОНЧАРОВ

## Великий комик

Женя Леонов — особая, неповторимая страница моей жизни. Его кончину я пережил очень тяжело. Впрочем, разве я один?..

Редко встречаются актеры, один взгляд на которых заставляет забыть обо всех окружающих. Так было со мной при первой же нашей встрече.

1943 год. Я уже руководил фронтовым театром и был привлечен к преподаванию в ГИТИСе и в Московском театральном училище. Мы что-то репетировали с молодыми актерами. Вдруг открылась дверь и вошел человек. Пухлый, улыбающийся блондин с роскошной шевелюрой. Это был Женя. Я взглянул на него и в тот же миг понял, что крепко попался. Это был тот самый случай, когда человек вошел — и уже спасибо, и ты уже улыбаешься, лоснишься от счастья, точно блин на сковородке. Ибо человек этот излучает какие-то мощные флюиды. Одним словом, тотчас же позабыл, что в комнате находятся еще десять человек, и каких — Л. Горелик, впоследствии известный эстрадный артист, В. Горелов, который потом замечательно работал в Московском тюзе... Но Женя был ни с кем не сравним. Так было всегда, на протяжении всей нашей с ним работы. Меня тянуло на репетиции с ним, будто влюбленного на свидание. Я был раз и навсегда пленен его обаянием, покорен его удивительной органикой. Мы поставили с ним какой-то русский водевиль, затем выпускной студийный спектакль «Недоросль», где он играл Митрофанушку так сочно, так смешно, что забыть это невозможно.

Евгений Леонов был великим русским комиком. А знаете, что такое русский комик? Это обязательно, непременно — еще и трагик, в нем должна быть романтическая слеза, звучать интонация трагедии. Помню, как мой учитель Андрей Михайлович Лобанов увещевал одного нашего известного комического актера: «Пора, дорогой мой, играть чувство, страдать пора. Иначе ты не русский комик, а итальянец — Живокини». Он отнюдь не хотел обидеть итальянский театр, просто хорошо понимал природу театра русского — сердечную, одухотворенную, сострадательную. Женя Леонов был плоть от плоти дитя русской сцены. Последнее время мне видится, будто он даже внешне был похож на Щепкина. Я бы рискнул, пожалуй, выстроить ряд великих отечественных комиков, где Щепкин, Варламов, Давыдов, Яншин и Леонов.

Когда Н. Горчаков пригласил меня работать в Московский театр сатиры, первым моим порывом было взять с собой Леонова. Уж не знаю, разум ли, провидение ли, но что-то меня остановило от этого шага. И впоследствии понял, что был прав. Да, Леонов уже был к тому времени великолепным комедийным актером. Но там, в Театре сатиры, играли тогда замечательные комики — Хенкин, Курихин, Лепко, Поль... Очень хорошие были актеры, но — другие, совсем другие. Женя, думаю, не прижился бы. Тогда же возникла мысль попробоваться ему в Театре имени К. С. Станиславского.

Мысль оказалась счастливой. Леонов прошел там под руководством М. Яншина прекрасную школу русского психологического театра и играл великолепно.

Но когда я возглавил Театр имени Вл. Маяковского, тут уж Женя был мой. И все повторилось сначала. Я летел на репетиции, я купался в его актерском и человеческом обаянии.

«Дети Ванюшина» были леоновским триумфом. Интересно, что первоначально эту роль должен был играть знаменитый Свердлин. А я задумал совсем другое решение, где была нужна принципиально иная актерская индивидуальность. Мне виделся трагифарс о том, как невежество и слабость духа губят семью. Я воображал, как бегает по сцене-дому беспомощный глава семьи и истошно кричит: «Свистать всех наверх!» Это мог сыграть только Женя. Ну, и пришлось пойти на конфликт с ведущим актером театра. Дерзкое, конечно, было решение: я ведь только-только сел в кресло главного режиссера. Но дерзость моя оправдалась. Женя воплотил все мои надежды. И хотя в этом спектакле любимые мои актеры А. Лазарев, С. Немоляева, А. Ромашин, Т. Карпова и другие играли хорошо, решал все Леонов. После его ухода из театра я вынужден был снять спектакль. Замены быть не могло. Пробовал было уговорить на эту роль Бориса Равенских, казалось, он бы мог, но сорвалось. И быть может, не случайно.

Вот почему начались мои с ним режиссерские мытарства. Он к тому времени уже был нарасхват в кино. А я терпеливо ждал его месяцами на репетиции. Не мог иначе, никого не хотел видеть в очередной роли, которая предназначалась ему. Был Санчо Панса в нашей версии великого романа Сервантеса в спектакле «Человек из Ламанчи». Женя вступил в соревнование с крупнейшими актерами мира, которые играли на сцене и на экране эту роль. Признаюсь, ничего подобного сыгранному Леоновым я не видел и не вижу до сих пор. Вот я и ждал его месяцами со съемок. Мое «руководящее» терпение закипало и в конце концов лопнуло. А тут еще происшествие, которое сегодня воспринимается чуть ли не как норма, а тогда было настоящим ЧП. На телеэкране появилась реклама рыбы нототении, которую обаятельно продавал любимец публики Евгений Леонов. Я взорвался. Собрал труппу и произнес речь, которую по отношению к самому себе никогда бы никому не простил. Дескать, костлявая рука голода совсем задушила Евгения Павловича. Скинемся, что ли, пустим шапку по кругу, чтобы артист не пробавлялся нототенией. Конечно, Женя этого не простил. Мы расстались, он ушел в Театр имени Ленинского комсомола к Марку Захарову.

Горько все это вспоминать, хотя присутствовала в этом некая неизбежность. Удел «звезды» — нарушать театральный режим из-за киносъемок, удел руководителя театра — настаивать на этом режиме, ибо без него нет театра. Эта дилемма знакома всем главным режиссерам, имеющим счастье и несчастье держать в труппе крупных актеров, значительные личности. И все же горечь остается. Моя горечь остается. Моя горечь от невосполнимой потери умножается еще и тем, что в тот конфликтный момент я утратил радость от сотворчества с Леоновым. Ведь мы вместе начинали и испытывали эту радость с первой встречи. Знаю, что и Женя испытывал нечто подобное, как бы ярко ни сложилась потом его карьера на сцене Ленкома.

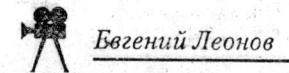

Он очень остро чувствовал жизнь. Тяжело переживал в последние годы все, что творится со всеми нами. Его добродушная, веселая внешность скрывала целые пласты сложной духовной жизни. Он был значительно глубже и серьезнее, чем это могло показаться из его веселых киноопусов. Я понял это с самого начала. Как и Яншин, который бережно и скрупулезно огранивал этот редкий алмаз.

Женя был трагическим комиком или комическим трагиком. Сокрушительная потеря для русского театра.

*Последняя глава*

Марк ЗАХАРОВ

# Счастливые мгновения

Начало нашего знакомства относится к тем далеким временам, когда Евгений Павлович Леонов, блистательно играя Лариосика в «Днях Турбиных» М. Булгакова, гастролировал с Московским драматическим театром имени К. С. Станиславского в городе Перми, а я, артист Пермского облдрамтеатра, делал безуспешные попытки устроиться в эту столичную труппу.

По рассказам очевидцев, художественный руководитель театра, замечательный русский актер и режиссер Михаил Михайлович Яншин с особым педагогическим мастерством передал молодому актеру секреты своего неувядающего искусства. Лариосик был сыгран некогда самим Михаилом Михайловичем — участником знаменитого мхатовского спектакля. Талантливый и своенравный ученик играл с уважением к «первоисточнику», но во многом по-своему.

Леонов — Лариосик врезался в память, ошеломил, как необычайной яркости театральный праздник. Смешной, беззащитный человечек, уморительный и трогательный до слез, поднявшийся в моем сознании к той запредельной высоте, когда человеческая наивность обретает черты вселенской доброты и, стало быть, мудрости. Наверное, мудрость человеческая не есть сумма знаний и даже не качество интеллекта, скорее, свойство страждущей души...

Я начал свои воспоминания о счастливых мгновениях моей театральной жизни с Леонова — Лариосика, вероятно, не случайно. К таинствам нашей профессии относится много такого, что не имеет четкого материалистического обоснования. К числу таких загадочных явлений относится и возникающая порой тайная взаимосвязь актера-творца и созданного им образа. Думаю, что это явление прослеживается не только в театральном искусстве или кинематографе...

Евгений Павлович был человеком достаточно закрытым, умело оберегая собственную душу от навязчивых, а порой и агрессивных вторжений нашего суетного мира. И потому, проработав с ним почти двадцать лет, я не могу претендовать на жизнеописание великого русского артиста. Впрочем, были у нас мгновения особой душевной близости, например, однажды в купе международного поезда, когда ехали мы вдвоем в зарубежную гастрольную поездку. Но разговоры наши были слишком интимны, чтобы переводить их на печатные страницы.

Чаще всего Евгений Павлович рассказывал о себе неохотно. Он только казался покладистым человеком, эдаким улыбчивым добряком. Истинные комики — самые мрачные люди. В жизни не расплескиваются, не размениваются на шутки-прибаутки — берегут энергию для комедийных взрывов на сценических подмостках и съемочных площадках.

Работа с Евгением Павловичем — мои счастливые мгновения, далекие, однако, от праздничного успокоения — как ни посмотришь: в глазах его сомнение, тоска, мелькало и недовольство. Последнее, кстати, есть для художника качество ценное, а для истинного таланта и обязательное.

Помню, как я в первые годы увлекался на репетициях формулой Е. Б. Вахтангова «фантастический реализм» и, как обычно, безмерно зачастил с полюбившимся мне словосочетанием, Евгений Павлович сначала снисходительно улыбался, потом недовольно сопел, а позднее замучил вопросами. Как на сцене что-нибудь грохнет, кто-нибудь куда-нибудь прыгнет или выкрикнет без видимой причины, он сразу интересовался:

— Маркуша, это у нас фантастический реализм?

— Он, — подтверждал я сразу же, но, постепенно познавая меру, стал реже пугать Евгения Павловича незнакомым термином.

Он был взращен на мхатовской терминологии, хорошо знал цену «действенному анализу» и выработал собственные методы борьбы со «штампами» — так у нас называются надоевшие всем, среднестатистические, часто употребляемые и потому стертые интонации в сценическом существовании.

Как опытный киноактер, он хорошо знал, что невозможно в одну реку войти дважды. Знал, что то, что хорошо на одном спектакле, может быть вычурным и фальшивым на другом. Поэтому делал все возможное, чтобы роль его всегда оставалась живой, нарочно уходил от точного воспроизведения выученного текста, смело и чаще всего блистательно пускался в импровизации, знал и другие хитрости профессии...

Когда не любил человека или осуждал его речи, никогда прямо об этом не заявлял, обличать людей не любил, чаще опускал глаза и мучился. Был внешне спокоен, улыбчив и независим.

Его независимость далась ему после долгого и трудного пути. Во время войны работал помощником токаря на авиационном заводе. Жил в семье, которая вела нелегкую жизнь, и знал, почем фунт лиха. Учился на актера в Московском театральном училище (позднее это учебное заведение было слито с ГИТИСом, теперь это Российская академия театрального искусства — РАТИ). Но самое главное: школа у Евгения Павловича была мхатовской, и более всего на свете ценил он как актер правду и простоту. Конечно, обладал уникальным комедийным даром, как позднее выяснилось — трагикомическим. Очень точно и четко подмечал неповторимые особенности разных человеческих характеров, умел их «коллекционировать» и почти всегда с интересом смотрел и слушал любого человека...

Театр — зеркало общества, а актер есть отражение современника... Большим актером, выразителем своего времени становится тот человек, кто впитал в себя жизнь окружающих его людей, их духовную сердцевину и внешний облик. Говорят, долго живущая собака начинает напоминать своего хозяина. Не умаляя актерского, человеческого достоинства, хочу сказать об актере, что, вероятно, он обязан почувствовать свою связь с социальным типом, которому наиболее близок. И свой внешний облик с помощью ее величества Интуиции приблизить к воплощению времени в конкретном живом человеческом обличии.

Внешний слой этого процесса — жадное наблюдение, та самая «коллекция» человеческих проявлений, о которой я только что сказал. Я видел Евгения Павловича в общении с незнакомыми людьми. Отдельные граждане, минуя всяческие представления о приличии и такте, бросались к нему, как мухи на огонек. Люди вообще, а театральные деятели в особенности, делятся на две большие категории: те, кто говорит сам, и те, кто умеет слушать других. Леонов умел слушать. С грустной улыбкой из года в год впитывал он в свою актерскую память сотни человеческих судеб...

Он научился рассказывать о людях, никогда не опускаясь до анекдотов и актерских баек, его взгляд был много проницательнее, чем может показаться. Его часто воспринимали как баловня судьбы, современного Фальстафа, а он всегда был исследователем, легко ранимым художником, весьма строгим к себе и собственным желаниям. Евгений Павлович был внешне застенчив, меланхоличен и вместе с тем всегда готов для самых смелых и неожиданных поступков... Не то чтобы горел желанием кому-то обязательно помочь, но знал, что это его еще одно земное предназначение, и потому немедленно отправлялся в высокие инстанции хлопотать за квартиры и новые ставки для своих коллег, просил стройматериалы для театра, деньги на ремонт, а когда узнал, что мою племянницу необходимо оперировать, тотчас отправился безо всяких уговоров в больницу — развлекать детей и медперсонал. Рассказывать об этом, может быть, и необязательно, но жили мы с ним в неофеодальном обществе, и он хорошо знал его законы и правила...

В свое время, пускаясь в очередной сценический поиск, мы всегда быстро договаривались о его социальных аспектах, сосредоточивали внимание не только на широких проявлениях доброй, совестливой души — а в этом Леонов не знал равных, — но обязательно раздумывали о болезнях века.

В «Оптимистической трагедии» Вс. Вишневского Леонов сумел создать своего рода энциклопедию «номенклатурного негодяя». Вожак Леонова — очаровательный добряк, широкий, кряжистый, могучий. Внешность при решении кадровых вопросов — категория немаловажная. Здесь необходима внешняя доброта, обстоятельность. Неторопливость — тоже добродетель. Спешат те, кто в себе не уверен, хорошему человеку спешить некуда...

Мы постарались воспроизвести этот социальный механизм всерьез, чтобы зритель не сразу входил в противоречие с отрицательной сущностью Вожака. Пусть ему поверят и даже почувствуют к нему симпатию.

Леонов обладал огромным запасом наблюдений над людьми, гордо и неподвижно восседающими за массивными письменными столами, едва слышно проводящими беседы, о которых непосвященным знать не положено.

Во время репетиций мы делились собственными ощущениями и воспоминаниями о пластике и повадках людей, возомнивших себя вершителями судеб. Так родились замечательные телефонные разговоры Вожака. Он буквально останавливал действие пьесы и вел тихим, неторопливым голосом конфиденциальные беседы с другими ему подобными вожаками. Все должны были замереть при этом и ждать окончания разговора. Конечно, это был действенный удар по авторитету и самочувствию Комиссара, роль которой блистательно играла И. Чурикова.

**Умение** действовать, вообще потребность в скрупулезном «действенном анализе» были у Леонова в крови. Однако оговорить действенную подоплеку роли — не слишком большая заслуга. Выбрать, наметить такой действенный ряд, который сформировал бы предельно достоверное и вместе с тем комедийное развитие событий, — задача повышенной сложности. Евгений Павлович решал ее виртуозно.

Конечно же, претензии Вожака простирались дальше письменного стола и телефона. Он, свидетель великих революционных событий, не раз наблюдал пламенных ораторов, подлинных вождей. Сила вдохновенного слова, революционный пафос — вот куда тянулся леоновский герой. Очень хотелось руководить массой не только с помощью кулака. Очень хотелось быть идеологом. Хотелось прослыть ученым, мыслителем, оставить после себя если уж не труды, то по крайней мере речи.

«Оптимистическая трагедия», как это ни странно, была у нас примечательным и, пожалуй, талантливым спектаклем. Конечно, во многом благодаря Евгению Павловичу.

Некоторые эскизы и наработки в роли Вожака Евгений Павлович блистательно использовал потом в фильме «Убить дракона», который в 1988 году был снят мною на «Мосфильме». Фильм не стал моим любимым сочинением, но несколько кадров с участием Леонова я считаю пронзительными: например, когда Бургомистр («Борец с драконом») публично демонстрировал свою «демократическую» сущность, показывая уборщикам, как надо правильно работать, и затем выступал перед старейшинами города. Дело не ограничивалось какими-то «брежневскими» или «хрущевскими» пародийными деталями. Евгений Павлович вскрывал целый номенклатурный пласт; повадки его представителей, как стало теперь понятно, еще долго будут омрачать наши благие мечты и надежды.

Когда Е. П. Леонов стал истинно народным артистом? Я полагаю, после фильма «Белорусский вокзал». Здесь он совершил бросок в новое состояние. Он выразил не себя — за ним стояла целая общность русских людей, не слишком удачливых, не слишком счастливых, но добрых, веселых и, самое главное — родных. А ведь родных любишь неизвестно за что...

Что мы такое на самом деле, сказать всегда затруднительно, но кое-какие особенности в поведении, мыслях, шутках и слезах мы за собой осознаем. Леонов преуспел в этом больше других и очень по-русски: задушевно, широко, не всегда складно, без стараний, не так, чтобы из кожи лезть, а уж как получится. Почти всегда с едва заметной улыбкой. И улыбался он не для того, чтобы понравиться, а скорее, чтобы извиниться перед нами за то, что мир наш пока еще так несовершенен.

Герои Леонова — совестливые люди, они как бы приближают нас к тому самому страданию, о котором поведал миру Достоевский. Жаль, что не удалось поставить спектакль, где бы Евгений Павлович мог встретиться с героями великого писателя. Но зато был в репертуаре артиста наш ленкомовский «Иванов» А. П. Чехова, была заглавная роль в спектакле «Вор» В. Мысливского, был проштрафившийся партийный руководитель в «Диктатуре совести» М. Шатрова и, конечно, незабвенный Тевье-молочник из «Поминальной молитвы» Гр. Горина.

Эта роль обрела характер прощания и заповеди. После тяжелейшей операции на сердце Бог даровал Евгению Павловичу несколько лет, чтобы он смог одухотворить нас и подарить надежду в годы новейшей российской смуты. Он умер, собираясь на этот спектакль, и потрясенные зрители не возвратили билеты в кассу театра. С зажженными свечами они несколько часов простояли у входа в театр. В день его похорон образовался стихийный людской поток, тянувшийся от Садового кольца через всю улицу Чехова. Мы задержали погребение на четыре часа, но все равно не все, кому был дорог этот человек, сумели проститься с ним.

Потеря его была страшным, трагическим ударом, она пробудила в нас благую мысль о счастливых мгновениях, которые подарил московскому Ленкому, российскому театру и кинематографу великий русский артист.

Многие из нас продолжают жить воспоминаниями о его искусстве, безумно смешном, иной раз до такой степени, что хочется плакать. Его творческий взлет принадлежал его Отечеству и был основан на том вдохновенном движении души, которое поэты прошлого, а теперь и мы, дети многострадальной российской истории, принимаем за милостивый подарок Всевышнего.

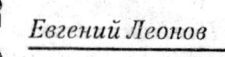

*Гр. ГОРИН*

## Последняя роль

Смерть любимого человека неожиданна. Смерть человека, любимого всеми, знакомого до малейших черточек лица, неожиданней во много крат. Вот почему известие о кончине Евгения Леонова так потрясло и показалось абсолютно невероятным.

И вроде знали, что болен, что перенес тяжелейшую операцию на сердце, что побывал на том свете... А все не верилось! Побывал, да вернулся! Как Иванушка, герой всех русских сказок... Его в кипящий котел, а он оттуда — молодым да здоровым!..

Многие и сейчас не очень верят. Смерть актеров вообще стала понятием ирреальным. Если звучит голос, если лицо чуть ли не каждую неделю видишь по телевизору, если фотографии с обложек книг... Причем тогда смерть?..

Лучше всего эту нелепицу отметил мальчик у нас во дворе. Ему было лет шесть (самый возраст для философских наблюдений), он играл в песочнице. Его товарищ, старше года на два, сообщил ему услышанное известие: «Винни-Пух умер!»

— Врешь! — спокойно сказал мальчик. — Винни-Пух не умер. Он сегодня вечером идет в гости!

Я, случайно услышавший эту фразу, сперва не понял ее абсолютную достоверность. Потом посмотрел программку телевидения. Все точно: в 18.00 по первому каналу «Винни-Пух идет в гости»...

«Лицо человека всегда интересней того, что он скажет. Ибо его слова придуманы им самим или другим человеком, а в лице — замысел Бога». Не помню, кто сказал эту фразу, но, видно, кто-то неглупый...

Лицо Леонова народу было явно даровано свыше. В нем доброта, лукавство, скрытая печаль, хитроватость, простодушие вперемешку с житейской мудростью — все лучшие черты, которые присущи русским.

Нынешняя жизнь с ее трудностями, злобой, вырождением, ксенофобией все больше рождает лица злобные, с чудовищным оскалом, орущие что-то, грозящие кому-то... И мир в который раз пугается России.

Я бы на месте министра иностранных дел возил с собой всюду фотографию Евгения Павловича и, как, только встает вопрос о «русской угрозе», ставил ее на стол переговоров...

Свою невероятную популярность он переносил удивительно спокойно. Не кокетничал ею, но и не тяготился. Понимал, что его узнают все, в ответ общался с каждым встречным, как со своим давним знакомым, часто переходя на «ты». Слишком навязчивых не отгонял, но и не позволял общению переходить ту грань, где начинается панибратство.

Однажды мне повезло, я попал в одно купе с Евгением Павловичем (ехали в Ленинград на съемки фильма «О бедном гусаре замолвите слово»). Увидев Леонова, вагон загудел, к нашему купе потянулись люди за автографами. Автографы Леонов раздавал деловито, понимая, что эта обязанность входит в его профессию, перед тем как поставить свою подпись, спрашивал имя, а услышав, делал крохотную паузу, точно запоминая. Людям это нравилось.

Наконец, когда любители автографов отстали, в дверях купе возник подвыпивший мужичок с початой бутылкой коньяка. Блаженно улыбаясь, он заканючил:

— Евгений Палыч, можно выпить с рабочим человеком?

— Можно! — спокойно ответил Леонов и взял бутылку. — Только после работы. Мы тут с писателем работаем, сценарий сочиняем. Завтра съемка. После съемки и выпьем...

— А я? — изумился мужичок.

— Ты тоже! — сказал Леонов и налил стакан. — Завтра в семь вечера.

— Так где ж я вас увижу?

— По телевизору, — спокойно ответил Леонов. — «Осенний марафон» будут показывать, ты со мной и чокнешься... На, держи, не расплескай!

Мужичок бережно взял стакан и ушел очень довольный...

К политике, как мне казалось, он относился довольно равнодушно. Во всяком случае, я не припомню его участником какого-то митинга или манифестации. Впрочем, в старые, застойные времена это тоже было определенной позицией. Тогда мне рассказали один эпизод (позже сам Евгений Павлович в разговоре его подтвердил). В годы, когда шла травля диссидентов, во время футбольного матча к Леонову на трибуне пробился какой-то мужик и, пожав артисту руку, прошептал: «Молодец, Палыч! Ни против Сахарова, ни против Солженицына ничего не подписал! Держись!» В годы перестройки и в последующие бурные времена, когда артисты поделились на группы по симпатиям к тем или иным партиям и лозунгам, Леонов как бы оставался в стороне, сохраняя умеренный консерватизм взглядов.

Тем более для него стало неожиданностью, что исполнение роли Тевье-молочника бросило его в водоворот межнациональных распрей. Антисемиты обвиняли Леонова в том, что он «продался жидам» и своим талантом служит «мировому сионизму».

Ортодоксальные евреи ругали Леонова за многочисленные вольности в изображении Тевье: в одной из сцен случайно снял шапку, в другой — неправильно надел талес. И особенно возмущало, что в начале и конце спектакля он встает на колени. «Мы, евреи, народ «непреклонный»! — кричала возмущенная зрительница. — А этот Леонов, что он себе позволяет?»

Сколько я ни объяснял и устно, и в газетных статьях, что это — театральный прием, что это не Тевье, а русский артист встает на колени, как бы прося у Бога вдохновения для исполнения трудной роли... и что в конце спектакля не Тевье и Берта, а Евгений Павлович Леонов и Татьяна Ивановна Пельтцер, стоя на коленях по православному обычаю, молятся за наше общее спасение, — ортодоксы отказывались понимать театральную условность.

— Вот дела-то! — искренне удивлялся Леонов. — Играл испанца Санчо Пансу, играл фламандца Ламме — никаких замечаний. А я ни в Испании, ни во Фландрии не был... А здесь играю своего анатовского молочника, и вон какая кутерьма! Наверное, плохо играю, а? — и хитро посматривал в мою сторону.

— Наоборот, Евгений Павлович! Видно, слишком хорошо играете. Очевидно, так вжились в образ, что зритель уже не может различить границу между актером и персонажем...

— Вот оно и плохо... Мы ж не так задумывали...

Сыграть Тевье он хотел давно. Рассказывал, что еще в конце семидесятых годов обращался в управление культуры с просьбой разрешить инсценировать Шолом-Алейхема. Отказали, театр еще не был Ленкомом, а название, включавшее имя Ленинского комсомола, требовало молодежной тематики.

Потом появился телевизионный спектакль, где Тевье сыграл Ульянов. Сыграл, по мнению критиков и зрителей, замечательно, но решение по-своему интерпретировать эту роль у Леонова только усилилось. Он много раз просил меня написать новую инсценировку. Я вежливо отказывался...

— Евгений Павлович, ну какой вы еврей? Представьте себя с бородой и пейсами, будет пародия...

— А если без бороды?

— А без бороды нельзя...

— Почему? В нем борода самое ценное, что ль?..

Я понимал, что он прав, но никакой сверхидеи для сочинения пьесы не возникало.

Леонов был, как всегда, мягок, но настойчив. Уговорил Марка Захарова включить в репертуар американский мюзикл «Скрипач на крыше». Постановщиком пригласили грузинского режиссера Г. Лордкипанидзе. Состоялась читка.

После этого Евгений Павлович позвонил мне. Произошел примерно такой разговор:

— Значит, почитали мы пьесу... Пьеса хорошая, но надо переделать... какая-то она опереточная...

— Вы ж ее раньше читали, Евгений Павлович.

— Читал... Но как-то под музыку... Музыка там хорошая.

— Музыка замечательная, Евгений Павлович... Но вы разве петь собираетесь?

— Нет, петь не буду... Поэтому музыку обещали новую... И пьесу тоже...

— Кто обещал?!

— Да мне сказали — вы...

— Евгений Павлович, я ничего переделывать не буду!

— Да я режиссеру так и сказал. Чего это Горин будет переделывать? Ему проще новую написать...

— Да нет у меня идеи на пьесу!

— Начало я придумал... Выхожу один, смотрю в зал...

— А дальше?

— Дальше текст нужен...

Это была типично леоновская манера уговаривать. Мягко, но так цепко, не открутишься...

Впрочем, и откручиваться драматургу от работы с таким артистом было бы просто глупо... Тем более, что начало спектакля он, как выяснилось, придумал...

Теперь я понимаю, что каким-то внутренним чутьем он ощущал, что эта роль у него будет не только значительной, но и, возможно, последней. Поэтому относился к этой работе с особой тщательностью и придирчивостью.

Репетировать с Леоновым всегда было трудно, а в этом спектакле особенно... Он замучил режиссера вопросами и сомнениями... Впрочем, и остальные ленкомовцы привыкли подчиняться только железной воле Захарова.

Поняв это, Лордкипанидзе от постановки отказался... Захаров назначил нового художника, поменял некоторых исполнителей, изменил всю концепцию спектакля. Начало оставил прежним: выходит Евгений Павлович и долго молча смотрит в зал...

Потом в работе над спектаклем возникло неожиданное осложнение: в Германии на гастролях Леонов попал в госпиталь. Клиническая смерть. Тяжелейшая операция, после которой сама мысль о выходе на сцену казалась безумной...

Безумной для всех, кроме самого Леонова. Вернувшись в Москву, он вскоре потребовал начать репетиции. На все опасения, высказываемые коллегами и родней, отшучивался:

— Мне врачи рекомендовали: сердце надо разрабатывать... А то мышца атрофируется...

— Да кто вам сказал такую глупость?

— Я ж говорю: врачи. Они, правда, по-немецки лопотали, но я так понял... И потом мне видение было...

— Какое еще видение?

— Ну, когда, значит, на тот свет направился... Иду по такому белому коридору... Уже край виден... А тут, значит, навстречу мужики... Евреи в шапках... Взяли под руки, повели обратно... Я спрашиваю: куда? Они говорят: как куда? Спектакль пора начинать... Третий звонок!

Было ли такое видение или все придумал — не знаю. Но присутствуя на репетициях, я стал ловить себя на странном ощущении, что не слежу за текстом, а страшно нервничаю за Евгения Павловича... Вот он вдруг остановился, как-то сник, взялся рукой за сердце... Кому стало плохо: Леонову или Тевье, у которого дочка отправляется в Сибирь?..

После репетиции подбегал к Леонову:

— Как себя чувствуете, Евгений Павлович?

— Да вроде нормально...

— А во втором акте, мне показалось, у вас сердце заболело?

— Да мне тоже... А потом прислушался — оно «по роли» болит.

— Как бы у нас зрители в обмороки не попадали...

— Ничего. Можно в антракте кардиограмму в фойе вывешивать: мол, все в порядке...

Кардиограмму не вывешивали. Но все спектакли «Поминальной молитвы» с участием Леонова так и воспринимались зрителем как бы в двух измерениях: борьба за жизнь анатовского молочника перемежалась с непредсказуемой биографией великого актера.

Такое решение спектакля невозможно было предвидеть режиссеру и драматургу. «И здесь кончается искусство, и дышат почва и судьба» — может, впервые я увидел реальное воплощение этих пастернаковских строк.

Неужели и сейчас кому-то еще неясно, почему каждый раз, доиграв спектакль до конца и оставшись живым, он становился на колени и молился?..

Самое невероятное, что и сегодня «Поминальная молитва» идет как бы по-прежнему с его участием. В. Стеклов — второй исполнитель роли Тевье — играет интересно, по-своему, но признает, что незримое присутствие Евгения Павловича придает спектаклю какой-то особый градус...

Впрочем, такое ли оно незримое?

Когда гаснет свет, я всегда вижу, как из правой кулисы тихо выходит Леонов и долго смотрит в зал...

# Основные роли Е. П. Леонова

## Театр

**1947** Колька. «Ровесники» А. Авдеенко. Реж. В. Власов. Московский театр Дзержинского района.

**1948** Денщик. «Три сестры» А. Чехова. Реж. М. Кедров. Московский драматический театр имени К. С. Станиславского. (В Театре имени К. С. Станиславского Е. П. Леонов работал до 1968 года.)

Лопес. «День чудесных обманов» Р. Шеридана. Реж. Ю. Мальковский и Г. Кристи.

**1949** Абишев. «Две судьбы» И. Зеленского и Р. Хигеровича. Реж. Б. Флягин.

Чак Уоррен. «Глубокие корни» Д. Гоу и А. Д'Юссо. Реж. Б. Флягин.

Слуга в доме Одинцовой. «Отцы и дети» Л. Муравьевой по И. Тургеневу. Реж. В. Дудин.

**1950** Дон Диего. «С любовью не шутят» П. Кальдерона. Реж. Б. Равенских.

Клаус Нейдорер. «Жизнь начинается снова» В. Собко. Реж. Ю. Мальковский.

**1951** Слуга на балу. «Грибоедов» С. Ермолинского. Реж. М. Яншин.

Отто. «Правда о его отце» М. Калиновского и Л. Березина. Реж. Е. Весник и Л. Елагин.

Иванидзе. «Юность вождя» Г. Нахуцришвили. Реж. М. Яншин и Ю. Мальковский.

**1953** Робинзон. «Бесприданница» А. Островского. Реж. М. Яншин.

Виктор Шмелев. «Девицы-красавицы» А. Симукова. Реж. М. Яншин и С. Туманов.

Джон. «Крошка Доррит» А. Бруштейн по Ч. Диккенсу. Реж. С. Туманов.

Федор Рудый. «На улице Счастливой» Ю. Принцева. Реж. М. Яншин и Т. Кондрашов.

**1954** Второй шофер. «Весенний поток» Ю. Чепурина. Реж. А. Зиньковский.

Лариосик. «Дни Турбиных» М. Булгакова. Реж. М. Яншин.

**1955** Повар. «Чайка» А. Чехова. Реж. М. Яншин.

**1957** Кристи. «Ученик дьявола» Б. Шоу. Реж. Р. Иоффе.

**1958** Игорь. «Раскрытое окно» Э. Брагинского. Реж. А. Аронов.

Кутин. «Неизвестный» М. Соболя. Реж. В. Бортко.

Винченцо. «Де Преторе Винченцо» Э. Де Филиппо. Реж. М. Яншин и Ю. Мальковский.

**1959** Вадим. «Здравствуй, Катя» М. Львовского. Реж. М. Яншин и А. Аронов.

**1960** Сказочник. «Снежная королева» Е. Шварца. Реж. Е. Завадский.

Колька. «Встречи на дорогах» Э. Брагинского. Реж. Е. Симонов.

Сергей. «Верю в тебя» В. Коростылева. Реж. Е. Завадский и Б. Львов-Анохин.

**1962** Каролин. «Дайте крышу Маттуфлю!..» И. Жамиака. Реж. А. Карев.

Константин Тимофеевич Шохин. «Первый встречный» Ю. Принцева. Реж. М. Яншин.

**1963** Пичем. «Трехгрошовая опера» Б. Брехта. Реж. С. Туманов.

Солодкий. «Палуба» Л. Зорина. Реж. М. Карклялис.

**1965** Часовой. «Шестое июля» М. Шатрова. Реж. Б. Львов-Анохин.

Куманьков. «Энциклопедисты» Л. Зорина. Реж. Б. Львов-Анохин.

**1966** Креон. «Антигона» Ж. Ануя. Реж. Б. Львов-Анохин.

**1967** Ключицкий. «Однажды в двадцатом» Н. Коржавина. Реж. В. Львов-Анохин и М. Резникович.

**1969** Ванюшин. «Дети Ванюшина» С. Найденова. Реж. А. Гончаров. Московский академический театр имени Вл. Маяковского. (В Театре имени Вл. Маяковского Е. П. Леонов работал до 1974 г.)

**1971** Нароков. «Таланты и поклонники» А. Островского. Реж. М. Кнебель и Н. Зверева.

**1972** Санчо Панса. «Человек из Ламанчи» Д. Вассермана и Д. Дэриона. Реж. А. Гончаров.

**1975** Иванов. «Иванов» А. Чехова. Реж. М. Захаров. Московский театр имени Ленинского комсомола. (В Театре имени Ленинского комсомола Е. П. Леонов работал до 1994 г.)

**1978** Отец. «Вор» В. Мысливского. Реж. М. Захаров.

**1979** Крестьянский ходок. «Революционный этюд» («Синие кони на красной траве») М. Шатрова. Реж. М. Захаров и Ю. Махаев.

**1983** Вожак. «Оптимистическая трагедия» Вс. Вишневского. Реж. М. Захаров.

**1986** Подсудимый. «Диктатура совести» М. Шатрова. Реж. М. Захаров.

**1989** Тевье. «Поминальная молитва» Г. Горина по Шолом-Алейхему. Реж. М. Захаров.

## Кино и телевидение

**1949** Эпизод. «Счастливый рейс». «Стереокино». Сцен. В. Ардова, В. Немоляева, реж. В. Немоляев, опер. С. Рубашкин.

Эпизод. «Карандаш на льду». «Стереокино». Сцен. В. Ладыгиной, реж. В. Немоляев, опер. С. Рубашкин, композ. С. Кац.

**1951** Официант. «Спортивная честь». «Мосфильм». Сцен. М. Вольпина, Н. Эрдмана, реж. В. Петров, опер. Ю. Яковлев, Ю. Кун, М. Магидсон, композ. М. Блантер.

**1954** Кок. «Морской охотник». «Мосфильм» и Черноморская кинофабрика. Сцен. (по повести Н. Чуковского) В. Немоляева, реж. В. Немоляев, опер. Ф. Фирсов, композ. Н. Богословский.

**1955** Пашка Еськов. «Дорога». «Мосфильм». Сцен. С. Ермолинского, реж. А. Столпер, опер. А. Харитонов, Л. Крайненков, композ. Н. Крюков.

**1956** Снегирев. «Дело Румянцева». «Ленфильм». Сцен. Ю. Германа, И. Хейфица, реж. И. Хейфиц, опер. М. Магид, Л. Сокольский, композ. В. Пушков.

**1957** Кошелев. «Неповторимая весна». «Мосфильм». Сцен. С. Ермолинского, реж. А. Столпер, опер. А. Харитонов, композ. Н. Крюков.

**1958** Милиционер Сердюков. «Улица полна неожиданностей». «Ленфильм». Сцен. Л. Карасева, реж. С. Сиделев, опер. С. Иванов, композ. Н. Симонян.

Агафон. «Трудное счастье». «Мосфильм». Сцен. Ю. Нагибина, реж. А. Столпер, опер. А. Харитонов, композ. Н. Крюков.

**1959** Мухин. «Не имей сто рублей...». «Ленфильм». Сцен. Б. Ласкина, В. Полякова, реж. Г. Казанский, опер. М. Шуруков, композ. Н. Симонян.

Саша Смирнов. «Произведение искусства». «Мосфильм». Сцен. (по рассказу А. Чехова) М. Ковалева, реж. М. Ковалев, опер. В. Масленников, композ. А. Чугаев.

Старый год. «Снежная сказка». «Мосфильм». Сцен. В. Витковича, Г. Ягдфельда, реж. А. Сахаров, Э. Шенгелая, опер. В. Листопадов, Ю. Схиртладзе, композ. Ю. Левитин, худ. рук. С. Юткевич.

**1961** Шулейкин. «Полосатый рейс». «Ленфильм». Сцен. А. Каплера, В. Конецкого, реж. В. Фетин, опер. Д. Месхиев, композ. В. Баснер.

*Основные роли*

**1962** Барабашкин. «Черемушки». «Ленфильм». Сцен. В. Масса, М. Червинского, реж. Г. Раппапорт, опер. А. Назаров, композ. Д. Шостакович.

**1964** Яков Шибалок. «Донская повесть». «Ленфильм». Сцен. (по мотивам рассказов М. Шолохова) А. Витоля, реж. В. Фетин, опер. В. Кирпичев, композ. В. Соловьев-Седой.

Кутайсов. «Крепостная актриса». «Ленфильм». Сцен. (по оперетте Н. Стрельникова «Холопка») Л. Захарова, реж. Р. Тихомиров, опер. Е. Шапиро, композ. Н. Стрельников.

Эпизод. «Над нами Южный Крест». Киностудия имени А. П. Довженко. Сцен. И. Болгарина, С. Наумова, реж. В. Канарский, опер. В. Ильенко, композ. Г. Грабовский.

**1965** Травкин. «Тридцать три». «Мосфильм». Сцен. В. Ежова, В. Конецкого, Г. Данелия, реж. Г. Данелия, опер. С. Вронский, композ. А. Петров.

**1967** Критский. «Первый курьер». «Мосфильм» и Софийская киностудия художественных фильмов (Болгария). Сцен. К. Исаева, реж. В. Янчев, опер. А. Кузнецов, композ. П. Ступел.

Рассомахин. «Фокусник». «Мосфильм». Сцен. А. Володина, реж. П. Тодоровский, опер. И. Миньковецкий, композ. М. Вайнберг.

Сват Коротейка. «Зареченские женихи». «Мосфильм». Сцен. В. Мережко, реж. Л. Миллионщиков, опер. П. Сатуновский, композ. Е. Птичкин.

Король. «Снежная королева». «Ленфильм». Сцен. (по мотивам сказки Андерсена) Е. Шварца, реж. Г. Казанский, опер. С. Иванов, композ. Н. Симонян.

**1968** Михайло. «Виринея». «Ленфильм». Сцен. (по одноименной повести Л. Сейфуллиной) А. Шульгина, реж. В. Фетин, опер. Е. Шапиро, композ. В. Соловьев-Седой.

**1969** Егор Залетаев. «Не горюй!». «Мосфильм» и «Грузияфильм». Сцен. Р. Габриадзе, реж. Г. Данелия, опер. В. Юсов, композ. Г. Канчели.

Орешников. «Зигзаг удачи». «Мосфильм». Сцен. Э. Брагинского, Э. Рязанова, реж. Э. Рязанов, опер. А. Мукасей, В. Нахабцев, композ. А. Петров.

Иллюзионщик Паша. «Гори, гори, моя звезда...». «Мосфильм». Сцен. Ю. Дунского, В. Фрида, А. Митты, реж. А. Митта, опер. Ю. Сокол, композ. Б. Чайковский.

Алеша. «Чайковский». «Мосфильм». Сцен. Ю. Нагибина, Б. Метальникова, И. Таланкина, реж. И. Таланкин, опер. М. Пилихина, композ. Д. Темкин.

Винни-Пух. «Винни-Пух». «Союзмультфильм». Реж. Ф. Хитрук. (В последующие годы Е. П. Леонов сыграл Винни-Пуха в мультфильмах «Винни-Пух идет в гости» (1971 г.), «Винни-Пух и день забот» (1972 г.), реж. Ф. Хитрук. (Артист участвовал в работе над рядом мультфильмов в течение нескольких лет.)

**1970** Иван Приходько. «Белорусский вокзал». «Мосфильм». Сцен. В. Трунина, реж. А. Смирнов, опер. П. Лебешев, автор песни Б. Окуджава.

Нюхин. «Карусель». «Мосфильм» по заказу Гостелерадио. Сцен. (по рассказам А. Чехова) М. Швейцера, реж. М. Швейцер, опер. Г. Лавров, композ. И. Шварц.

Стручок. «Меж высоких хлебов». Одесская киностудия. Сцен. И. Стаднюка, Л. Миллионщикова, реж. Л. Миллионщиков, опер. Н. Луканев, композ. А. Билаш.

**1971** Трошкин. Доцент. «Джентльмены удачи». «Мосфильм». Сцен. В. Токаревой, Г. Данелия, реж. А. Серый, опер. Г. Куприянов, композ. Г. Гладков.

Капитулов. «Ехали в трамвае Ильф и Петров». «Мосфильм», объединение «Телефильм». Сцен. (по записным книжкам И. Ильфа и Е. Петрова) В. Титова, реж. В. Титов, опер. Г. Рерберг, композ. Н. Богословский.

**1972** Кукушкин. «Гонщики». «Ленфильм». Сцен. Ю. Клеманова, И. Ольшанского, Н. Рудневой при участии И. Масленникова, реж. И. Масленников. опер. В. Васильев, композ. В. Дашкевич.

**1973** Король. «Совсем пропащий». «Мосфильм». Сцен. (по мотивам романа М. Твена «Приключения Гекльберри Финна») В. Токаревой, Г. Данелия, реж. Г. Данелия, опер. В. Юсов, композ. А. Петров.

*Основные роли*

Кравцов. «Под каменным небом». «Тимфильм» (Норвегия), «Ленфильм». Сцен. С. Хельмебакка, Ю. Нагибина, реж. К. Андерсен, И. Масленников, опер. В. Васильев, композ. В. Дашкевич.

Леднев. «Большая перемена». «Мосфильм» по заказу Гостелерадио. Сцен. Г. Садовникова, А. Коренева, реж. А. Коренев, опер. А. Мукасей, композ. Э. Колмановский.

**1974** Потапов. «Премия». «Ленфильм». Сцен. А. Гельмана, реж. С. Микаэлян, опер. В. Чумак.

**1975** Лужин. «Длинное, длинное дело». «Ленфильм». Сцен. Ю. Николина, реж. Г. Аронов, В. Шредель, опер. В. Бурыкин, композ. А. Пресненев.

Эпизод. «Соло для слона с оркестром». «Мосфильм» и «Баррандов» (ЧССР). Сцен. Я. Костюковского, О. Липского, М. Мацуорека, М. Слободского, реж. О. Липский, опер. Я. Кучера, композ. В. Гала.

Коля. «Афоня». «Мосфильм». Сцен. А. Бородянского, реж. Г. Данелия, опер. С. Вронский, композ. М. Вайнберг.

Сарафанов. «Старший сын». «Ленфильм» по заказу Гостелерадио. Сцен. А. Вампилова, В. Мельникова, реж. В. Мельников, опер. Ю. Векслер.

**1976** Серафим. «Шаг навстречу». «Ленфильм». Сцен. Э. Брагинского, реж. Н. Бирман, опер. А. Чиров, композ. С. Пожлаков.

**1977** Ламме Гудзак. «Легенда о Тиле». «Мосфильм». Сцен. (по роману Ш. де Костера) А. Алова, В. Наумова, реж. А. Алов, В. Наумов, опер. В. Железников, композ. Н. Каретников.

Волохов. «Мимино». «Мосфильм». Сцен. Р. Габриадзе, В. Токаревой, Г. Данелия, реж. Г. Данелия, опер. А. Петрицкий, композ. Г. Канчели.

**1978** Жевакин. «Женитьба». «Ленфильм». Сцен. (по пьесе Н. Гоголя) В. Мельникова, реж. В. Мельников, опер. Ю. Векслер, композ. О. Каравайчук.

Регент Алексей Алексеевич. «Смешные люди». «Мосфильм». Сцен. (по рассказам и записным книжкам А. Чехова) М. Швейцера, реж. М. Швейцер, опер. А. Княжинский.

Прохоров. «И это все о нем». Центральное телевидение. Сцен. В. Липатова, реж. И. Шатров, опер. Т. Зельма.

Мендосо. «Дуэнья». Центральное телевидение. Сцен. (по пьесе Р. Шеридана) М. Григорьева, реж. М. Григорьев, композ. Т. Хренников.

Король. «Обыкновенное чудо». «Мосфильм» по заказу Гостелерадио. Сцен. (по пьесе Е. Шварца) М. Захарова, реж. М. Захаров, опер. Н. Немоляев, композ. Г. Гладков.

**1979** Сосед. «Осенний марафон». «Мосфильм». Сцен. А. Володина, реж. Г. Данелия, опер. С. Вронский, композ. А. Петров.

Банников. «Верой и правдой». «Мосфильм». Сцен. А. Червинского, реж. А. Смирнов, опер. И. Бек, композ. Н. Каретников.

Кушак. «Отпуск в сентябре». «Ленфильм» по заказу Гостелерадио. Сцен. (по пьесе А. Вампилова «Утиная охота») В. Мельникова, реж. В. Мельников.

**1980** Ихалайнен. «За спичками». «Мосфильм» и «Суомифильм» (Финляндия). Сцен. (по повести М. Лассила) В. Бахнова, Т. Вилппоенан, Л. Гайдая, Р. Орко, реж. Л. Гайдай, опер. С. Полуянов, композ. А. Зацепин.

**1981** Бубенцов. «О бедном гусаре замолвите слово». «Мосфильм». Сцен. Г. Горина, Э. Рязанова, реж. Э. Рязанов, опер. В. Нахабцев, композ. А. Петров.

**1983** Васин. «Слезы капали». «Мосфильм». Сцен. А. Володина, Г. Данелия, К. Булычева, реж. Г. Данелия, опер. Ю. Клименко, композ. Г. Канчели.

Эпизод. «Уникум». «Мосфильм». Сцен. А. Житинского при участии В. Мельникова, реж. В. Мельников, опер. К. Рыжов, композ. В. Кисин.

**1984** Алэн. «Время и семья Конвей». «Мосфильм» по заказу Гостелерадио. Сцен. (по пьесе Д. Пристли) В. Басова, реж. В. Басов, опер. А. Петрицкий. композ. В. Баснер.

*Основные роли*

**1985** Великан Глюм. «Дом, который построил Свифт». Центральное телевидение, творческое объединение «Экран». Сцен. Г. Горина, реж. М. Захаров.

**1987** Уэф. «Кин-дза-дза». «Мосфильм». Сцен. Р. Габриадзе, Г. Данелия, реж. Г. Данелия, опер. П. Лебешев, композ. Г. Канчели.

**1988** Бургомистр. «Убить дракона». «Мосфильм» и «Бавария-фильм» (ФРГ). Сцен. (по пьесе Е. Шварца «Дракон») Г. Горина, М. Захарова, реж. М. Захаров.

**1990** Сторож посольства. «Паспорт». «Мосфильм» совместно с «Продюксьон» (Франция). Сцен. Р. Габриадзе, Г. Данелия, А. Хайта, реж. Г. Данелия. опер. В. Юсов, композ. Г. Канчели.

**1992** Яков Алексеевич. «Настя». «Мосфильм», студия «Ритм». Сцен. А. Адабашьяна, А. Володина, Г. Данелия, реж. Г. Данелия.

**1993** Гоголев. «Американский дедушка». Киновидеофирма «Юпитер» и АООТ НПФ «Монолит-ки». Сцен. Л. Корсунского, реж. И. Щеголев, опер. С. Журбицкий, композ. В. Добрынин, продюсер И. Зуев.

# Оглавление

От составителя..................................................................3

*Нинель Исмаилова*. Евгений Леонов........................5

*Евгений Леонов*. Письма сыну..............................172

Последняя глава............................................................326

*Нинель Исмаилова*. Последняя глава....................326

*Борис Львов-Анохин*. Евгений Леонов — мой великий Креон..........................................................................337

*Андрей Гончаров*. Великий комик..........................352

*Марк Захаров*. Счастливые мгновения..................357

*Гр. Горин*. Последняя роль........................................366

Основные роли Е. П. Леонова....................................375

---

## Евгений Леонов
### ЖИЗНЬ И РОЛИ

Обложка Т. Неклюдовой
Корректоры: В. Югобашьян, Г. Бибикова

Лицензия ЛР № 065194 от 2 июня 1997 г.

Сдано в набор 01.02.98. Подписано в печать 28.02.98.
Формат 84x108 1/32. Бумага офсетная.
Гарнитура NewtonC. Печать офсетная.
Усл. печ. л. 20,16. Уч.-изд. л. 17,0
Тираж 1000. экз. Заказ № 46.

Издательство «Феникс»
344007, г. Ростов-на-Дону, пер. Соборный, 17.

Отпечатано с готовых диапозитивов в ЗАО «Книга».
344019, г. Ростов-на-Дону, ул. Советская, 57.